N'aie pas peur, Jaci

Irrésistible séduction

JOANNA WAYNE

N'aie pas peur, Jaci

BLACK *ROSE*

éditions **HARLEQUIN**

Collection : BLACK ROSE

Titre original : COWBOY CONSPIRACY

Traduction française de CATHERINE VALLEROY

Photo de couverture
Enfant : © GETTY IMAGES/BEYOND FOTOMEDIA/ROYALTY FREE
Réalisation graphique couverture : V. ROCH

© 2012, Jo Ann Vest. © 2013, Harlequin S.A.
83-85, boulevard Vincent-Auriol, 75646 PARIS CEDEX 13.
Service Lectrices — Tél. : 01 45 82 47 47
www.harlequin.fr
ISBN 978-2-2802-8072-3 — ISSN 1950-2753

Prologue

C'était dans le quartier du Country Club. De vastes demeures en brique, des pelouses tondues au millimètre, des gardiens aux portails, le genre de voisinage où les gens auraient dû dormir sur leurs deux oreilles, un dimanche, à 2 heures du matin.

Mais au domicile des Whiting, l'odeur du café matinal ne réveillerait plus jamais l'une des habitantes. Le dernier homicide d'Atlanta venait de tomber, s'ajoutant aux dossiers de Wyatt Ledger.

Les meurtres à domicile étaient les pires, songea-t-il en s'arrêtant derrière les voitures de patrouille garées dans l'allée de la maison à deux étages pourvue d'une colonnade. Un arbre dénudé allongeait ses branches grinçantes au-dessus de l'entrée couverte d'un auvent. Bienvenue au paradis transformé en enfer !

Non qu'un meurtre soit plus affreux ou plus définitif ici que dans les rues malfamées où se déroulaient les tueries des gangs. Mais une maison était un havre, un refuge contre le monde extérieur. Le sang paraissait tellement déplacé dans des pièces immaculées qui n'avaient jamais vu de violence.

Et les meurtres à domicile renvoyaient Wyatt aux souvenirs cauchemardesques qu'il n'avait jamais pu enterrer.

Le crissement des freins d'une berline venant s'ajouter aux voitures déjà garées le fit se retourner. Une seconde plus tard, sa coéquipière remonta l'allée d'un pas vif, et le rattrapa au moment où il atteignait la porte.

— Ça serait sympa si les meurtres étaient commis dans la journée, fit Alyssa en rajustant sa jupe sur ses hanches étroites.

Même légèrement échevelée, elle était toujours belle. Dans un autre contexte, personne n'aurait pu deviner qu'elle était aussi coriace et futée que n'importe quel inspecteur des homicides.

— Tu n'avais pas prévu de sortir, hier soir ? demanda Wyatt, son attention posée sur les abords de la maison.

Il y avait beaucoup d'arbres et de buissons à même de dissimuler quelqu'un. Un panonceau planté sur la pelouse indiquait un système d'alarme. Il faudrait vérifier s'il s'était désactivé, pensa-t-il.

— Kylie et moi sommes sorties avec des amis, et nous ne sommes pas rentrées avant minuit, dit Alyssa. J'ai été douloureusement tentée d'ignorer le téléphone.

— Tu aurais hurlé si on ne t'avait pas invitée à la fête.

— Faux. Je déteste les scènes de crime. Mais j'adore arrêter ces salauds de meurtriers, alors je prends sur mes heures de sommeil.

— J'ai l'impression qu'on va beaucoup manquer de sommeil dans cette affaire.

— Pourquoi ? interrogea Alyssa. Qu'est-ce que tu sais du crime ?

— La même chose que toi, sans doute. Un appel au 911 a alerté les flics. On a trouvé une femme tuée par balle. La maison appartient à Derrick et Kathleen Whiting.

Wyatt poussa la porte et pénétra dans un hall très haut de plafond. Un lustre de cristal projetait sa lumière sur une ancienne crédence en merisier et un sol en marbre. Un appareil à air conditionné soufflait de l'air froid, bien qu'on soit déjà en octobre et qu'il fasse moins de vingt degrés dehors.

Le son de voix graves leur parvint depuis le couloir. Wyatt sentit ses entrailles se nouer tandis qu'il se dirigeait vers le salon. Il était aux Homicides depuis six ans déjà, mais cette partie de la routine n'était jamais devenue agréable.

Il vit d'abord le sang, qui s'écoulait d'un corps caché en partie par deux policiers en uniforme. Wyatt les connaissait tous deux : Carter et Bower. Ils étaient dans la patrouille de nuit depuis qu'il travaillait à la police d'Atlanta.

— C'est moche, dit Carter, en reculant pour permettre à Wyatt et Alyssa de mieux voir.

Il ajouta quelques jurons pour souligner son propos.

La victime, vêtue d'un pyjama noir, était couchée face contre terre sur le plancher du salon. Elle avait les pieds nus. On lui avait tiré deux balles à l'arrière de la tête, à bout portant. Les orifices étaient clairement visibles.

Les blessures étaient suffisantes pour donner envie de vomir à la plupart des gens. Cela contraria un peu Wyatt de constater qu'il était devenu assez insensible pour ne pas rendre son dîner sur l'océan de moquette blanche.

— La porte de derrière a été fracturée, déclara Carter. La télévision est débranchée et écartée du mur. On dirait que la victime a interrompu un cambriolage en descendant.

— Ou bien on voulait que ça en ait l'air, remarqua Wyatt. Vous avez vérifié s'il y a d'autres victimes dans le reste de la maison ?

— Ouais. Rien à signaler. Il y a des vêtements d'homme dans le placard de la chambre principale, mais le lit n'est défait que d'un seul côté. Il y a aussi une autre chambre, sans doute celle d'un ado, avec un tas de trophées de base-ball sur les étagères et un poster des Falcons d'Atlanta au mur. Des vêtements sales sur le sol. Le lit n'a pas été défait.

Un garçon qui rentrerait bientôt chez lui pour découvrir que sa mère avait été assassinée.

Des souvenirs surgirent dans l'esprit de Wyatt. Le souffle coupé par une douleur insoutenable, il fixait le cadavre de sa mère. La panique. La peur. L'odeur des petits pois brûlés. Encore aujourd'hui, il ne pouvait pas supporter la vue ou l'odeur des petits pois.

— Qui a appelé la police ? demanda Alyssa.

— Un voisin. Il a déclaré avoir entendu des coups de feu en provenance de la maison des Whiting, mais le système d'alarme n'était pas éteint. En arrivant, nous avons trouvé la porte de derrière grande ouverte, alors nous sommes entrés par là et nous avons ouvert devant pour vous, les gars.

— Vous avez interrogé le voisin ? demanda Wyatt.

— Nous avons pensé que les Homicides voudraient le faire eux-mêmes, répondit Bower.

La porte d'entrée claqua. Soit le vent s'était levé, soit quelqu'un venait d'entrer. Wyatt posa instinctivement la main sur la poignée de son arme.

— Maman !

La voix dans le hall d'entrée était jeune, masculine et tremblante de panique.

Wyatt et Alyssa se hâtèrent d'aller à sa rencontre.

— Qu'est-ce qui se passe ? demanda le garçon. Où est ma mère ?

Il avait l'air d'avoir douze ou treize ans, le même âge que Wyatt quand son monde avait basculé. Un homme en robe de chambre de flanelle bleue se tenait près de lui, la main posée sur l'épaule du garçon.

— Il est arrivé quelque chose ?

Alyssa montra son insigne.

— Alyssa Lancaster, police d'Atlanta. Etes-vous Derrick Whiting ? demanda-t-elle à l'homme.

— Non. Mon nom est Culver. Andy Culver. J'habite de l'autre côté de la rue, à quelques portes d'ici. Josh passait la nuit chez nous, avec mon fils Eric. Il s'est réveillé et il a vu les voitures de patrouille devant chez lui. Y a-t-il eu un accident ?

— Il y a un problème, admit Alyssa. Josh, sais-tu où est ton père ?

— Il est en voyage d'affaires.

— Tu as des sœurs ou des frères ? demanda Wyatt.

— Non.

— D'autres parents près d'ici ? Des grands-parents, une tante ?

— Mes grands-parents habitent à Peachtree City. Pourquoi ? Qu'est-ce qui est arrivé à ma mère ?

Sa voix était devenue rauque. Il retenait ses larmes.

— Viens avec moi dehors, je vais t'expliquer la situation, dit Alyssa.

Expliquer ? Comme s'ils parlaient d'un devoir de maths au lieu du basculement de la vie du garçon, songea Wyatt. Dieu merci, Alyssa était plus douée que lui pour parler aux familles des victimes, surtout aux enfants. Lui pouvait affronter la dure réalité d'un crime, mais il avait besoin d'un cadre impersonnel pour garder ses émotions en laisse.

— Où est ma mère ?

La voix de Josh était presque un gémissement, désormais.

— Je suis désolée, Josh.

Alyssa s'approcha de lui.

Le garçon se dégagea et se mit à courir vers le salon où gisait le corps ensanglanté de sa mère. Wyatt tenta de lui saisir le bras, mais Josh l'évita comme dans une passe de basket. Le temps que Wyatt le rejoigne, il se tenait devant le corps, le visage d'un blanc fantomatique.

Le garçon tremblait mais ne pleurait pas encore. Cela viendrait plus tard. Pour le moment, il était en état de choc, pétrifié par l'affreuse image que son esprit refusait d'accepter.

— Maman est morte, n'est-ce pas ?

Sa voix se brisa.

Alyssa lui glissa un bras autour des épaules tandis que Wyatt se déplaçait pour s'interposer entre le garçon et la scène. Mais rien de ce qu'ils pouvaient faire ou dire ne pourrait protéger Josh de l'horreur et du chagrin qui suivraient. Personne ne le savait mieux que Wyatt.

Le mieux qu'il pouvait faire, c'était appréhender le tueur et veiller à ce que justice soit faite pour la mère de Josh. Ce serait plus que quiconque n'avait fait pour sa propre mère.

1

Trois mois plus tard

— Le chef veut vous voir dans son bureau.

Wyatt leva les yeux sur la jeune employée qui venait de passer la tête dans son box.

— Il a dit pourquoi ?

— Non, juste qu'il voulait vous voir.

Wyatt mit la lettre sur laquelle il s'échinait dans un dossier et écarta sa chaise à roulettes de son bureau surchargé de paperasse. Il prit la chemise de l'affaire Whiting. Il n'avait pas encore fini son rapport, mais il était sûr que les développements de la veille seraient à l'ordre du jour.

Le fait que Derrick Whiting ne serait pas jugé pour le meurtre de sa femme ne le réjouissait pas. Mais, au moins, l'homme n'était plus en liberté, avec une maîtresse sexy dans son lit et l'argent de l'assurance à la banque.

Whiting s'était tiré une balle dans la tête la veille au soir, quand Wyatt et Alyssa avaient sonné à sa porte, mandat d'arrêt à la main. Heureusement, Josh n'était pas là pour assister à l'événement. Il était parti vivre chez ses grands-parents un mois auparavant.

Alyssa rattrapa Wyatt à quelques pas du bureau du chef.

— Tu as été convoqué aussi ?

— Ouaip.

— Tu crois que Dixon est en rogne parce qu'on n'a pas réussi à empêcher ce malade de se tuer ? demanda-t-elle.

— Je suis sûr qu'il aurait préféré que le type soit jugé, mais c'est comme ça.

La porte était ouverte. Martin Dixon leur fit signe d'entrer. Il se leva et fit quelques pas pour les accueillir. Il ne souriait pas vraiment, car de toute façon il ne souriait jamais. Mais l'expression de ses yeux et son attitude étaient révélatrices. Il était enchanté que ce soit terminé.

— Super boulot, tous les deux ! J'aurais aimé qu'on puisse mettre Whiting dans le box des accusés, mais ça ne m'étonne pas qu'il se soit appliqué sa propre sentence de mort. Et s'il ne l'avait pas fait, les preuves que vous avez rassemblées auraient garanti sa condamnation. Aucun juré ne l'aurait laissé repartir. Le maire a appelé ce matin, continua-t-il. Il m'a chargé de vous transmettre toute sa reconnaissance pour la manière dont vous avez mené l'enquête. Il voulait vous féliciter lui-même, mais il se prépare pour une conférence de presse avec moi dans une heure.

Wyatt fit la grimace.

— Vous n'allez pas nous remercier en nous obligeant à nourrir les requins des médias à la petite cuillère ?

— Non. Le maire et moi allons faire des déclarations. C'est Louis qui répondra aux questions relatives à l'affaire. J'aimerais que vous le mettiez au courant.

— Ça, je peux faire, dit Wyatt.

Louis était le porte-parole de la police d'Atlanta, et il avait sa manière à lui de contenter les médias sans lâcher de détails gratuits.

— En tout cas, c'est du bon travail, répéta le chef.

— Merci, fit Wyatt. Je n'ai fait que mon boulot. Le type était aussi coupable qu'on peut l'être.

Trois mois durant, Wyatt et Alyssa avaient passé jour et nuit sur cette affaire. Le meurtre avait été soigneusement planifié, et presque trop bien exécuté. Derrick avait voulu faire croire au crime d'un cambrioleur, mais il avait commis des erreurs fatales. La plupart des meurtriers en faisaient.

Dieu merci, Derrick Whiting n'était que le beau-père de Josh depuis deux ans, et non son père biologique. Le garçon avait déclaré qu'ils ne s'étaient jamais bien entendus, bien que Derrick ait dépeint une parfaite harmonie familiale à ses collègues.

Au moins, Josh n'aurait pas à vivre avec la pensée que son père avait tué sa mère de sang-froid. Il ne serait pas forcé d'endurer les moqueries cruelles de ses camarades de classe ni de se demander si son ADN véhiculait l'héritage d'un tueur.

— Vous êtes tous les deux bons pour une promotion, reprit le chef. J'ai décidé de bousculer les obstacles bureaucratiques et de faire bouger les choses.

— Ça, c'est parler ! s'exclama Alyssa.

Cette annonce prit Wyatt complètement au dépourvu. Génial pour Alyssa, mais tant pis pour la lettre de démission sur laquelle il travaillait avant l'entretien.

— Un problème, Wyatt ? demanda Dixon, manifestement conscient de sa gêne.

— Pas exactement, mais…

Autant lâcher le morceau tout de suite. Il avait pris sa décision.

— J'apprécie l'offre de promotion, mais je vais démissionner.

Le chef eut l'air stupéfait. Wyatt évita le regard d'Alyssa. Il avait eu l'intention de lui en parler d'abord. C'était l'usage entre coéquipiers, mais la nouvelle de leur promotion lui avait retiré l'initiative.

— Quand avez-vous décidé cela ? demanda le chef.

— Il y a quelques semaines, mais j'y pense depuis un bon bout de temps. Je voulais boucler l'affaire Derrick Whiting avant d'en parler à quiconque.

— Vous auriez dû venir me voir avant. Quel que soit le problème, je suis sûr que nous pouvons le résoudre.

— Mon départ n'a rien à voir avec le service ou avec le travail, ajouta rapidement Wyatt. Bon sang, je me sens comme un poisson dans l'eau, ici. Mais j'ai besoin d'un changement.

Je suis resté à la police d'Atlanta depuis qu'on m'a recruté comme simple flic.

— Quel genre de changement ? Si vous voulez quitter les Homicides, on peut…

— Je rentre au Texas, déclara Wyatt, espérant mettre un terme à la discussion.

Dixon parut sceptique.

— Pour faire de l'élevage au ranch familial ?

— Je ne pense pas vivre au ranch, expliqua Wyatt, mais des affaires inachevées m'attendent et il est temps que je m'en occupe.

— Est-ce que cela a à voir avec le meurtre de votre mère ?

— En grande partie, oui.

— Vous êtes sûr d'avoir bien réfléchi ?

— J'en suis certain, lui assura Wyatt.

Il n'avait pas pensé à grand-chose d'autre, la plus grande partie de sa vie. C'était la raison pour laquelle il était devenu flic. Il avait mis cela de côté aussi longtemps qu'il l'avait pu.

Le chef secoua la tête, exprimant clairement que, pour lui, cette décision était une grave erreur.

— Vous m'avez dit une fois que tous vos frères étaient convaincus de l'innocence de votre père. Je doute qu'ils apprécient que vous remuiez le passé. Et il a fait dix-sept ans de prison. C'est davantage que la plupart des condamnés quand il y a ne serait-ce qu'un léger doute quant à leur culpabilité.

— Ce n'est pas à mon père que je veux m'en prendre, mais à l'homme qui a tué ma mère. Si mon père est innocent, j'en trouverai la preuve formelle. S'il est coupable, alors il faudra que je m'y fasse. Mes frères sont de grands garçons et ils devront s'y faire aussi.

— Ça m'embête beaucoup, mais je comprends votre raisonnement, Wyatt. Et je ne doute pas une seconde que vous parviendrez à trouver les réponses que vous cherchez.

— J'espère que votre confiance est justifiée.

— Tenez-moi au courant. Et aussi longtemps que je

dirigerai ce service, il y aura une place pour vous, si vous décidez de revenir.

— Je vous en suis reconnaissant.

— Quand avez-vous prévu de partir ?

— Ma charge de travail est plus légère qu'elle ne le sera jamais, alors j'aimerais m'en aller dès que vous m'aurez remplacé.

Dixon hocha la tête.

— Vous allez manquer à ce service.

— Il me manquera aussi.

La conversation revint sur l'affaire Whiting, mais la réunion avait perdu son atmosphère de célébration. Wyatt, habituellement le premier à plaisanter pour alléger l'ambiance, ne trouvait rien à dire. Il adorait son travail, mais il devait démissionner.

Et un changement d'air lui ferait du bien. Il commençait à détester les murs de son appartement. Il avait besoin de grands espaces, de pâturages ondulants, et des coins de pêche dont Dylan, Sean, et maintenant Dakota, ne cessaient de parler.

Cela ne rendrait pas le retour à Mustang Run et Willow Creek Ranch plus facile pour autant.

Dès qu'ils furent dans le couloir, Alyssa lui enfonça un doigt dans les côtes.

— Quand exactement avais-tu l'intention de me lancer ça à la tête ?

— Au dernier moment, pour ne pas t'entendre gémir et me faire la leçon, la taquina-t-il. Et enlève ton index de là.

Elle le lui enfonça plus profondément encore.

— Tu vas devenir fou dans ce patelin de Horse Run.

— Mustang Run. Et je n'ai pas l'intention d'y rester pour toujours.

— Non, juste assez longtemps pour provoquer des troubles, lança Alyssa avec malice.

— Je suis doué pour semer la pagaille, alors ça ne devrait pas prendre trop longtemps.

— Ton père a passé dix-sept ans en prison avant d'être relâché. Il a rassemblé quatre de ses cinq fils autour de lui, même Tyler qui est toujours en Afghanistan. C'est un grand-papa gâteau. T'as envisagé de ne pas t'en mêler ?

— Je n'y vais pas pour le pendre à l'arbre le plus proche. Troy prétend qu'il cherche le meurtrier de ma mère. J'ai l'intention de l'aider.

— Bien sûr, en fils dévoué. T'arrives même pas à l'appeler papa.

Wyatt s'arrêta de marcher et soutint son regard.

— Tu es en train de me dire que tu ne ressentirais pas la même chose si ta mère avait été assassinée ?

— D'accord, tu marques un point. Mais tu vas me manquer. Pire que ça, je suis égoïste. Maintenant, il va me falloir m'habituer à quelqu'un d'autre. Je vais sans doute avoir un type qui transpire à profusion, qui laisse échapper des gaz dans la voiture ou, à Dieu ne plaise, qui me traitera comme une femme.

— Il ne commettra pas cette erreur deux fois.

Elle sourit comme si c'était le plus beau des compliments.

— Promets-moi quelque chose avant de te retrouver au milieu des serpents à sonnette et des bouses de vache, Wyatt.

— De t'envoyer une peau de serpent ?

— N'y pense même pas. Mais si, par chance, tu trouves une femme qui te supporte, ne la repousse pas comme si elle avait vécu avec une famille de sconses, comme tu l'as fait avec toutes celles avec qui j'ai essayé de te brancher.

— Je m'en souviendrai.

— Tu sais ce qui ne va pas chez toi ?

— Je n'aime pas les sconses.

— Tu as peur de tomber amoureux. Dès que tu apprécies une femme, tu trouves des prétextes pour dire que ça ne marchera pas. Elle est trop intelligente ou elle n'est pas assez intelligente. Elle a des chats ou des enfants. Elle n'aime pas les chats ou les enfants.

— Tu devrais te faire de meilleures amies.

— Tu ferais mieux de l'admettre, tu as peur des relations.

— Ça montre que je suis intelligent. Tu connais le taux de divorce chez les flics ?

— Un jour, tu rencontreras une femme qui t'attrapera au lasso et tu ne pourras plus t'en aller. J'ai entendu dire que le Texas regorge de ce genre de femmes.

— Peut-être bien.

Mais une femme était la dernière chose dont il avait besoin. Retourner au Texas et revoir Troy Ledger étaient des défis plus que suffisants. Et maintenant que sa décision était prise, il devait bouger. Avec un peu de chance, il serait en route vers la mi-janvier.

Il voyageait léger. C'était justement l'un des avantages de ne pas prendre racine.

Et il n'avait pas l'intention de changer ça.

— C'est la pompe à carburant, madame Burger. Il va falloir la remplacer.

Kelly grogna. Elle avait encore quatre heures de route devant elle et il était déjà 15 heures passées. En outre, le bulletin météo pour la soirée prédisait de violents orages précédant un front d'air froid venant du nord-ouest.

Le mécanicien tira un chiffon rouge de sa poche arrière et frotta une tache de graisse résistante sur son bras.

— Je peux m'en occuper demain à la première heure. Et je serai enchanté de vous emmener jusqu'au motel le plus proche.

— Je dois vraiment reprendre la route aujourd'hui. Je vous paierai davantage si vous me la réparez cet après-midi.

— Je ne suis pas sûr de pouvoir obtenir la pièce aussi vite. Si je la trouve pas chez Mac's Garage, il faudra que je me la fasse envoyer.

C'était bien sa chance de tomber en panne dans une petite ville ! songea Kelly.

— Vous ne pouvez pas demander à quelqu'un d'aller chercher la pièce chez le concessionnaire Honda de la ville la plus proche ? Je paierai pour les heures supplémentaires et l'essence.

Jaci tira sur la jupe de Kelly.

— On s'en va maintenant, maman ?

— Pas encore, ma chérie.

Elle fit un effort pour ne pas laisser la frustration transparaître dans sa voix. On ne pouvait s'attendre à ce qu'une fillette de cinq ans comprenne pourquoi elles devaient patienter au lieu d'entamer l'aventure qu'elle avait promise. Jaci s'était montrée très courageuse durant les douze derniers mois de leur vie, affectés par un sérieux bouleversement.

— Je vais voir ce que je peux faire, dit le jeune mécanicien.

Il revint dans la salle d'attente dix minutes plus tard, cette fois en souriant.

— J'ai trouvé la pompe. Elle sera là d'ici une heure. Si tout marche bien, vous pourrez repartir juste après la tombée de la nuit.

— Super.

Elles arriveraient à Mustang Run trop tard pour faire quoi que ce soit d'utile mais, au moins, elles seraient là quand le camion de déménagement arriverait au matin à la nouvelle maison. Ce n'était pas une nouvelle maison à proprement parler, car elle était plus vieille que sa grand-mère, qui la lui avait léguée. Mais elle leur offrirait un nouveau départ, à Jaci et elle, après une année infernale.

Kelly n'avait aucune idée de l'état dans lequel la demeure se trouvait. Elle était restée vide pendant plus d'une année, et l'homme qui s'en était occupé était en vacances chez son fils en Californie.

Tout ce qu'il lui avait dit au téléphone, c'était que la maison avait besoin d'une bonne dose de savon, de peinture et d'huile de coude. Elle avait décidé d'y emménager, et de refaire une pièce à la fois, quand elle en aurait le temps et l'argent.

Elle avait quelques économies, mais pas assez pour des réparations majeures. Les factures médicales de son mari en avaient emporté la plus grande partie, avant sa mort, trois ans auparavant. Et l'année précédente, elle n'avait pas gagné un sou.

— J'ai faim, maman, dit Jaci, bien que Kelly soupçonne qu'il s'agissait plus d'ennui que d'autre chose.

— Il y a un McDonald's plus loin sur la grande route, suggéra le mécanicien. Je peux vous y emmener, si vous voulez, et revenir vous chercher quand la voiture sera prête. Ils ont une chouette aire de jeux.

Jaci fit des bonds en l'air.

— S'il te plaît, maman, s'il te plaît.

Entre McDonald's, ses gosses hurlants et son odeur de friture, et la salle d'attente à relire pour la vingtième fois les deux histoires que Jaci avait prises avec elle, il n'y avait pas à hésiter.

— Ce serait génial, approuva Kelly.

Jaci pourrait dépenser un peu de son énergie et manger les nuggets de poulet qu'elle adorait. Ensuite, elle dormirait probablement jusqu'au Hill Country. Avec un peu de chance, elles seraient à Mustang Run avant que n'éclatent les orages prévus.

Kelly était certaine que rien ne pouvait encore mal tourner ce jour-là.

2

De grosses gouttes de pluie s'écrasèrent sur le pare-brise, tandis que Wyatt quittait la route et s'arrêtait à l'une des pompes à essence du relais routier ouvert vingt-quatre heures sur vingt-quatre. Des 60 tonnes étaient alignés sur le parking à droite, les conducteurs dormant certainement à poings fermés dans leurs cabines de luxe.

Il était le seul client aux pompes. Le parking, devant le restaurant, était vide, à l'exception d'une moto qui avait connu des jours meilleurs, et d'une élégante Corvette d'un modèle récent.

Wyatt sortit de son pick-up tout neuf, le cadeau qu'il s'était fait pour avoir échangé le job qu'il adorait contre des retrouvailles avec son père.

Il avait fourré tout ce qu'il possédait sur le siège arrière, ou sur le plateau du pick-up, sous une couverture en aluminium. Cela incluait la superbe canne à pêche à moulinet que ses collègues des Homicides lui avaient offerte en guise de cadeau d'adieu.

S'étirant pour soulager ses courbatures, Wyatt massa les muscles raidis de son cou. Les bières qu'il avait partagées avec ses copains, la veille au soir, lui avaient donné juste assez mal à la tête pour ternir le plaisir de la route.

Les éclaboussures de pluie tournèrent à la pluie battante tandis qu'il remplissait son réservoir. Une bouffée d'un vent glacial arracha presque son Stetson noir. Il l'enfonça sur sa tête de sa main libre.

Juste au moment où il reposait le pistolet sur son berceau,

une Honda Accord dernier modèle s'arrêta de l'autre côté de la pompe, et une femme en sortit.

Le vent soufflait si fort maintenant que l'abri ne les protégeait guère de la pluie. Elle ferma étroitement sa veste en jean, et regarda avec nervosité autour d'elle.

Il repoussa son chapeau.

— Mauvaise nuit pour rouler.

— Oui. J'espérais que la pluie attendrait encore une heure, dit-elle, en évitant soigneusement de croiser son regard, tandis qu'elle dévissait le bouchon de son réservoir.

Il n'y avait personne sur le siège passager, mais il remarqua une petite fille sur le siège arrière. Son visage était pressé contre la vitre, et elle le regardait. Elle ouvrit la portière pour mieux voir.

— Ne sors pas de la voiture, Jaci. Il fait froid et tu vas te mouiller.

La petite referma la portière, et la femme verrouilla celle-ci à l'aide de sa télécommande.

— Vous êtes en train de vous mouiller aussi, intervint Wyatt. Pourquoi ne me laissez-vous pas finir de remplir le réservoir et ne courez-vous pas jusqu'au café avec la gosse avant que ça n'empire ?

— Nous n'allons pas entrer. Et merci pour votre offre, mais je n'ai pas besoin d'aide.

Son ton et son regard lui indiquaient clairement de rester à distance.

Une femme avisée. Wyatt n'était pas dangereux, mais des tas d'hommes l'étaient. Et une femme seule, voyageant avec un enfant, faisait une cible facile pour certains des malades dont il avait eu à s'occuper.

S'il avait toujours son insigne de la police d'Atlanta, cela l'aurait sans doute rassurée, mais il n'était plus flic, du moins pas officiellement.

— A votre place, je laisserais passer la pluie avant de me

remettre en route. Simple suggestion, conclut-il en repoussant de nouveau son chapeau.

Il se dirigea vers le restaurant pour prendre un café, tandis que le vent et la pluie redoublaient d'intensité. Il était à moins de cinquante kilomètres de Mustang Run, mais il n'était pas pressé d'arriver. Il avait décidé, à une soixantaine de kilomètres de là, de passer la nuit dans un des deux motels de la ville, puis de rouler jusqu'au ranch dans la matinée.

Il avait besoin d'une bonne nuit de sommeil avant d'affronter Troy.

Troy Ledger, condamné pour meurtre, mais protestant toujours de son innocence. Wyatt aurait aimé qu'il le soit, mais il avait lu et relu les minutes du procès si souvent qu'il les connaissait dans les moindres détails. S'il avait été parmi les jurés, il serait parvenu à la même conclusion : coupable de meurtre au premier degré.

C'était le Troy qu'il allait affronter. Mais il y avait l'autre Troy, celui auquel il pensait depuis qu'il avait passé la frontière du Texas. Le père qui chassait les monstres de sa chambre, qui lui avait appris à monter à cheval et à bicyclette. Qui lui avait offert son premier poney. Le père qui était resté toute la nuit à ses côtés, quand ce poney avait été si malade qu'ils avaient cru devoir l'abattre.

Wyatt secoua l'eau de ses bottes western usées et fit halte aux toilettes des hommes.

— 'Trez donc, l'accueillit la serveuse quand il pénétra enfin dans le café proprement dit.

Elle avait l'air d'avoir une trentaine d'années, et son maquillage épais avait un peu coulé.

— Vous vous abritez juste à temps, dit-elle. Un sacré orage qui a éclaté dehors.

— C'est un temps habituel en janvier par ici ? demanda-t-il.

— Non, mais le temps n'est jamais prévisible dans cette partie du Texas. Un jour on est en short, et le lendemain il faut porter un pull. Vous êtes d'où ?

— Du Texas à l'origine, mais j'ai vécu en Géorgie la plus grande partie de ma vie.

— Alors bon retour.

— Merci.

Il retira sa veste et la laissa tomber sur l'un des tabourets du bar.

Elle lui tendit un menu plastifié.

— Vous voulez dîner ou juste prendre un café pour attendre la fin de la tempête ?

— Les deux.

Il lut son prénom sur son badge.

— Je vais commencer par un café noir, Edie.

— Le cuisinier est déjà parti, l'informa-t-elle en lui versant du café et en le posant devant lui. Mais je peux vous faire un hamburger ou un sandwich avec des frites. Je peux aussi faire la plupart des petits déjeuners. Il y avait de la soupe au poulet et à la tortilla, mais des camionneurs l'ont finie il y a une demi-heure.

— Ce que vous faites cuire en ce moment sent bon.

— Je fais griller un sandwich jambon-fromage pour le type du fond. Je vous le recommande.

— Alors je vais prendre ça.

— C'est comme si c'était fait.

Wyatt jeta un coup d'œil à l'autre client. Il était penché sur une carte routière étalée sur la table étroite. Ses cheveux étaient touffus et avaient l'air de ne pas avoir été lavés depuis plusieurs jours. Son jean était délavé et effiloché aux ourlets. Son T-shirt sans manches découvrait des muscles lourdement tatoués, et il avait une vilaine cicatrice sur la clavicule.

C'était peut-être un parfait gentleman, pourtant il avait le genre d'allure qui attirait immanquablement l'attention d'un flic.

Mais Wyatt n'était plus policier à présent. Il reporta son attention sur la devanture du café. A présent, la pluie fouettait les grandes vitres, et il pensa de nouveau à la femme de la Honda. Si elle essayait de conduire sous ce déluge, elle allait au-devant des ennuis. La visibilité s'était réduite à quelques mètres.

La clochette placée au-dessus de la porte d'entrée tinta. Wyatt leva les yeux au moment où la femme, qui avait dit qu'elle n'entrerait pas, poussait sa fille en direction des toilettes. Il espéra que cela signifiait qu'elle avait décidé d'attendre la fin de l'orage.

Le lourd fracas du tonnerre fit trembler les portes, et les lumières clignotèrent. Edie se pencha vers lui par-dessus le comptoir.

— Je suis vraiment contente que vous vous soyez arrêté. J'ai peur quand je suis seule avec une panne de courant. Normalement, si je hurle, les camionneurs arrivent à ma rescousse, mais avec cet orage, pas de risque qu'ils m'entendent.

— Le type assis au fond est un client régulier ? demanda Wyatt.

— Jamais vu avant.

Elle se pencha davantage.

— J'espère ne jamais le revoir. La manière dont il me regarde me fiche les chocottes. C'est une autre des raisons qui font que je suis contente que vous soyez là. Vous avez l'air de quelqu'un qui sait faire face aux problèmes.

— Seulement quand ce sont les problèmes qui assènent le premier coup.

Elle sourit et posa une serviette en papier près de son coude.

— Les orages attirent des tas d'inconnus, surtout quand il pleut tellement qu'on ne voit rien en conduisant.

Wyatt continua de regarder l'entrée, jusqu'à ce que la femme et l'enfant sortent des toilettes. La femme regarda autour d'elle et croisa son regard une fraction de seconde, avant de guider sa fille vers une table du devant.

La serveuse se dirigea vers elles et entama une nouvelle conservation sur l'orage.

— Juste un café noir et un verre de lait pour ma fille, entendit-il dire la femme, quand elles en vinrent à la commande.

— Certainement. Vous voyagez loin ce soir ?

— Seulement Mustang Run. Je pensais que j'avais assez d'essence pour y arriver, mais l'aiguille est tombée si bas que j'ai eu peur de prendre le risque.

— Vous avez bien fait de vous arrêter, dit Edie. Le camion d'un de mes clients est sorti de la route, la dernière fois que nous avons eu un temps comme ça.

— Nous déménageons dans la maison de mon arrière-grand-mère, s'exclama l'enfant avec animation. Il y a un grand jardin.

— Quelle chance tu as ! Est-ce que ton papa va travailler à Mustang Run ?

— Mon papa est tombé malade et il est au ciel, répondit la petite fille. Mais j'ai une grand-mère Linda Ann, à Plano. Elle est professeur à l'école. Dans une école pour les grands.

Donc cette femme était veuve, comprit Wyatt. Et elle et sa fille déménageaient dans la même petite ville que lui, le même soir.

Alyssa aurait proclamé que ce n'était pas une coïncidence et qu'il devait aller se présenter. Mais Alyssa croyait aussi que jeter des pennies dans la fontaine de son restaurant préféré l'aiderait à rencontrer l'homme parfait. Sinon, Facebook ferait l'affaire.

— Tu vas adorer Mustang Run, dit Edie à la petite fille. Je vis à trente minutes d'ici dans la direction opposée, mais je vais chaque année à Mustang Run pour la danse du Festival des Bonnets Bleus. Les habitants sont vraiment gentils.

Elle se tourna vers la femme.

— Et les cow-boys sont teeeeellement mignons.

— Je ne cherche pas de cow-boy.

Wyatt planta les talons de ses bottes western sur la barre du tabouret. Cela le mettait hors circuit. Non pas qu'il s'occupe de vaches, mais il était cow-boy dans l'âme.

— D'où venez-vous ? demanda Edie.

— De l'Est.

Difficile d'être plus évasive, pensa Wyatt. Son instinct de flic se mit en route, et il se demanda si elle fuyait quelque chose, la police ou peut-être un amant inopportun.

— On va avoir un chat, reprit la petite fille.

— C'est bien, approuva Edie. J'avais un chat quand j'étais petite. Elle s'appelait Princesse.

— Je vais l'appeler Belle. C'est un nom de princesse.

— Oui. C'est joli.

— Je m'appelle Jaci.

— C'est joli aussi. Maintenant je ferais mieux de retourner à mon gril avant que le jambon brûle.

L'orage grondait maintenant en permanence et on aurait dit que des grêlons s'abattaient sur le toit métallique. Les lumières vacillèrent de nouveau, tandis qu'Edie sortait des tomates en tranches, des feuilles de laitue et des *jalapeños* d'un petit réfrigérateur encastré sous le comptoir.

Wyatt changea de position sur le tabouret, afin d'avoir vue sur la femme sans tourner la tête, et il la jaugea mentalement comme il l'aurait fait avec un suspect. Elle avait des cheveux blond vénitien, propres et brillants, coupés à hauteur du menton et dégradés. Un nez très mignon, légèrement retroussé au bout.

De jolis seins, des hanches minces. Il les avait remarquées quand elle faisait le plein. Des lèvres pleines et un sourire magnifique. Quand elle souriait.

Bon d'accord, peut-être la détaillait-il plus comme une femme que comme un suspect. Elle l'intriguait, peut-être parce qu'elle ne s'intéressait absolument pas à lui.

Elle leva les yeux, le vit la regarder, et lui lança le même regard sans aménité qu'au-dehors.

Edie posa son sandwich devant lui, et il se concentra sur la nourriture. Quand il leva de nouveau les yeux, il surprit le type du fond qui regardait la mère de Jaci.

Wyatt ne pouvait guère lui reprocher de remarquer une femme séduisante, il avait fait la même chose. Mais la manière dont l'homme la regardait l'irrita. Il comprenait pourquoi la serveuse s'était sentie mal à l'aise avec lui. L'envie le démangeait de lui demander sa carte d'identité. Il aurait aimé savoir s'il avait un casier judiciaire ou un mandat d'arrêt aux fesses.

Quelques minutes plus tard, le type paya son addition, se leva et se dirigea vers la porte en roulant des mécaniques. Il s'arrêta près de la table de la femme et posa la main sur son aine en la lorgnant, jusqu'à ce qu'elle lève les yeux. Elle détourna très vite le regard.

Wyatt sentit ses muscles se crisper. Insigne ou pas, il n'allait pas laisser ce type dégoûtant l'intimider sans réagir. Mais l'homme sortit alors du café sous l'orage déchaîné.

Le temps que Wyatt ait fini son sandwich et une seconde tasse de café, le battement régulier de la pluie sur le toit avait ralenti. La femme et la petite enfilaient déjà leurs manteaux. Elles sortirent pendant que Wyatt payait.

Il venait de mettre sa propre veste quand il entendit un cri perçant. L'adrénaline se rua dans ses veines. Il ouvrit la porte à la volée, les sens en alerte, prêt à tout.

A tout, sauf à ce qu'il vit.

3

La femme avait renversé la moto sur le sol et lui donnait des coups de pied comme si elle s'en prenait à un grizzly affamé. Eût-ce été un grizzly, l'animal aurait sans doute perdu la bataille.

— Quel est le problème ? demanda-t-il.

Elle planta les mains sur ses hanches.

— Ce loubard m'a volé ma voiture !

Wyatt regarda autour de lui. Il était vrai qu'il n'y avait aucun signe de la Honda qu'elle conduisait plus tôt.

— Ne restez pas les bras ballants, exigea-t-elle. Faites quelque chose !

— On dirait que vous avez dompté la moto, lança-t-il avec malice.

— On s'en fiche de la moto. Mon sac était dans la voiture avec tout mon argent. Il a mon ordinateur. Et un carton des jouets préférés de Jaci.

Elle leva les bras au ciel de frustration.

— Et la moitié de nos vêtements !

Elle balança de nouveau le talon de sa botte stylée dans le cadre de la moto.

Le loubard en question avait une bonne demi-heure d'avance. Dans l'ignorance de la direction qu'il avait prise, Wyatt avait peu de chances de le rattraper dans son pick-up.

— Qu'est-ce que vous faites à ma moto, enfer et damnation ?

Cette fois, c'était la voix aiguë de la serveuse qui coupait l'air humide. La femme leva les mains.

— Votre moto ? Je croyais qu'elle appartenait à l'homme qui m'a volé ma voiture.

— Le pauvre mec qui était là vous a volé votre voiture ?

— Apparemment.

— Je savais que c'était un bon à rien à la seconde où il est entré. J'ai pensé qu'il traînait en attendant une panne de courant pour pouvoir nettoyer la caisse.

Wyatt appela le 911 pendant que les femmes redressaient la moto et que l'attaquante s'excusait à profusion des dégâts qu'avait infligés son pied botté.

La petite fille courut vers Wyatt.

— Appelez la police, couina-t-elle. Cet homme a volé mes jouets et mes livres.

Trois femmes au bord de l'hystérie, c'était plus qu'il ne pouvait en supporter. La pluie fine qui tombait toujours ne faisait rien pour les calmer. Au moins, l'enfant avait eu le bon sens de se réfugier sous l'avancée du toit, après l'avoir sommé d'appeler les flics.

— Mesdames, annonça Wyatt quand il eut raccroché, un adjoint du shérif est en route. Retournons à l'intérieur et calmons-nous.

— C'est facile à dire pour vous, lança la femme. Vous avez votre camionnette.

Sans aucun doute parce que le voleur n'avait pas réalisé que Wyatt avait une paire de pistolets chargés dedans. Il s'arrêta près de la Corvette garée sur le parking, tandis que les trois femmes entraient dans le café au pas de charge.

Si le type ne conduisait pas la moto, alors ce devait être cette voiture, se dit-il. Dix contre un qu'elle était également volée. Mais il ne pouvait rien faire avant l'arrivée de l'adjoint du shérif.

A Atlanta, il aurait passé quelques appels et demandé aux flics locaux et à la police d'Etat de rechercher la Honda volée. Il aurait vérifié la plaque d'immatriculation de la Corvette.

Il aurait pris les choses en main, au lieu d'attendre l'arrivée de la police.

Sa vie lui manquait déjà.

Kelly inspira à fond et s'efforça de réfléchir rationnellement. Au lieu de cela, elle plongea dans un abîme terrifiant de « si ». Et si c'était le salopard qui prenait de l'essence quand elle s'était arrêtée ? Et s'il l'avait assommée et avait volé la voiture avec Jaci dedans ? Et si elles étaient sorties pendant qu'il trafiquait le contact et qu'il ait tiré sur elle, sur Jaci, ou sur elles deux ?

Quand elle considérait les choses sous cet angle, la perte de sa voiture et de ses affaires ne semblait plus aussi horrible. Mais elle en avait quand même assez d'être la proie de criminels. C'était comme si elle portait un panneau dans le dos indiquant « victime ».

— Je vais refaire du café frais, offrit Edie. On ne sait jamais combien de temps on peut attendre l'adjoint du shérif, par ce temps.

Kelly et Jaci se glissèrent dans un box étroit. Comme prévu, le cow-boy prit place de l'autre côté. Heureusement, il avait l'air de prendre la situation en main. Une bonne chose que quelqu'un le fasse, étant donné que, dehors, elle s'était abandonnée à la rage au lieu de penser avec logique.

Il était vraiment beau gosse. Non pas qu'elle ne l'ait pas remarqué plus tôt mais, à présent, son regard s'attardait sur les creux et les pleins de son visage rude. Il ne devait pas être beaucoup plus âgé qu'elle, mais il avait quelque chose de tranchant, une aura de confiance en lui.

Elle aimait ses cheveux. Courts mais ébouriffés et secs, grâce au chapeau western qu'il venait de jeter dans le box voisin, alors que les siens étaient mouillés et dégoulinants. Les boucles châtain foncé de l'homme étaient striées de reflets cuivrés, œuvre du soleil.

Mais ses yeux étaient le véritable attrait de son visage.

Hypnotisants. Perçants, mais pas menaçants. De la couleur du café qu'elle entendait couler dans la machine.

— Je pense que nous devrions nous présenter, dit-il. Je m'appelle Wyatt Ledger.

— Enchantée, Wyatt, bien que j'aurais préféré vous rencontrer dans de meilleures circonstances. Je m'appelle Kelly Burger.

C'était un soulagement de se servir de nouveau de son vrai nom. Peut-être un jour serait-elle capable de surmonter la peur avec laquelle elle avait vécu durant les douze derniers mois. Elle tendit la main et, quand il l'enveloppa dans la sienne, une sensation de trouble s'empara d'elle. Elle retira sa main trop vite. La subtilité n'était pas son fort.

Elle baissa les yeux sur sa fille, ravie d'échapper au regard pénétrant de Wyatt.

— Voici Jaci.

Les lèvres du cow-boy esquissèrent un large sourire.

— Salut, Jaci.

Prise d'un rare accès de timidité, Jaci enroula une mèche de ses cheveux autour de son doigt et baissa les yeux sur la table. L'heure du coucher était depuis longtemps passée, et même si elle avait un peu dormi dans la voiture, elle n'avait plus autant d'énergie. Elle replia ses petites jambes sur le siège et regarda finalement Wyatt.

— Tu peux nous emmener à notre nouvelle maison ?

— Tout va bien, Jaci, la rassura Kelly. La police veillera à ce que nous arrivions à la maison ce soir.

— En fait, j'ai entendu Jaci dire que vous alliez à Mustang Run, reprit Wyatt. C'est aussi là que je vais, alors je peux vous emmener, si vous voulez.

La coïncidence déclencha une alarme dans sa tête. Pour ce qu'elle en savait, Wyatt ne valait sans doute pas mieux que la brute qui avait volé sa voiture. Des bottes et un chapeau ne suffisaient pas à faire le cow-boy.

— Vous possédez un ranch près de Mustang Run ?

— Ma famille, oui. J'étais inspecteur aux Homicides d'Atlanta jusqu'à hier. Maintenant, je suppose que je suis un tire-au-flanc.

— Vous êtes flic ?

— J'étais. Cela ne parle pas en faveur de mon intuition d'avoir laissé ce type s'en aller avec votre voiture. Le fait qu'il sorte sous un tel déluge aurait dû m'indiquer qu'il préparait un mauvais coup, surtout que je croyais que la moto était à lui.

— Pourquoi avez-vous quitté la police ?

— Des raisons personnelles.

Elle comprit sa réponse, car il y avait de nombreux aspects de sa vie sur lesquels elle ne souhaitait pas s'étendre avec un inconnu, ni avec sa famille, en l'occurrence. Elle n'avait pas vraiment expliqué à sa mère sa disparition pendant un an. Il n'y avait aucune raison de l'inquiéter, Kelly était bien assez terrifiée pour deux.

— Si vous êtes inspecteur, vous devez connaître la routine. Que va-t-il se passer quand l'adjoint du shérif se montrera ?

— Il vous posera des questions sur la voiture. Vous répondrez à celles que vous pouvez, et il fera un rapport de police.

— Je connais mon numéro d'immatriculation. Pour le reste, il faudra que je contacte mon assurance. Je devrai sans doute attendre demain matin. J'espère retrouver ma voiture avant cela.

— Je n'y compterais pas trop, si j'étais vous.

— Pourquoi ?

Elle eut un nouvel élan de frustration.

— Ils vont la rechercher, non ? C'est leur boulot.

— C'est une de leurs tâches. Je ne sais pas comment c'est par ici, mais les vols de voitures ne sont pas la priorité dans les grandes villes, à moins qu'il n'y ait aussi usage d'armes ou kidnapping.

La panique montait en elle.

— J'ai besoin de ma voiture. Il y a mon sac et mon portefeuille dedans.

— Comment avez-vous payé l'addition ?

— Avec la carte de crédit dont je me suis servie pour l'essence. Je l'avais mise dans la poche de mon jean.

— Avez-vous laissé votre sac sur le siège avant ? Si oui, c'est peut-être l'appât qui lui a fait choisir votre Honda plutôt que mon nouveau pick-up.

— Je ne suis pas stupide. Je l'ai mis dans le coffre, mais il y avait nos affaires sur le siège arrière, et les sacs de couchage dans lesquels nous allions dormir cette nuit, Jaci et moi.

— Et où, exactement, aviez-vous l'intention de dérouler les sacs de couchage dans cette tempête ?

— Sur le plancher de ma maison. Le camion de déménagement avec mes meubles n'arrivera pas avant demain.

— Si vous avez d'autres cartes de crédit, je vous suggère de faire opposition tout de suite.

— Non.

Elle n'aurait pas eu celle-ci, d'ailleurs, si le FBI ne l'avait obtenue pour elle. Tous ses comptes avaient été fermés et ses transactions effacées, un an auparavant.

— Y a-t-il une clé de la maison dans votre sac, ou quelque chose d'autre dans la voiture ?

— Non, heureusement, je l'ai ajoutée à mes clés de voiture un peu plus tôt.

— Et votre téléphone ? demanda Wyatt.

— Il est dans la voiture. Non… Attendez. Il est dans ma poche. J'avais oublié qu'il était là. J'aurais pu appeler le 911 moi-même. Mais mon ordinateur est dans le coffre.

— Qu'y a-t-il d'autre dans la voiture ?

— Un dossier avec les coordonnées des compagnies de téléphone, d'électricité et de gaz. La maison dans laquelle je m'installe est vide depuis un an. J'ai dû tout faire rebrancher.

Kelly battit plusieurs fois des paupières, déterminée à retenir les larmes qui s'accumulaient dans ses yeux. Ce n'était pas le moment de pleurer. Elle s'efforça de mobiliser sa colère pour combattre sa faiblesse.

La tête de Jaci retomba et vint se poser sur son épaule. La petite chérie s'était endormie. Au moins elle ne verrait pas les larmes couler des yeux de sa mère.

— Je peux étendre ma veste dans le box derrière nous, si vous voulez la coucher, offrit Wyatt.

— Merci. Je vous en serais reconnaissante.

Elle souleva Jaci dans ses bras, tandis qu'il confectionnait le lit improvisé. La fillette était si fatiguée qu'elle remua à peine quand Kelly l'allongea avec soin. L'odeur de cuir et d'after-shave musqué émanant de la veste de Wyatt était étrangement rassurante. Cela faisait longtemps qu'un homme ne l'avait pas aidée à mettre Jaci au lit.

Sauf que ce n'était pas un lit. C'était une banquette en plastique usé dans un relais routier. Et Wyatt, un inconnu qui s'était trouvé mêlé au désastre complet de ces derniers jours. Un inconnu qui, sans doute, couperait court dès que l'adjoint au shérif arriverait.

Qui pourrait le lui reprocher ? Mais, pour être honnête, il fallait reconnaître qu'il avait offert de la conduire à Mustang Run.

Wyatt s'approcha du comptoir où Edie versait du café fumant dans de grandes tasses blanches. Kelly le rejoignit. Quand le café eut assez refroidi pour qu'elle puisse prendre une première gorgée, la porte s'ouvrit et deux hommes en uniforme kaki entrèrent, des pistolets sur la hanche. Les forces de police étaient arrivées.

Pourtant, elle avait le sombre pressentiment que ses problèmes de déménagement à Mustang Run ne faisaient que commencer.

Wyatt jaugea les deux policiers. Le plus vieux était le shérif. Il avait la cinquantaine, l'âge de son père. Il était bedonnant, avec les paupières tombantes et la peau tannée par des années d'exposition au vent et au soleil du Texas.

Pourtant, son air autoritaire indiquait qu'il valait mieux ne pas le provoquer.

Le deuxième était l'adjoint. Il était beaucoup plus jeune, moins de trente ans. Le bas de son pantalon était couvert de boue. Sans doute venait-il d'intervenir dans un accident de voiture dû à l'orage.

L'homme âgé s'approcha du comptoir.

— Alors, qu'est-ce que c'est que cette histoire de voiture volée, Edie ?

Manifestement, ils se connaissaient.

— Tu peux le croire ? Un malade s'est arrêté ici juste avant l'orage, et il est reparti avec la voiture de cette dame. Alors qu'elle a un enfant. Le culot de ce sale type !

— Tu l'as vu s'en aller avec la voiture ?

— Non, admit Edie. Mais, en plein milieu de l'orage, avec le courant qui menaçait de tomber en panne à chaque seconde, cet abruti m'a fait un commentaire suggestif pendant que je remplissais sa tasse de café.

— Et tu ne lui as pas versé le reste de la cafetière sur la tête ? demanda le jeune adjoint.

— Je lui ai dit d'aller se faire voir. Il a payé son addition, pas de pourboire bien sûr. Ensuite, il est sorti sans dire un mot à personne, et a pris la voiture de cette dame.

Elle pointa le doigt vers Kelly, avant de reposer les mains sur les hanches.

— J'aurais dû cracher dans son café.

— A propos de café, si tu en as encore, Brent et moi on en aimerait bien un.

— Et pas de crachat, plaisanta Brent. Je suis armé.

— Tu n'aurais que ce que tu mérites, vu que tu t'es pas arrêté depuis des semaines.

Elle sourit et battit des paupières d'un air de flirt.

L'homme âgé reporta son attention sur Kelly.

— Je suis le shérif Glenn McGuire. Brent Cantrell est

mon adjoint. Désolé pour la voiture. Nous allons faire notre possible pour retrouver votre véhicule.

Le shérif Glenn McGuire. Wyatt reconnut tout de suite ce nom tristement célèbre. C'était lui qui avait enquêté sur le meurtre de sa mère et arrêté son père. Il était adjoint à l'époque, et l'arrestation d'un assassin avait sans aucun doute contribué à le propulser dans les fonctions de shérif qu'il occupait depuis lors.

Etrangement, McGuire faisait presque partie de la famille Ledger maintenant. C'était un shérif compétent et il avait aidé les frères de Wyatt en plusieurs occasions. Le danger et les mésaventures s'étaient acharnés sur eux depuis la libération de Troy, un an et demi auparavant.

Ce qui voulait dire que le bon shérif comprendrait qui était Wyatt à la seconde où il se nommerait. Et, selon toute probabilité, la totalité du clan Ledger saurait, avant le matin, que Wyatt était en ville.

— J'ai besoin de retrouver ma voiture aussi vite que possible, dit Kelly.

McGuire fit courir ses doigts dans ses cheveux clairsemés.

— Oui, madame. C'est pour ça que nous sommes ici. J'ai besoin que vous répondiez à quelques questions, d'abord. Cela ne prendra pas longtemps. Si vous habitez par ici, vous voulez sans doute appeler votre mari pour qu'il vienne vous chercher.

— Je suis veuve et je n'ai aucun ami à appeler. Je suis en train de déménager à Mustang Run depuis une autre partie du pays. Le camion des déménageurs livrera mes meubles demain matin.

— Mustang Run. C'est un endroit agréable à vivre, commenta le shérif. J'y habite moi-même, et j'y ai passé la plus grande partie de ma vie. Croyez-moi, vous aurez bientôt des tas d'amis. C'est ce genre de petite ville.

Il fit un signe de tête en direction de Wyatt.

— Donc, je crois comprendre que vous n'êtes pas ensemble.

— Non, déclara Wyatt. J'étais le seul autre client quand la voiture a été volée, et je suis resté pour apporter mon soutien moral. Je vais y aller, maintenant, si on n'a pas besoin de moi.

Avant d'avoir à faire face à la légende de Troy Ledger. Il préférait ne pas affronter cela ce soir.

— Et si vous restiez quelques minutes ? suggéra le shérif. Brent et moi aurons quelques questions à vous poser aussi.

Cela éliminait la possibilité de prendre la poudre d'escampette. Mais, d'un autre côté, Wyatt était soulagé. Il était curieux d'en apprendre plus sur Kelly Burger. Et un peu inquiet que le malfaiteur qui l'avait regardée comme le loup regarde l'agneau sache où elle vivait, et ait sans doute entendu Jaci dire que son père était mort. Il pouvait avoir compris que Kelly et Jaci seraient seules durant la nuit.

La clochette de la porte tinta de nouveau et, cette fois, un homme solidement bâti entra, accompagné d'une petite blonde. Edie les salua par leurs noms. A en juger par la conversation, c'était un couple de camionneurs qui s'arrêtait souvent. Edie s'affaira à les servir.

— C'est votre Corvette, dehors ? demanda le shérif à Wyatt.

— Non. Je conduis le pick-up noir. J'imagine que le gars qui a volé la Honda de madame Burger est venu dedans. C'était la seule autre voiture garée quand je suis entré, et il était le seul client.

— Une Honda à la place d'une Corvette. Intéressant comme échange. Brent, vérifie les plaques de la Corvette. Mon hypothèse est qu'elle est aussi volée.

Bonne déduction, pensa Wyatt. Il sirota son café pendant que le shérif prenait les coordonnées de Kelly. Son intérêt fut piqué quand ils en vinrent à sa nouvelle adresse.

— C'est la vieille maison Callister, non ? demanda McGuire. Une maison jaune, de style cottage, près de l'ancienne église baptiste ?

— Oui. Comment le savez-vous ?

— Ma fille Collette a loué cette maison pendant un

moment, quand elle était célibataire. J'étais content quand elle en est partie.

— Pourquoi ? questionna Kelly.

— Je ne devrais probablement pas vous le dire, dit McGuire, mais je suis sûr que vous en entendrez parler par quelqu'un d'autre. Une amie de ma fille a été brutalement agressée dans cette maison. Elle va bien maintenant, mais elle a été entre la vie et la mort pendant un moment. Il s'est avéré que c'était après ma fille que le type en avait. Mais ne vous inquiétez pas, il est derrière les barreaux maintenant.

— J'espère que votre fille va bien, dit Kelly.

— Elle va très bien. Elle est mariée et attend un enfant.

Wyatt connaissait cette partie de l'histoire. La fille du shérif était mariée à son frère Dylan. Tout cela devenait un peu trop familial. Il ne manquait que du poulet frit et du pudding à la banane pour en faire un repas de famille. Comment les gens pouvaient-ils préserver leur intimité dans une ville comme Mustang Run ?

— Cette maison est vide depuis plus d'un an, continua McGuire. Elle a besoin d'être repeinte et réparée. La dernière fois que je suis passé devant, j'ai remarqué un chêne mort devant qui devrait être abattu.

— J'adorais cet arbre. Je me rappelle que je l'escaladais quand j'avais l'âge de Jaci et que je jouais à la dînette avec grand-mère sous ses énormes branches.

— Eh bien, il est mort maintenant. La foudre l'a frappé au printemps dernier, et il ne manque qu'un bon coup de vent pour le faire tomber sur le toit.

— On ne m'a rien dit de tout ça.

— La maison était en parfait état du vivant de Cordelia Callister. Elle se retournerait dans sa tombe si elle savait comment elle est maintenant.

— Ce n'est pas possible que ce soit si grave.

— Celui qui vous l'a louée aurait dû vous informer des travaux à faire, avant de vous prendre votre argent. Si vous avez besoin de dénoncer le contrat de location, appelez la juge Betty Smith. Son numéro est dans l'annuaire. Elle vous dira quoi faire.

— En fait, cette maison m'appartient, avoua Kelly. Je n'avais aucune idée qu'elle était à ce point négligée. Pendant des années, j'ai payé un homme du nom d'Arnold Jenkins pour s'occuper de la propriété.

McGuire frotta sa mâchoire recouverte de favoris.

— Alors vous possédez la vieille maison Callister ? Vous l'avez achetée sans l'avoir vue ?

— Je ne l'ai pas achetée, j'en ai hérité. Cordelia était ma grand-mère.

— Le diable m'emporte. Alors vous devez être la fille de Linda Ann. Pourquoi ne le disiez-vous pas ?

— Je ne m'attendais pas à ce que quelqu'un se souvienne de ma mère.

— Tous les vieux par ici se souviennent d'elle. Elle a grandi à Mustang Run, à une époque où tout le monde connaissait tout le monde.

Apparemment, c'était toujours le cas, songea Kelly.

McGuire passa les pouces dans les passants de son ceinturon pour remonter son pantalon.

— C'est-y pas un comble que vous reveniez après toutes ces années ? Linda Ann a quitté Mustang Run juste après son diplôme de l'université du Texas, et c'est la dernière fois que nous l'avons vue. Comment va-t-elle ?

— Elle se porte bien.

— Je me souviens que Cordelia nous a dit que Linda Ann vous a élevée seule après que votre père a été tué. Dans un accident de voiture, n'est-ce pas ?

Kelly hocha la tête.

— Il est mort avant ma naissance.

McGuire se frotta de nouveau la mâchoire.

— Linda Ann s'est-elle remariée ?

— Oui, il y a six ans. Elle a épousé un professeur de

physique, avec qui elle travaillait à Boston. Il a pris sa retraite l'année dernière et, à notre grand étonnement, ils se sont installés à Plano.

— Je suppose que votre grand-mère pensait que Linda Ann ne reviendrait jamais à Mustang Run, alors c'est à vous qu'elle a légué sa maison.

— Exactement. Mais apparemment, j'aurais dû venir plus tôt. Pour ma défense, j'ai été occupée par d'autres affaires jusqu'ici, et je faisais confiance à M. Jenkins pour s'occuper des réparations.

— J'ai bien peur qu'Arnold ne vous ait entourloupée l'année dernière. Il avait tellement de rhumatismes qu'il a dû renoncer à son adhésion au cercle des vieux bavards. Il s'est installé chez son fils en Californie, depuis Thanksgiving.

— Le cercle des vieux bavards ? reprit Kelly, la confusion gravée sur le visage.

— L'association officieuse des retraités, expliqua Wyatt.

Et maintenant qu'il avait interrompu le dialogue, autant se mettre à table et se joindre à la fête. Il tendit la main au shérif.

— Je devrais me présenter. Je suis Wyatt Ledger.

Le shérif haussa les sourcils et se renversa sur ses talons, étudiant Wyatt.

— Ouais, je vois l'air de famille maintenant. Dylan parle tout le temps de vous, mais il ne m'a rien dit sur le fait que son frère, le célèbre inspecteur d'Atlanta, venait le voir.

— Personne de la famille ne sait que je suis ici, avoua Wyatt.

— Vous aviez l'intention de leur faire la surprise, hein ? Croyez-moi, ils vont être étonnés. Aussi sûr que deux et deux font quatre, Troy va tuer le veau gras. Combien de temps allez-vous rester ?

— Je ne sais pas.

— Eh bien, j'aimerais bien tailler le bout de gras avec vous pendant que vous êtes là, pour voir si on fait les choses pareil, dans les grandes villes. Le comté se développe tellement vite que nous avons ajouté un département spécialisé dans les homicides. Vos remarques me seraient utiles.

— Je serais enchanté de vous aider.

— Et maintenant, nous ferions mieux de revenir à nos moutons.

Wyatt saisit une bouffée du parfum de Kelly tandis qu'elle s'éloignait avec le shérif. Ajouté au balancement de ses hanches, l'effet était enivrant.

Une demi-heure plus tard, tout était dit. Comme ils l'avaient soupçonné, la Corvette avait été volée à Houston le jour même, dans l'allée d'une femme qui s'apprêtait à partir.

Pendant que le shérif questionnait Kelly, Brent avait recueilli une description détaillée du suspect auprès de Wyatt et Edie. Jaci dormait toujours sur ses deux oreilles.

McGuire prit un autre appel sur son portable, le troisième depuis qu'il était arrivé. Le temps semait manifestement le chaos dans la circulation. Quand il eut terminé sa conversation, il engloutit le reste de son café, et se tourna vers Wyatt.

— J'ai un camion qui a versé dans le fossé sur la route de Buchanan et je dois m'en occuper. Vu que Mme Burger et vous allez tous deux à Mustang Run, pourquoi ne pas l'emmener en ville ?

Une offre que Wyatt avait déjà faite, et qui avait été refusée. Mais, à ce moment-là, Kelly et lui étaient encore des inconnus l'un pour l'autre. A présent, ils faisaient tous deux partie de l'élite de Mustang Run.

Cependant, Wyatt s'inquiétait pour elle.

— Je serais enchanté de conduire Mme Burger en ville, mais je ne pense pas que ce soit une bonne idée qu'elle passe la nuit chez elle.

— La maison a besoin de travaux, mais elle ne va pas s'écrouler, argumenta McGuire. Elle tient debout depuis plus d'une centaine d'années.

— Le voleur est certainement aussi peu recommandable que tous ceux de son espèce, dit Wyatt. Même s'il ne peut pas entrer dans les dossiers de son ordinateur, il y a des informations dans la voiture sur l'endroit où elle vit. Et je soupçonne qu'il sait qu'elle sera là-bas toute seule.

— Il est probable qu'il a depuis longtemps quitté la région, répliqua McGuire. Mais c'est à Mme Burger de décider où elle veut dormir.

Kelly mâchonna nerveusement sa lèvre inférieure et se tourna vers Wyatt.

— Vous croyez vraiment que Jaci et moi pourrions être en danger ?

— Sans doute pas, mais pourquoi prendre ce risque ? Passez la nuit dans un des motels et donnez à ce type tout le temps de partir.

— C'est une option, approuva le shérif, mais ils n'auront peut-être pas de chambre libre. Il y a un grand Salon d'armes à feu, ce week-end en ville.

— On ne risque rien à vérifier, intervint Wyatt.

Le shérif tira un trousseau de clés de sa poche et les fit tinter comme s'il avait hâte de partir.

— J'vais vous dire, si vous allez vraiment chez vous, je demanderai à un de mes adjoints de faire des rondes toutes les heures. Si vous vous inquiétez ou que vous croyez entendre quelqu'un, appelez le 911, et ils seront là plus vite que leurs ombres.

Kelly repoussa sa frange.

— Je vous en serais reconnaissante.

Wyatt n'aimait toujours pas ça, mais son plan semblait ne recueillir aucun suffrage. Néanmoins, s'il conduisait Kelly et Jaci en ville, il aurait tout le temps de la persuader de passer la nuit dans un motel.

Il faisait preuve d'un excès de prudence. S'occuper régulièrement de cadavres provoquait ce genre de réaction chez un homme.

McGuire se rapprocha de la porte et se retourna.

— L'autre option serait d'amener Mme Burger et sa fille

à Willow Creek Ranch. Je suis sûr que Troy serait enchanté de les héberger pour la nuit, dit-il. Il y a des tas de chambres dans cette vieille maison tarabiscotée.

Wyatt hocha la tête, mais cette idée ne lui plaisait guère.

— Arrangez-vous tous les deux et faites-moi savoir ce que vous avez décidé. L'adjoint pourra être dans le coin, si vous avez besoin de lui, madame Burger. Mais maintenant que j'y pense, je vous recommande de dormir au ranch des Ledger.

— Je vais faire de la place pour vous dans mon pick-up, coupa Wyatt, décidant de sortir avant d'en avoir trop dit.

En ce qui le concernait, le ranch était la dernière ressource. Revoir Troy serait bien assez stressant, sans introduire une femme qu'il connaissait à peine au beau milieu de la situation.

Heureusement la pluie avait cessé, car il devait déplacer ses vêtements du siège arrière au plateau. Quand le véhicule fut prêt, il passa un bref coup de fil à Alyssa puis retourna chercher ses passagères.

L'intrigante et séduisante Kelly Burger serait la première femme à étrenner son camion tout neuf. C'était là que la ridicule analogie d'Alyssa concernant les sconses pouvait se révéler utile.

Dommage que Kelly sente si fichtrement bon.

4

Par miracle, Jaci remua à peine quand Kelly l'attacha avec la ceinture et lui fit un oreiller de sa veste légère.

— Je vais mettre le chauffage, dit Wyatt tandis qu'elle s'installait sur le siège avant.

— Merci. Jaci et moi ne sommes pas assez couvertes pour un temps pareil. Je savais qu'on avait prévu un front froid pour ce soir, mais je m'attendais à être à Mustang Run depuis longtemps.

— Qu'est-ce qui vous a retardée ?

— Une panne de voiture.

— Dommage. C'est le genre de chance que j'aurais souhaitée à votre voleur.

Ils restèrent silencieux après cela.

Kelly posa la tête sur l'appui-tête et ferma les yeux, pensant à Wyatt et à l'idée de dormir dans un motel. Elle avait prévu de passer la nuit dans la maison vide, mais maintenant ses oreillers et ses sacs de couchage filaient à toute allure sur la route avec un voleur de bas étage.

Le scénario évoqué par Wyatt était encore bien pire. L'homme dont le regard lui avait donné la chair de poule pouvait être à Mustang Run, les attendant, elle et Jaci.

Il était plus probable qu'il soit à des kilomètres de là, comme l'avait théorisé le shérif. Mais s'il se trompait ? Elle frissonna à cette idée.

— Je crois que je vais suivre votre avis et aller dormir au motel, dit-elle. Même s'ils attrapent le voleur, il y a peu de chances pour que je récupère ma voiture tout de suite.

Et sans sacs de couchage, Jaci et moi dormirions sur un plancher froid.

— Bon. Cela m'épargnera d'avoir à passer la nuit dans mon camion, devant chez vous. Les planques de nuit sont infernales pour le dos.

— Le shérif m'a offert une protection.

— Vous connaissez le vieil adage. Un flic sur place en vaut deux dans une voiture de patrouille.

— Je croyais que c'était : « Un tiens vaut mieux que deux tu l'auras. »

— Mais qui voudrait tenir un flic ?

Elle sourit en dépit de sa tension. Wyatt Ledger était vraiment quelqu'un de sympathique à côtoyer dans un moment critique.

— J'espère pouvoir louer une voiture tôt dans la matinée, dit-elle.

— Je doute qu'il y ait une agence de location à Mustang Run. S'il n'y en a pas, je vous conduirai à Austin.

— Je ne peux pas vous demander ça. Il doit y avoir un service de cars ou de taxis pour l'aéroport d'Austin. Je suis certaine que le motel saura comment les contacter.

— Mon tarif est bien meilleur marché.

— Je suis sûre que vous avez bien mieux à faire que de jouer les chauffeurs pour moi.

— Pas particulièrement. Je suis sans travail. Un peu de distraction est la bienvenue.

— Selon le shérif McGuire, vous allez dîner d'un veau gras.

— C'est ce dont j'ai peur.

— Ah, je comprends maintenant. Vous cherchez une issue de secours, au cas où la pression familiale se ferait insupportable.

— Zut, vous m'avez percé à jour.

Il ralentit pour manœuvrer autour d'un nid-de-poule où l'eau s'était accumulée.

— Sérieusement, Kelly, vous jouez de malchance. Cela

pourrait arriver à n'importe qui, mais je serais un vrai goujat de ne pas vous offrir mon aide et ma protection.

Kelly aurait aimé croire que c'était la vérité et que les intentions de Wyatt étaient bonnes, mais avec ce qu'elle avait traversé l'année précédente, il lui était difficile de faire confiance à qui que ce soit. Elle remua et s'étira, sentant la fatigue lui tomber sur les épaules et le cou.

— Depuis combien de temps n'êtes-vous pas venu à Mustang Run ?

— Dix-neuf ans.

— On croirait entendre ma mère. Elle a quitté Mustang Run et, à l'exception de quelques courtes visites à ma grand-mère quand elle était malade, elle n'est jamais revenue dans sa ville natale.

— Je suis sûr qu'elle avait ses raisons, dit Wyatt.

— Si elle en avait, elle n'en parlait pas. Tout ce qu'elle disait, c'était que la ville était trop petite.

— Manifestement vous n'étiez pas d'accord avec elle, puisque vous vous installez ici.

— Je ne sais pas combien de temps je resterai. Je suis dans une phase de restructuration de ma vie.

Elle soupira.

— Depuis combien de temps n'avez-vous pas vu votre père ?

— Dix-huit ans, à quelques mois près.

— Il doit y avoir une histoire là-dessous.

— Oui, mais ce n'est pas le genre d'histoire qu'on raconte pour impressionner une femme qu'on vient de rencontrer.

S'il essayait de l'impressionner, il faisait du très bon travail, songea-t-elle.

— D'accord, laissez-moi deviner, dit-elle. Votre famille est un célèbre gang de cambrioleurs de banques.

Il prit une expression faussement choquée.

— Vous les avez rencontrés ?

— Vous mentez. Voyons voir… Deuxième hypothèse,

dit-elle en continuant à jouer. Vos frères sont des vampires déguisés en cow-boys.

Il sourit.

— On vous a déjà dit que vous aviez un cou adorable ?

— Tout le temps, dit-elle. Mes lobes d'oreilles attirent aussi beaucoup l'attention.

— Je n'en doute pas.

Elle ferma les yeux tandis que son nœud à l'estomac se relâchait lentement. Elle refusait de laisser son esprit s'attarder sur l'idée des lèvres de Wyatt sur son cou ou aucune autre partie de son corps, mais son badinage facile l'aidait à mettre les choses en perspective.

Sa voiture avait été volée. Ce n'était rien comparé à ce qu'elle avait traversé ces douze derniers mois. Si elle ne la récupérait pas, elle toucherait l'assurance et en achèterait une autre.

Et le malfaiteur qui l'avait volée était sans doute à plusieurs comtés de là, se servant de son argent liquide pour acheter sa prochaine dose.

Ils dépassèrent le panneau indiquant Mustang Run, et Kelly se retourna pour regarder Jaci, bien que le son régulier de sa respiration prouve qu'elle dormait toujours. Elle serrait sur sa poitrine la poupée qu'elle emportait partout.

— Si je me souviens bien, la maison est à quelques kilomètres d'ici, dit Kelly. Nous pourrions y passer sur le chemin du motel ? Après le discours du shérif sur l'état dans lequel elle est, j'aimerais avoir une idée de ce que je vais trouver demain matin.

— Bien sûr. Où est-ce que je tourne ?

— Attendez. J'ai rentré l'adresse dans le GPS de mon portable.

Elle chercha l'adresse et lui donna les indications. En moins de cinq minutes, ils tournèrent sur une petite route goudronnée. Deux minutes plus tard, ils dépassèrent la vieille église baptiste dont ses rares visites à sa grand-mère lui avaient laissé le souvenir.

— Nous devrions être tout proches. Surveillez l'entrée du chemin d'accès, la maison n'est peut-être pas très visible dans le noir.

Les mains de Kelly devinrent moites quand Wyatt prit l'allée. Avant que sa voiture soit volée, la perspective de déménager dans cette maison l'excitait. Elle avait besoin d'un endroit doté de continuité, d'une histoire et d'un lien avec cette grand-mère qu'elle aimait mais n'avait pas bien connue.

Contrairement à sa mère, Kelly trouvait séduisante l'idée d'une petite ville. Elle voulait un lieu de vie tranquille et sûr, où elle pourrait emmener Jaci au parc et la laisser jouer dans le jardin.

Pourtant, une terreur irraisonnée lui serra la poitrine tandis que les faisceaux des phares dispersaient les ombres.

Et alors, Kelly contempla le dernier désastre en date.

Elle sauta du pick-up à la seconde où Wyatt s'arrêta, et se haussa sur la pointe des pieds pour mieux voir.

Une énorme branche du chêne mentionné par McGuire s'était écrasée sur le toit de la maison.

Des briques de cheminée et des bardeaux déchiquetés gisaient éparpillés sur la véranda et les plates-bandes envahies de mauvaises herbes.

Se retournant, Kelly fut fouettée par une rafale de vent qui lui plaqua les cheveux sur les yeux et la bouche. Elle donna un coup de pied dans un tas de bardeaux et recula d'un bond en criant quand une tarentule géante rampa hors de ces derniers.

— C'est une araignée inoffensive, dit Wyatt.

— Ça ne veut pas dire que je dois l'aimer.

Kelly serra les dents, s'efforçant de dominer sa rage. Elle n'y réussit que partiellement, mais elle baissa la voix afin de ne pas réveiller Jaci.

— Je m'étais préparée à trouver des volets branlants et

de la peinture pelée, pas un trou dans le toit par lequel un hélicoptère pourrait passer.

C'était un peu exagéré, mais la maison n'était pas habitable. Et un camion plein de meubles remisés depuis un an allait arriver au matin.

— Comment peut-on avoir aussi peu de chance que moi ?

Elle parlait d'un ton entrecoupé par le tremblement intérieur qui l'avait saisie.

— Je dirais que vous avez eu au moins un coup de chance.

— J'ai dû battre des paupières à ce moment-là.

— En vous retardant, ces ennuis de voiture vous ont peut-être évité, à vous et Jaci, d'être gravement blessées quand l'arbre est tombé.

Elle n'y avait pas pensé, mais cela ne soulagea que partiellement sa frustration.

— Je vais chercher ma lampe de poche et jeter un coup d'œil aux dégâts à l'intérieur, mais vous ne pourrez vraiment mesurer l'ampleur de la casse qu'à la lumière du jour.

— Ce n'est pas la peine de vérifier. J'en ai assez vu de cette maison et de Mustang Run. J'aimerais bien prendre ma voiture et conduire sans m'arrêter, sauf que je n'ai plus de voiture.

Sa voix se brisa et des larmes salées lui piquèrent les yeux. L'une d'elles s'échappa, au coin de son œil, et elle l'écrasa du dos de la main. Elle avait traversé une année infernale, sans s'autoriser une seule fois à se plaindre ou à piquer une crise. Elle n'allait pas s'effondrer maintenant, elle était plus solide que ça.

Wyatt s'approcha et lui glissa un bras autour des épaules.

— Ce n'est pas la fin du monde, glissa-t-il. Ça en a juste l'air.

— Ne soyez pas gentil, répliqua-t-elle. Je ne peux pas supporter la gentillesse.

Ses larmes se mirent à couler sans qu'elle puisse les arrêter.

Elle n'ajouta pas un mot, pas plus que Wyatt. Il se contenta de la tenir contre lui jusqu'à ce que son corps cesse de trembler et que ses larmes se tarissent.

— Je ne suis pas comme ça d'habitude, dit-elle finalement en reculant.

— Bon. Je détesterais devoir porter un ciré pour rester au sec chaque fois que nous sommes ensemble.

Comme d'habitude, il gardait de la légèreté au bon moment. Il ne voulait sans doute pas donner trop d'importance au fait qu'il lui avait prêté son épaule. Kelly s'éloigna de la maison mortellement frappée.

— Partons d'ici. Laissez-moi dans un motel, et échappez-vous avant d'être aspiré par ce nuage noir qui plane au-dessus de moi.

— En fait, je ne vais pas vous laisser. Je vais aussi y dormir.

Elle tressaillit et l'air s'engouffra dans ses poumons. S'il pensait que le fait de pleurer sur son épaule l'autorisait à…

— Pas dans votre chambre, dit-il rapidement, avant qu'elle n'ait eu le temps de se ridiculiser. Ne vous mettez pas sens dessus dessous, ma décision de dormir au motel n'a rien à voir avec vous.

— Alors, cela a à voir avec quoi ?

— Si je tombe sur mon père à cette heure de la nuit, alors qu'il ne m'attend pas, il est probable que ni lui ni moi ne dormirons.

— D'accord. Mais ne restez pas à cause de moi. Je vais bien maintenant. Vraiment.

— Je vous crois. Mais puisque je serai au motel de toute façon, je peux vous conduire partout où vous aurez besoin d'aller, demain matin. Sans arrière-pensées, au cas où vous vous feriez du souci à ce sujet.

Pas étonnant que tant de femmes adorent les cow-boys, pensa Kelly. Non qu'elle ait l'intention de tomber amoureuse de Wyatt Ledger. Il serait peut-être content de le savoir, cela lui éviterait d'être contaminé par sa malchance.

En fait, il n'y avait aucune raison véritable pour que Jaci

et elle restent à Mustang Run, à présent. Le toit qu'elles espéraient s'était littéralement effondré.

COMPLET

Ils n'eurent pas plus de chance au second motel qu'au premier. Etant donné le nombre de voitures sur le parking, Wyatt n'était pas surpris.

— J'aimerais pouvoir vous aider, dit le jeune employé de la réception, mais toutes les chambres sont réservées depuis des mois.

— Vous devez avoir au moins une défection, insista Kelly, une trace de désespoir dans la voix.

— En fait nous avons eu trois annulations de dernière minute, mais il y avait une liste d'attente.

— Et tout ça à cause de ce Salon d'armes à feu ? demanda Wyatt.

L'employé hocha la tête.

— Il se tient toutes les années en janvier. C'est une sorte de rituel de camaraderie masculine, comme de conduire pare-chocs contre pare-chocs aux jeux de Longhorn ou de boire de la bière aux tournois de pêche.

— Il doit y avoir d'autres Salons d'armes à Austin, dit Wyatt. Qu'est-ce qui rend celui-ci si spécial ?

— Tous les grands fabricants y prennent part. Et il ne s'agit pas seulement de regarder les derniers modèles. Vous pouvez les manier et même tirer pour une somme modique. Il y a des concours de tir et aussi un concours culinaire demain, sur le parking de la mairie. Gros prix et bons petits plats.

L'air endormi, Jaci relâcha sa prise sur la taille de sa mère et s'assit par terre. Kelly se pencha pour la prendre dans ses bras et l'installa sur sa hanche.

— Vous voulez que je la prenne ? demanda Wyatt.

Jaci resserra ses bras autour du cou de sa mère.

— Merci, mais elle n'est pas lourde.

Il respira. Le poids ne l'ennuyait pas, mais il n'avait pas l'habitude des enfants. Il s'était débrouillé avec les pleurs de la mère, mais il n'y avait pas de raison de tenter le diable.

La petite s'était réveillée juste au moment où ils s'arrêtaient sur le parking, et Kelly avait sauté sur l'occasion pour entrer avec lui. Elle n'était sans doute pas convaincue qu'il ait suffisamment plaidé leur cause au premier motel, de l'autre côté de la route.

— Cela réduit d'autant nos options, dit Wyatt.

Kelly prit son portable dans sa poche, tandis qu'ils quittaient le motel et retrouvaient l'air froid et humide du dehors.

— Vous avez une option, Wyatt. Vous avez de la famille en ville. C'est moi qui ai un problème.

— Alors vous suggérez que je vous laisse dans la rue, Jaci et vous, et que j'aille retrouver un lit bien chaud ?

— J'appelle un taxi pour nous conduire à n'importe quel hôtel, motel, bed and breakfast, ranch-hôtel ou tout autre établissement qui aura de la place. Je ne suis pas difficile.

— Ne parlons pas du genre de trou dans lequel vous allez finir.

— C'est parfait pour moi, du moment que c'est un trou avec un lit.

— Montez dans le camion, Kelly. Vous êtes fatiguée et moi aussi. Jaci est épuisée. Willow Creek Ranch possède un toit et un tas de lits.

Il ouvrit la portière arrière afin qu'elle puisse attacher Jaci.

— Vous en avez fait plus qu'assez…

— Oui, je sais. Je suis M. Merveilleux.

— Nous devrions au moins appeler votre père pour lui demander s'il est d'accord, dit-elle, cédant visiblement.

— Inutile, il sera ravi. Troy est M. Merveilleux senior. Si vous rencontrez n'importe lequel de mes frères ou de mes belles-sœurs, ils vous le diront.

Kelly embrassa la tête blonde et endormie de Jaci et referma la portière.

— Vous n'en avez pas l'air convaincu.

— C'est pour ça que je suis de retour à Mustang Run, pour qu'il me convainque. Mais ne vous inquiétez pas, ce n'est pas un ogre. Et contrairement à moi, il a l'habitude des enfants. Il a deux petits-enfants qui l'adorent, et auxquels il voue pratiquement un culte.

— Je continue de penser que vous devriez l'appeler d'abord.

— Vous avez entendu le shérif. La porte de Troy Ledger est toujours ouverte pour la famille et les amis.

Kelly ne tressaillit pas à la mention de Troy Ledger, ce qui voulait dire qu'elle ne savait pas qui il était. Mais selon le shérif, la mère de Kelly avait quitté Mustang Run avant sa naissance, c'est-à-dire bien avant le meurtre. Wyatt avait treize ans à l'époque, il était l'aîné des fils de Troy.

— Je suppose que je devrais appeler le shérif McGuire pour lui dire que je n'aurai pas besoin de la protection de son adjoint.

Elle passa l'appel et mit McGuire au courant de l'arbre tombé sur son toit. Après quoi, elle s'adossa à son siège et ferma les yeux, laissant Wyatt conduire jusqu'au ranch avec ses pensées perturbantes pour seule compagnie.

Il y avait eu des moments, dernièrement, quand il parlait avec Dylan, Sean ou Dakota, où il arrivait presque à croire que Troy était encore le père aimant qu'ils avaient connu quand ils n'étaient encore que de petits garçons, et non le monstre jaloux et colérique dont la famille de sa mère lui avait imposé l'image à grand renfort de lavages de cerveau.

Mais Wyatt était inspecteur des homicides. Il savait combien il était fréquent que les enfants de l'assassin le décrivent en termes élogieux, avant que l'horrible vérité n'éclate.

Wyatt espérait de toutes ses forces découvrir que son père était innocent, mais dans tous les cas, il devait découvrir la vérité.

Des images flottèrent dans son esprit, comme dans les eaux boueuses d'un bayou, tandis qu'il sortait de voiture pour ouvrir le portail du Willow Creek Ranch. Le corps de sa mère étendu sur le plancher, recouvert d'un drap que quelqu'un avait arraché à un lit. Le sang qui formait une mare sous elle, barbouillant son visage et s'accumulant dans ses longs cheveux noirs.

Sa mère. Toujours là quand il avait besoin d'elle, toujours souriante. Elle dansait, chantait dans la maison et distribuait généreusement ses embrassades, mais ne montrait aucune faiblesse devant la malice de ses fils.

Helene Ledger. Aussi constante qu'un rayon de soleil, aussi consolante qu'un clair de lune. C'était la mère parfaite.

Et Troy avait été son héros. Il les avait perdus tous deux ce jour-là.

Il sentit les yeux de Kelly sur lui, tandis qu'il freinait devant le ranch.

— Vous avez l'air bouleversé, Wyatt. Que se passe-t-il ?

— Rien.

— Votre humeur s'est progressivement assombrie depuis que nous avons passé le portail. Si vous ne vouliez pas m'amener ici, pourquoi l'avez-vous fait ?

— Mon humeur n'a rien à voir avec vous. Mais je dois admettre qu'il y a des problèmes non résolus entre mon père et moi.

— Quel genre de problèmes, à moins que ce ne soient pas mes affaires ?

— Vous entendrez parler de mon père tôt ou tard, alors je suppose que je ferais aussi bien de vous le dire. D'abord, assurez-vous que Jaci dort, car ce n'est pas une conversation destinée à de jeunes oreilles.

Kelly se tourna pour regarder le siège arrière.

— Comme une bûche. Alors, que s'est-il passé entre votre père et vous ?

— Il y a dix-huit ans, il a été reconnu coupable de meurtre au premier degré et condamné à l'emprisonnement à vie.

— Oh non !

— Il y a pire. La victime était Helene Ledger, ma mère.

— Oh ! Wyatt ! C'est si triste. Vous n'étiez qu'un enfant. Mais on a dû reconnaître son innocence, ou bien il serait toujours en prison.

— Il a été libéré il y a environ un an et demi, grâce à un vice de procédure.

— Mais le shérif McGuire doit le croire innocent, sinon il ne vous aurait pas suggéré de nous amener au ranch.

— Il est peut-être convaincu de son innocence à présent, mais c'est lui qui a dirigé l'enquête qui a abouti à l'arrestation de mon père. Ne vous inquiétez pas, cependant. Je ne vous aurais pas invitées, Jaci et vous, s'il y avait le moindre risque que vous soyez en danger. Si Troy est coupable, le meurtre de ma mère est la seule violence qu'on lui ait jamais attribuée.

— A-t-il avoué le crime ?

— Non, il proteste de son innocence depuis le premier jour. Et, selon mes frères, il passe chaque minute de son temps libre à chercher le meurtrier de ma mère ou, du moins, à rechercher des suspects.

Quand Wyatt éteignit le contact et les phares, la lumière de la véranda s'alluma et Troy Ledger sortit de la maison. Wyatt attendait ce moment depuis dix-huit ans. Mais tandis qu'il descendait du pick-up, il sentit ses jambes se changer en plomb.

5

Troy fixa le couple qui s'avançait dans la courte allée menant à sa maison. La femme portait une enfant d'âge préscolaire. La fillette était petite, mais il s'étonna que ce ne soit pas l'homme qui la porte, car il avait les mains vides. La femme le regarda, l'incertitude gravée sur le visage, comme si elle n'était pas sûre d'être à sa place.

Et de fait, il ne s'attendait pas à de la visite, surtout à 22 heures par une nuit d'orage. L'inconnue était séduisante, mais avait les épaules qui tombaient d'épuisement.

Il reporta son attention sur l'homme. Grand, un beau Stetson sur la tête, un balancement dans la démarche qui suggérait qu'il savait où il allait.

Une sensation de reconnaissance vacilla dans l'esprit de Troy, puis se rua dans ses veines comme une injection d'adrénaline. Son fils aîné venait de rentrer à la maison.

Troy se précipita au bas des marches, mais une fois qu'ils furent face à face, sa bouche s'assécha et il dut faire un effort pour articuler son nom.

— Wyatt.

— Oui, c'est moi.

Wyatt tendit la main en manière de salutation. Troy l'ignora et jeta un bras autour des épaules de son fils. Il était passé par là avec chacun de ses fils, les silences pénibles et les obstacles à surmonter pour faire de nouveau connaissance.

Mais c'était Wyatt, son premier-né. Il revoyait encore sa belle Helene prenant Wyatt pour la première fois. A cet instant, il s'était senti écrasé par le sentiment de sa responsabilité paternelle. Mais une fois qu'il avait eu son fils dans les bras, il avait compris qu'il remuerait ciel et terre pour les garder tous deux en sécurité.

Il avait échoué pour chacun d'eux.

— Pourquoi n'as-tu pas appelé pour me dire que vous arriviez ? demanda Troy.

— J'ai pris mon temps pour venir d'Atlanta, alors je ne savais pas à quelle heure j'arriverais.

— Tu es là maintenant, c'est tout ce qui compte. Tu as parlé à tes frères ?

— Pas récemment. Je me suis dit que je leur ferais aussi la surprise. Je verrai Dylan et Dakota demain, puisqu'ils sont au ranch. J'appellerai Sean et j'essaierai de le voir à un moment quelconque du week-end.

— Bien pensé. Si tu les appelles ce soir, Dylan et Dakota seront là avant que tu sortes du lit, demain matin. Et ça ne prendra pas beaucoup plus longtemps à Sean.

Jaci remua et ouvrit les yeux.

— Je suis désolé, dit Troy en se tournant vers Kelly. Je suis si content de voir Wyatt que j'en oublie les bonnes manières. Je suis Troy Ledger.

— Kelly Burger, et voici ma fille, Jaci. Cela me gêne de m'imposer de cette manière, mais tous les motels étaient complets en ville, et Wyatt a dit que cela ne vous ennuierait pas de nous recevoir pour la nuit.

— Bien sûr que non. Tous les amis de Wyatt sont les bienvenus. Entrez donc vous mettre à l'abri, puis nous ferons les présentations comme il faut.

— Bonne idée, approuva Wyatt.

— Wyatt, pourquoi ne vas-tu pas chercher les bagages de Kelly dans la voiture, pendant que je les fais entrer, au cas où elle voudrait préparer Jaci pour la nuit.

— Je n'ai pas de bagages, dit Kelly, mais je suis sûre que Jaci apprécierait un lit.

La petite fille se frotta les yeux avec ses poings.

— On est à la maison, maman ?

— Non, chérie, nous allons passer la nuit chez ces gens charmants.

Jaci regarda autour d'elle, puis reposa la tête sur l'épaule de sa mère.

— Le méchant a pris notre voiture.

— Je t'expliquerai à l'intérieur, dit Wyatt.

Troy ouvrit la porte et recula pour laisser entrer Kelly.

— J'espère que nous ne vous avons pas réveillé, dit-elle.

— Non, je revenais de l'écurie. Certaines des pouliches sont nerveuses pendant les orages. S'il n'y a personne pour les calmer, elles agacent les autres chevaux. Normalement, ma belle-fille Collette aurait insisté pour rester avec eux. Mais elle est enceinte de huit mois, à présent.

Jaci ouvrit tout grand les yeux.

— Où sont les chevaux ?

Kelly repoussa les boucles de sa fille sur son front.

— Ils dorment dans l'écurie.

— Je vais vous montrer vos chambres, dit Troy. Comme ça, vous pourrez installer Jaci quand vous voulez.

Kelly fit passer l'enfant sur son autre hanche.

— Je vous en serais très reconnaissante.

Wyatt ne les suivit pas dans le couloir.

— Il y a plusieurs chambres, alors vous pouvez prendre toute la place que vous voulez, offrit Troy, incertain du genre de relation qu'entretenaient Kelly et Wyatt.

— Je préférerais que Jaci dorme dans la même chambre que moi, répondit très vite Kelly. Cela a été une longue et dure journée pour nous deux, et je pense qu'elle se sentira plus en sécurité si je suis près d'elle.

— La chambre d'amis qui donne sur le jardin est la plus vaste et la plus confortable. Elle a un lit en cent soixante, mais il y a une chambre avec des lits jumeaux, si vous préférez.

— La chambre du jardin a l'air parfaite. Je suis si fatiguée que je pourrais dormir par terre.

— Ce serait bien trop froid. On prévoit du gel pour cette nuit.

Troy lui indiqua la salle de bains et le placard où se trouvaient les couvertures et les oreillers supplémentaires, puis ouvrit la porte de la pièce qu'avait aménagée Helene. Une année durant, elle avait ratissé les vide-greniers et les enchères pour trouver des antiquités abordables, et avait passé des heures à les restaurer.

— C'est magnifique, dit Kelly.

— J'espère que vous vous y sentirez bien.

— J'en suis certaine.

Quand Troy revint dans la cuisine, Wyatt était au téléphone. Il faisait les cent pas et écoutait davantage qu'il ne parlait.

Troy ne prêta pas consciemment attention à la conversation, tout en sortant des bières du réfrigérateur, mais il n'y avait pas à se tromper sur le ton inquiet de Wyatt. Il décapsula sa bière et en avala la moitié avant que son fils ne raccroche.

— Tu veux une bière ou tu préfères quelque chose de plus fort ? offrit Troy.

Wyatt se laissa tomber sur une chaise à la table de cuisine.

— Une bière, ce sera parfait.

— Des problèmes ? questionna son père, tandis qu'il s'asseyait face à lui et poussait une bouteille à long col dans sa direction.

— Des complications. Rien d'ingérable.

— Est-ce une visite amicale que tu nous fais ou bien es-tu dans la région pour une enquête ?

— C'est strictement personnel… Du moins, jusqu'à maintenant.

Troy ne sut que faire de cette remarque.

— Je suis content que tu sois là, quelle qu'en soit la raison, Wyatt. Vraiment content.

— Tu as déjà mis quatre de tes fils dans ta poche.

La nuance de sarcasme n'échappa pas à Troy, qui était conscient de son origine.

— Tes frères avaient des réserves quand ils sont revenus pour la première fois au ranch, les mêmes que toi, j'en suis certain. Nous avons réussi à les surmonter, en faisant chacun la moitié du chemin.

A présent, Dylan et Dakota vivaient au ranch avec leurs femmes. Sean, sa femme et son beau-fils, Joey, vivaient à Bandera, tout près de là. Quant à Tyler, il reviendrait d'Afghanistan dans quelques mois.

Wyatt regarda la cuisine autour de lui, avant de croiser le regard de Troy.

— Nous avons de bonnes raisons d'avoir des réserves.

— Personne ne le sait mieux que moi, répliqua Troy. J'ai fait beaucoup d'erreurs. Je n'aurais pas dû céder devant l'insistance de tes grands-parents, qui prétendaient qu'aucun de vous ne voulait rien avoir à faire avec moi.

— On ne peut pas refaire le passé, répondit Wyatt.

— Non, mais on peut le dépasser. Tu fais partie de cette famille et tu as un rôle important. Tous tes frères t'ont demandé ton avis, à un moment ou un autre, au cours de ces derniers mois.

— Faire ce qu'il faut maintenant ne compense pas le fait de les avoir laissés tomber il y a des années.

— Est-ce que nous parlons toujours de toi ? Parce que en ce qui me concerne, tu n'as jamais laissé tomber personne.

— Ça ne fait rien. Tu as raison, Troy. Je suis ici parce que je suis un Ledger.

Troy… Comme si Wyatt n'était pas son fils. Ça faisait mal, mais il pouvait comprendre sa réticence à l'appeler papa.

— Avec un peu de chance, tu resteras assez longtemps pour que nous puissions enterrer le passé et passer à autre chose, dit Troy.

— Ce serait bien.

— Pour nous tous. Et pendant que tu es là, j'aimerais aussi que tu me prêtes ton cerveau.

— Pour quoi faire ?

— Mon enquête sur le meurtre de ta mère. J'ai passé des heures à essayer de mettre le doigt sur un suspect plausible, mais chaque fois que je crois avoir fait des progrès, je me heurte à un mur. Les indices sont comme des variables d'un problème de maths, ils changent avant que j'aie pu résoudre l'équation.

Wyatt se redressa sur sa chaise et se tourna pour regarder par la fenêtre de la cuisine.

— Je te promets que je prendrai le temps de regarder ce que tu as découvert.

Cette assurance semblait sincère, mais Wyatt avait toujours l'air distrait. Troy avait le pressentiment que Kelly Burger et sa voiture volée avaient quelque chose à y voir.

— Kelly et sa fille ont l'air gentilles, l'appâta-t-il. Tu la connais depuis longtemps ?

— Environ quatre heures.

Wyatt prit une gorgée de bière et décrivit des cercles avec le fond de la bouteille sur la table de bois.

— Nous nous sommes rencontrés dans un relais routier à une cinquantaine de kilomètres d'ici. Nous nous y étions réfugiés pour échapper au plus fort de l'orage.

— Bonne décision.

— Il s'est avéré que c'est une décision malheureuse pour Kelly.

— Comment ça ?

— Il y avait un autre client dans le café, poursuivit Wyatt. Il est parti au milieu de la tempête. Environ une demi-heure plus tard, quand la pluie avait presque cessé, Kelly est sortie et s'est aperçue que ce salopard lui avait volé sa voiture. Le véhicule qu'il a laissé était aussi volé.

— Tu as bien fait de les amener ici, conclut Troy après que Wyatt lui eut narré les problèmes de la maison de Kelly et l'impossibilité de trouver une chambre. Elles peuvent rester aussi longtemps qu'elles voudront, à moins que cela ne te pose un problème. Elles ne me dérangent pas, et il y a tout l'espace nécessaire.

— Ça marche pour moi, mais je ne suis pas certain que Kelly acceptera ton offre. Elle a beaucoup de cran et elle est excessivement indépendante. Mais j'imagine que je pourrais au moins l'aider à enlever cet arbre de sa maison, pour qu'elle puisse estimer précisément les dégâts.

— A-t-elle une assurance ? demanda Troy.

— Je suppose que oui. Nous n'en avons pas parlé.

Wyatt finit sa bière.

— Il y a beaucoup de choses dont nous n'avons pas parlé. Mais nous le ferons.

Le ton tranchant était de retour.

— Y a-t-il autre chose que je devrais savoir sur Kelly ? insista Troy.

— Tu en sais autant que moi.

Troy soupçonnait que ce n'était pas toute la vérité.

— Elle avait l'air épuisée, dit-il. Je ne serais pas surpris qu'elle dorme déjà, mais dans le cas contraire, il y a tous les articles de toilette nécessaires, dans un panier, sur l'étagère du haut, dans le placard du couloir. Et il y a du jambon, du fromage, du pain et des condiments, si elle a envie d'un sandwich.

— Je le lui dirai.

— Tu as faim ?

— Non. J'ai mangé un sandwich tout à l'heure.

— N'oublie pas de dire à Kelly qu'il y a du lait pour Jaci. Mais c'est du lait écrémé. C'est tout ce que le médecin me laisse boire depuis ma crise cardiaque.

— Dylan m'a dit que tu as recommencé à travailler autant qu'avant sur le ranch.

— Jusqu'ici, tout va bien.

— Bon.

Wyatt écarta sa chaise de la table.

— Ç'a été une longue journée pour moi aussi. On pourra

parler demain, mais j'ai besoin de dormir, maintenant. N'importe quel lit fera l'affaire.

— Kelly et Jaci sont dans la chambre d'amis qui donne sur le jardin, mais ton ancienne chambre est libre. Il y a des draps propres dans le lit et des serviettes neuves dans toutes les salles de bains.

— On dirait que tu attendais de la visite.

— Non, mais Collette m'a persuadé d'embaucher une femme de ménage. Elle craignait qu'avec tout le travail que Dylan, Dakota et moi avons au ranch, je ne laisse les choses péricliter dans la maison.

Wyatt se leva et regarda de nouveau la spacieuse cuisine.

— Ta femme de ménage fait du bon boulot. Tout est impeccable.

— Attends de voir le ranch.

— On fera des plans pour la visite guidée après le petit déjeuner, dit Wyatt. Y a-t-il une heure pour le petit déjeuner ou bien est-ce chacun pour soi ?

— Je serai debout à l'aube. Tu sentiras le café et tu entendras le grésillement du bacon, mais n'hésite pas à dormir aussi tard que tu veux.

— Merci. Je ne jouerai sans doute pas les lève-tôt. Je n'ai pas beaucoup dormi ces deux dernières nuits.

Wyatt se leva, s'approcha nonchalamment du réfrigérateur, et y prit une deuxième bière avant de quitter la cuisine. Troy était lui-même fatigué, mais il savait que le sommeil mettrait du temps à venir cette nuit-là.

Le retour de Wyatt s'accompagnait de tension. Cela ne le surprenait pas. Trop d'années avaient passé, des années durant lesquelles Troy n'avait existé dans l'esprit de ses fils que comme un meurtrier emprisonné. Les parents d'Helene avaient veillé à ce qu'ils ne sachent rien d'autre de lui, et Troy n'avait rien fait pour les détromper.

Il vit que Wyatt se tenait près de l'énorme cheminée en pierre, fixant l'endroit où on avait trouvé le corps d'Helene.

Il avait la mâchoire serrée et son visage était creusé de lignes dures.

Troy n'imaginait que trop bien les images qui devaient lui traverser l'esprit. Passer près de cet endroit tous les jours avait été le plus difficile pour lui aussi, après son retour au ranch. Même à présent, les images étaient si réelles qu'il en avait parfois des sueurs froides.

Il mourait d'envie de s'approcher de Wyatt, de lui poser un bras sur les épaules, et de lui dire qu'il savait que son cœur s'était brisé le jour où Helene avait été tuée. Il aurait voulu s'excuser de ne pas avoir été là pour lui et ses frères, durant les jours et les mois qui avaient suivi sa mort tragique.

Mais les mots étaient inutiles. Comme ses quatre frères, Wyatt ferait la paix avec le passé à sa manière, et quand il serait prêt. Du moins Troy l'espérait-il.

En ce qui le concernait, cette paix n'était jamais venue. Et elle ne viendrait pas tant qu'il n'aurait pas retrouvé l'homme qui avait tué sa femme et brisé leurs vies.

La chambre d'amis était ravissante. Devant la plus jolie lampe de chevet qu'elle ait jamais vue, Kelly eut l'impression d'avoir été transportée au début du dix-neuvième siècle. Le pied était en fonte et l'abat-jour peint de roses couleur rubis.

Une lampe similaire était posée sur une commode ancienne en acajou sculpté, ornée d'un miroir biseauté. Le lit à baldaquin était du même bois chaud. Ayant elle-même passé des heures à courir les boutiques d'antiquités de La Nouvelle-Orléans, avant la naissance de Jaci, Kelly savait que ce lit était une véritable antiquité, méticuleusement restaurée et agrandie.

Quelqu'un avait passé de nombreuses heures à concevoir et meubler ce havre de confort. Elle se demanda si c'était la mère de Wyatt. Si oui, Kelly adorerait en savoir davantage sur elle.

Etait-elle tranquille et aimante ou remplie d'exubérance et de vie ? Avait-elle été heureuse ici ? Ou bien avait-elle désiré s'échapper ? Avait-elle aimé son mari ? Avait-elle eu peur de lui ?

L'avait-il tuée ?

Revenir chez lui après dix-neuf ans, dans cette maison où il avait connu à la fois le bonheur et un chagrin si dévastateur, devait être traumatisant pour Wyatt. Et pourtant, il n'avait montré aucun signe d'appréhension jusqu'à ce qu'il passe le portail de Willow Creek Ranch.

Malgré ce qui pesait sur son esprit, il était venu à son secours, comme si c'était la chose la plus naturelle du monde d'offrir sa protection à une femme et un enfant qu'il n'avait jamais vus auparavant.

Il s'était montré calme et posé, gardant pour lui ses propres sentiments, tandis qu'elle s'était effondrée. Pas étonnant qu'il ait offert de l'amener chez lui. Il la croyait sans doute incapable de prendre soin d'elle-même ou de Jaci.

A présent, elle allait dormir dans la maison d'un homme reconnu coupable du meurtre de sa femme. Elle aurait dû ressentir de la méfiance, mais, pour une raison inconnue, ce n'était pas le cas. Au contraire, Troy l'avait mise à l'aise et accueillie comme si elle faisait partie de la famille.

Kelly médita ce paradoxe en s'approchant des portes-fenêtres. Les rideaux étaient déjà tirés, laissant filtrer une faible lueur à travers le verre embué.

Elle tourna la poignée et ouvrit la porte. Une rafale de vent glacé lui gifla le visage. Elle referma rapidement et essuya la buée de la main. Une vue splendide la récompensa. Le grand jardin débordait de plantes luxuriantes, de pensées aux tons de pierres précieuses, de narcisses blancs et d'autres variétés de fleurs d'hiver qu'elle ne reconnut pas. Une fontaine éclairée projetait une lueur vacillante sur le jardin et de minuscules lampes solaires étaient blotties dans les plantes rampantes, le long d'un sentier dallé et inégal.

Captivée par cette beauté paisible, Kelly frissonna soudain et fut saisie de la sensation qu'elle et Jaci n'étaient pas seules dans la chambre. Elle pivota sur elle-même, s'attendant à voir Wyatt ou Troy à la porte.

Mais sa petite fille était l'unique présence dans la pièce. Elle dormait profondément, blottie dans d'impeccables draps blancs, recouverts d'un couvre-lit bleu et blanc cousu main. Peut-être était-elle plus sur la défensive qu'elle ne l'avait cru, songea Kelly.

La sensation perturbante passa, et elle se laissa tomber de l'autre côté du lit. L'irritation la reprit à la pensée de sa voiture volée. Elle n'avait pas même une brosse à dents, rien pour dormir, pas de sous-vêtements propres.

Pis encore, les jouets et les livres préférés de Jaci avaient disparu avec la voiture, ne lui laissant que peu de réconforts familiers auxquels se raccrocher durant cette nouvelle période de bouleversement. Heureusement, elle avait emporté sa poupée préférée et presque chauve au restaurant. Jaci aurait été anéantie si elle l'avait perdue.

S'adossant au chevet, Kelly se débarrassa de ses chaussures, allongea les jambes et posa la tête sur l'oreiller. Elle se lèverait et irait à la salle de bains dans quelques minutes. Demain...

Elle se redressa en sursaut au bruit d'un tapotement sur la porte. Il lui fallut plusieurs secondes pour réaliser où elle était et comprendre qu'elle s'était endormie tout habillée.

Elle regarda sa montre. 23 h 10. Elle n'avait dormi que quelques minutes, mais elle avait sombré si rapidement qu'elle aurait pu dormir toute la nuit, habillée ou non.

Se recoiffant de la main, elle se hâta d'ouvrir la porte avant que celui qui frappait n'éveille Jaci.

— Je vous ai réveillée ? demanda Wyatt à voix basse.

— Je somnolais, murmura-t-elle. Jaci n'a pas bougé depuis qu'elle a posé la tête sur l'oreiller.

— J'ai pensé que vous pourriez avoir besoin de ça.

Il lui tendit un panier rempli d'articles de toutes sortes. Deux brosses à dents neuves. Des petits savons, des lotions, un bain de bouche et d'autres articles de toilette comme on en trouve dans les hôtels. Il y avait même une minibrosse à cheveux en plastique pliable, toujours enveloppée de Cellophane.

Elle s'appuya contre la porte.

— C'est exactement ce dont j'ai besoin.

— Troy dit qu'il y a du dentifrice dans la salle de bains, et de la bière, du lait et des ingrédients pour sandwichs dans la cuisine. Vous n'avez qu'à vous servir.

— Merci.

— Il est usé mais propre, dit-il en lui tendant aussi l'un de ses T-shirts, qu'il portait sur le bras. Nous pourrons acheter tout ce dont vous aurez besoin après le petit déjeuner.

— Troy et vous, vous dirigez un fantastique refuge pour les sans-abri, cow-boy. Continuez comme ça, et j'aurai du mal à partir. Mais je partirai quand même demain matin, vous savez.

— Pourquoi vous précipiter ? Vous n'avez nulle part où aller. Vous avez laissé votre vie derrière vous, il y a un an.

Kelly sentit son cœur sombrer. Wyatt avait fait ses devoirs. D'une certaine manière, elle était soulagée qu'il connaisse la vérité. Mais elle était aussi irritée qu'il ait demandé si vite à ses collègues policiers de fouiller son passé.

— Ça ne vous a pas pris longtemps, murmura-t-elle pour ne pas réveiller Jaci. Vous devez être un bon flic.

— Très bon. Il faut que nous parlions.

6

Wyatt avait débattu intérieurement la décision de remettre cette conversation au lendemain matin. Ils seraient plus reposés alors, et il aurait eu davantage de temps pour réfléchir aux conséquences du fait de se mêler des problèmes de Kelly, car il était clair qu'elle ne voulait pas d'aide.

Mais Jaci et Troy seraient réveillés, et qui sait quels membres de la famille se montreraient ? C'était peut-être leur seule chance de pouvoir discuter au calme.

Kelly sortit dans le couloir, en tirant la porte derrière elle.

— Je ne veux pas réveiller Jaci.

— Nous pouvons parler dans la cuisine, dit Wyatt. Troy est déjà allé se coucher.

Les planches du vieux parquet grincèrent sous leurs pas, dans le couloir faiblement éclairé. Il y a bien longtemps, Wyatt se servait de ce couloir comme d'une piste pour ses voitures miniatures. Sean et lui avaient même apporté des crapauds dans la maison, pour voir lequel pouvait parcourir la distance le plus vite.

Sa mère était sortie de la chambre de Dakota avec une pile de linge, juste au moment où les crapauds passaient. L'un d'eux avait sauté sur son pied et le linge était parti en volant, coiffant l'autre crapaud d'une taie d'oreiller.

Wyatt et Sean étaient pliés en deux de rire. Leur mère les avait relégués dans le jardin. Mais, ce soir-là, il avait entendu ses parents rire de la course de crapauds.

Dans son innocence de l'époque, Wyatt s'attendait à ce que les bons moments durent toujours, exempts de mal et de chagrin. De la même manière que Josh Whiting, ou cette jolie petite fille blottie dans son lit, s'y attendaient aussi.

Kelly se laissa tomber sur l'une des chaises de cuisine.

— Je suppose que c'est un endroit comme un autre pour votre interrogatoire.

— Ce n'est pas un interrogatoire.

— Ça en a tout l'air.

— Alors c'est que je m'y prends mal.

Kelly leva les yeux au ciel.

— Ne vous préoccupez pas de ça. Finissons-en.

— Qu'est-ce qui vous a décidée à déménager à Mustang Run ?

— J'ai hérité de la maison.

— Il y a dix ans.

Kelly plongea son regard dans le sien.

— Je n'aime pas ce jeu, Wyatt. Qu'avez-vous entendu dire sur moi ?

— Que vous vous êtes évanouie dans la nature, il y a un peu plus d'un an, et que vous avez refait surface récemment. Que votre dernier employeur connu était un bijoutier qui s'occupait du blanchiment de l'argent sale d'Emanuel Leaky.

— Et je suis certaine que vous connaissez les détails de la condamnation d'Emanuel.

— On ne pouvait pas allumer la télévision ou lire les journaux sans entendre parler du procès, admit Wyatt. Toutefois, je ne me souviens pas d'avoir entendu mentionner votre nom.

Kelly passa le pouce sur l'arête de la table d'un air absent.

— Donc, maintenant, vous vous demandez de quel côté de l'affaire je me situais ?

— C'est à peu près ça, avoua Wyatt. Il vaut mieux savoir de quel côté viennent les balles pour ne pas être pris de court.

— J'aimerais un verre d'eau, dit-elle.

— Vous pouvez boire quelque chose de plus fort, si vous voulez.

— Non, juste de l'eau. Je vais me servir.

Elle fut debout avant que Wyatt ait eu le temps de se lever. Il regarda le balancement de ses hanches étroites tandis qu'elle marchait vers le placard, prenait un verre et le remplissait d'eau froide au robinet. Une vague de culpabilité le saisit. Il l'avait invitée pour lui donner un répit, mais il la traitait comme une suspecte.

Elle avait la sensation que c'était un interrogatoire mais, pour lui, cela tenait plutôt du harcèlement, et c'était lui qui tenait le mauvais rôle. Mais il ne savait comment obtenir la vérité autrement. Si elle était en danger, il ne pouvait les laisser, Jaci et elle, y faire face toutes seules.

Kelly se rassit, le verre d'eau à la main, le bout des doigts humide de buée.

— Mon implication dans cette affaire est confidentielle, Wyatt. Le FBI m'a demandé, non… m'a *ordonné* de n'en parler à personne en dehors du Bureau. J'ignore comment vous avez obtenu ces informations aussi vite.

— Etiez-vous dans le programme de protection des témoins ?

Elle hocha la tête.

— Et pourtant, vous n'avez pas témoigné au procès, insista Wyatt, s'efforçant d'assimiler les faits ou, du moins, les faits selon Kelly.

Celle-ci cessa de serrer son verre et repoussa des deux mains sa masse de cheveux brillants.

— Pourquoi est-ce si important pour vous, Wyatt ? Il suffira de me ramener en ville demain matin pour que je sorte de votre vie pour de bon.

Elle sortirait de sa vie, mais ne serait pas nécessairement hors de danger. Vendre la mèche à propos d'Emanuel Leaky équivalait à défier la mort. Et si elle avait fourni les informations qui avaient conduit à sa mise en accusation, elle était probablement sur sa liste noire.

— Vous trouverez sans doute ça difficile à croire venant d'un ex-flic, Kelly, mais je n'essaie pas de démontrer que vous avez mal agi. Si c'était le cas, le FBI l'aurait découvert et vous seriez en prison. Je m'efforce seulement de déterminer si je ne vous envoie pas dans la gueule du loup, Jaci et vous, en vous ramenant en ville demain.

Elle prit une gorgée d'eau, puis écarta les mains sur la table.

— Cela ne doit pas sortir d'ici, Wyatt. Vous devez me le promettre.

— Vous avez ma parole. A moins que je ne m'aperçoive que vous êtes en danger. Dans ce cas, toute promesse sera caduque.

— Puis-je me fier à vous ?

— Parole de scout.

— Vous étiez boy-scout ?

— Non, mais je sais faire des nœuds, dit-il, en s'efforçant d'alléger l'atmosphère et de combattre l'indécision de Kelly.

Un bruit de raclement le fit se retourner, mais c'était seulement le vent qui fouettait les branches d'arbre contre la gouttière en métal.

— Comment avez-vous rencontré Emanuel Leaky ? questionna-t-il.

— Je ne savais pas qu'il possédait la bijouterie au moment où j'ai été embauchée. C'est Luther Bonner qui m'a reçue et m'a engagée.

Luther Bonner qui avait, plus tard, dénoncé ses complices pour sauver sa peau. Les paris étaient lancés sur le temps qu'il faudrait à l'un des assassins rémunérés d'Emanuel pour le descendre. Même en prison, Emanuel détenait une grande influence dans le monde du crime.

— Vous avez travaillé uniquement dans la boutique de La Nouvelle-Orléans ? demanda Wyatt.

— Oui, je n'étais pas au courant des autres opérations de blanchiment jusqu'à ce que je rencontre le FBI. La boutique où j'étais employée était spécialisée dans les bijoux uniques. Les clients habituels étaient rares mais extrêmement riches.

— Vous étiez vendeuse ?

— Je dessine des bijoux un peu insolites. J'ai conçu toutes sortes de choses, depuis des diadèmes en diamants jusqu'à des boucles d'oreilles en forme de crabe ou de fleurs de lys.

— Vous avez une idée de ce qui les a décidés à vous engager ?

— J'avais un stand au Festival de jazz. Luther a vu mon travail et a paru impressionné.

— Comment avez-vous rencontré Emanuel pour finir ?

— Il est venu à la boutique quatre semaines après mon embauche. Il s'est présenté comme M. Van O'Neil et m'a dit que je faisais du très bon travail. Je n'ai pas compris que ce nom n'était qu'une de ses nombreuses identités. Pas plus que je n'ai compris que le nom de Luther était aussi un pseudonyme. Mais après avoir travaillé pour lui pendant deux ans, je pense toujours à lui comme à Luther Bonner.

— Que s'est-il passé après qu'Emanuel s'est présenté ?

— Luther et lui se sont enfermés pendant quelques heures. Emanuel est venu de temps en temps pendant les trois jours suivants. Il passait la plupart du temps dans le bureau de derrière, faisant des affaires avec des gens que je n'avais jamais vus auparavant. Durant tout le temps où j'ai travaillé là, ce schéma s'est répété. Il arrivait en avion, rencontrait ce que je croyais être des relations d'affaires, et repartait de nouveau en avion.

— Cela n'a pas éveillé votre méfiance ?

— Un peu. J'ai interrogé Luther à son sujet. Il m'a dit que Van avait d'autres responsabilités et qu'il lui laissait la gestion de la bijouterie. Il a souligné le fait que ce que faisait Van O'Neil ne me regardait pas et que je ne devais jamais le confronter.

— Alors vous avez laissé les choses courir ?

— Ne soyez pas si condescendant, Wyatt. J'aimais mon travail. J'étais bien payée et j'avais une fille à élever. Alors oui, j'ai laissé les choses courir.

— Désolé. Je n'avais pas l'intention de jouer les brutes. Qu'est-ce qui a finalement bousculé le *statu quo* ?

— Je suis revenue un soir à la boutique, après dîner, pour mettre la dernière main à un collier de diamants et rubis destiné à la reine du carnaval, le lendemain. Emanuel ne m'a pas entendue entrer, mais je l'ai entendu se disputer avec quelqu'un dont je n'ai pas reconnu la voix.

— A propos de quoi se disputaient-ils ?

— Emanuel se plaignait que sa dernière livraison de diamants était de qualité inférieure. L'autre homme l'accusait de mentir et exigeait une livraison immédiate. Il avait un avion qui l'attendait à l'aéroport et l'assurance que la douane n'interviendrait pas. Je me suis faufilée dehors sans qu'ils sachent que j'étais venue.

S'ils l'avaient entendue et compris qu'elle avait surpris la conversation, elle serait morte à l'heure actuelle, et Jaci serait orpheline. C'était les méthodes d'Emanuel.

— Vous êtes allée voir la police locale ou directement le FBI ?

— Le FBI, étant donné qu'Emanuel et ce type étaient manifestement en train de faire de la contrebande.

— Ont-ils arrêté Leaky ce soir-là ?

— Non, mais ils ont intercepté l'avion en partance et ont découvert une cache pleine d'armes automatiques.

— Emanuel vous a-t-il soupçonnée de les avoir renseignés ?

— Non, j'ai continué à travailler pour lui pendant six mois, tandis que le FBI menait l'enquête qui a conduit à son arrestation et celle de Luther. Ils faisaient passer en contrebande des diamants d'Afrique et des armes destinées aux cartels de drogue mexicains.

Wyatt reconstruisait morceau par morceau ce qu'il savait du procès, ce qu'il avait appris plus tôt ce jour-là et ce qu'il venait d'entendre de la bouche de Kelly. Il y avait toujours des morceaux manquants au puzzle.

— Pourquoi le FBI a-t-il décidé de ne pas se servir de votre témoignage ?

— Avec la coopération de Luther, ils ont pensé qu'ils n'auraient pas besoin de moi pour obtenir une condamnation.

— Mais ils vous ont tout de même mise sous protection jusqu'à la fin du procès ?

— J'étais leur atout, au cas où quelque chose tournerait mal. Puisqu'ils ne m'avaient pas fait témoigner, Emanuel n'avait aucun moyen de savoir que c'était moi qui l'avais dénoncé.

— Il aurait pu découvrir que vous étiez dans un programme de protection des témoins aussi facilement que je l'ai fait. Vous avez disparu sans laisser de traces.

— Mais le FBI a volontairement laissé croire à Luther que je ne savais rien de l'opération et que je n'étais pas un témoin intéressant. Ils étaient certains que cela reviendrait directement aux oreilles d'Emanuel.

Donc, tous les angles étaient couverts. Il fallait espérer que le FBI avait raison sur ce point.

— Alors, quand le procès a été terminé et qu'Emanuel a été condamné, on vous a retiré la protection ?

— Oui. C'est à ce moment-là que j'ai décidé de revenir à Mustang Run. La maison que grand-mère m'avait laissée était vide, aussi je n'avais pas besoin de payer de loyer en attendant de reconstruire ma carrière. En dépit de ma crise de larmes aujourd'hui, je ne manque ni de ressources ni d'un toit, Wyatt. Je veux dire, je suis peut-être temporairement sans abri, mais je vais chercher un appartement à louer dès demain. Et je ne suis pas en danger. On m'a seulement volé ma voiture. Cela arrive tous les jours à un tas de gens.

Wyatt avait toujours des réserves quant au danger, mais il était naturellement soupçonneux. Cela faisait partie de son métier.

Il devait admettre cependant que Kelly était sans doute la victime d'un hasard malheureux, étant donné que le voleur était au restaurant avant qu'elle n'y arrive. Il n'avait aucun moyen de savoir qu'elle s'arrêterait là.

Sauf que maintenant, il avait son ordinateur.

— Y a-t-il quelque chose dans votre ordinateur qui pourrait vous relier à Emanuel ?

— Absolument pas. L'ordinateur est tout neuf et j'ai été soigneusement briefée par le FBI sur ce que je pouvais publier sur internet.

Kelly étira les bras au-dessus de sa tête, ce qui fit pointer ses seins comme des obus dans sa direction. Wyatt serra les poings et ignora un tiraillement dans une autre partie de son corps. Qu'est-ce qui n'allait pas chez lui pour qu'il ne cesse de réagir comme s'il n'avait pas eu de femme depuis des mois ? Ah, oui. Il n'en avait pas eu.

Pourtant, il côtoyait des femmes tout le temps au commissariat. Personne d'autre ne l'excitait comme ça. Son instinct protecteur s'emmêlait peut-être les pinceaux avec sa libido.

— Voilà, vous connaissez toute l'histoire, reprit Kelly. Et les aveux doivent être aussi bons pour l'appétit que pour le cœur. Je suis affamée tout à coup.

— Oui, moi aussi, admit Wyatt.

Il ouvrit le réfrigérateur et examina les aliments.

Pendant ce temps, Kelly ouvrait le placard.

— Il y a du sirop d'érable et une boîte de préparation pour crêpes.

Elle lut les instructions.

— Tout ce dont nous avons besoin, c'est d'un œuf et d'un peu de lait.

— Des œufs… voici. Du lait… voilà.

Wyatt ouvrit le compartiment de la viande.

— Et de la viande hachée, du bacon de dinde et de porc. J'imagine que le porc est pour les invités, car Troy a eu une crise cardiaque il y a un an.

Dès que la conversation passa du crime organisé à la nourriture, l'humeur changea du tout au tout. Wyatt trouva un gril et une poêle à crêpes, qu'il posa tous deux sur la cuisinière.

Puis il se mit à faire cuire des steaks. Mais son regard ne cessait de passer de la viande à Kelly. Il aimait ses cheveux. Ils étaient doux et brillants, comme s'ils n'attendaient que ses doigts s'emmêlent dans leurs boucles. Il était captivé par son mignon petit nez retroussé et ses lèvres pleines, sans trace de maquillage. Il adorait la manière dont son chemisier effleurait ses seins, lui donnant un subtil aperçu de leur galbe attendant d'être découvert.

Découvert, mais pas par lui. Du moins, pas de sitôt.

Il était là en mission, et il devait rester concentré. Etre de retour dans cette maison, chez Troy, rendait son besoin de découvrir la vérité sur la mort de sa mère plus pressant que jamais. Sa mère le méritait et, si Troy était innocent, il le méritait aussi.

Pourtant, tandis que la cuisine se remplissait de grésillements et d'odeurs alléchantes, Wyatt ne put s'empêcher de penser qu'il y avait bien longtemps qu'il ne s'était trouvé dans une cuisine avec une femme. Et cela ne lui était jamais arrivé avec une femme aussi séduisante que Kelly.

Il la contourna pour prendre une spatule dans le tiroir. Elle se retourna au même moment. Leurs visages se retrouvèrent à quelques centimètres l'un de l'autre.

Le désir flamba, brûlant et instantané. Il prit une grande inspiration et se débrouilla pour s'écarter sans céder à l'appât des lèvres si attirantes de Kelly.

Pense aux sconses, mon vieux, pense aux sconses.

Repue et satisfaite, du moins en ce qui concernait son estomac, Kelly se débarrassa de ses chaussures et fit couler l'eau dans l'antique baignoire à pattes de lion. Normalement, elle aurait pris une douche rapide, mais les courbatures persistantes de ses muscles, la profondeur de la baignoire et l'engageant flacon de bain moussant constituaient une tentation à laquelle elle ne pouvait résister.

Sa résolution de garder secrète son histoire avec Emanuel Leaky s'était promptement évanouie. Elle aurait dû se douter que côtoyer un flic aurait des conséquences.

Pourtant, elle ressentait un soulagement inattendu, maintenant qu'elle en avait parlé à quelqu'un d'autre que le FBI. Elle se sentait plus détendue, en cet instant, qu'elle ne l'avait été depuis des semaines.

Malheureusement, ses problèmes seraient toujours là au matin. Pas de voiture. Pas de maison. Et pas de Wyatt une fois qu'elle aurait quitté Willow Creek Ranch.

Elle regarda son reflet dans le miroir, tandis qu'elle s'extrayait de son jean. C'était loin d'être son meilleur jour pour ce qui était de l'apparence. Et pourtant, Wyatt avait été à deux doigts de l'embrasser dans la cuisine. Il avait rapidement reculé, mais on ne pouvait nier que le courant était passé entre eux.

Pour être honnête avec elle-même, elle devait cependant admettre qu'il ne s'agissait pas seulement d'attirance physique. Wyatt ne ressemblait à personne qu'elle ait rencontré. Il était décontracté et restait calme même en situation de stress. Il avait une manière de prendre les choses en main sans être ennuyeux. Il était protecteur mais pas autoritaire. Sexy, mais pas arrogant.

Bien sûr, elle le connaissait à peine, donc tout cela pouvait n'être qu'une façade.

Kelly entra dans la baignoire et se laissa glisser dans l'eau, laissant la chaleur parfumée la caresser. Elle ferma les yeux et sentit ses muscles se détendre et les pensées rationnelles reprendre le contrôle de son esprit.

Elle s'était un peu amourachée de cet inspecteur d'Atlanta qui savait se servir d'une poêle à frire, mais elle n'aurait pas à y penser longtemps. Elle ne le verrait sans doute plus jamais, après la journée du lendemain. Il avait ses problèmes, et elle les siens.

Cependant, elle ne put s'empêcher de s'interroger. Comment aurait-ce été si Wyatt l'avait embrassée pour de bon ? Ardent et passionné, ou lent et romantique ? Ou peut-être ne savait-il pas du tout embrasser, comme cet arrière de foot qu'elle fréquentait au collège et qui l'avait plus que dégoûtée avec ses baisers gluants.

Elle ne pouvait imaginer Wyatt se montrer gluant, mais peut-être devrait-elle l'embrasser pour lui dire au revoir, quand elle s'en irait le lendemain. Uniquement pour le bien de la recherche.

7

Wyatt s'éveilla en sursaut, cherchant les couvertures qui venaient d'être rabattues.

— Qu'est-ce que…

— Salut, frangin. T'es à l'heure du ranch, maintenant. Faut faire le foin pendant que le soleil brille, ou au moins faire semblant d'empoigner une fourche.

— Fais gaffe, avorton. Je peux encore te mettre par terre d'une seule main.

— Essaie pour voir.

Wyatt sauta du lit en caleçon et salua Dakota d'une étreinte virile et de quelques coups de poing sur le bras. Il s'en fallait de beaucoup pour que ces gestes expriment tout le plaisir qu'il avait à revoir son petit frère, le champion de rodéo.

— Comment as-tu découvert si vite que j'étais là ? Il est…

Il prit sa montre et regarda l'heure.

— 9 heures ! Je croyais qu'il était 6 heures. Ce vieux lit doit être plus confortable que je ne m'en souvenais.

— Il est 8 heures, chez nous.

— C'est vrai. J'ai oublié de régler ma montre quand j'ai changé de fuseau horaire. Il est quand même tôt pour une visite. A quelle heure Troy t'a appelé ?

— Il ne l'a pas fait. J'allais au ranch de Bob Adkins. Il a des problèmes avec un de ses tracteurs et j'avais promis d'y jeter un coup d'œil.

— Toujours doué avec une clé à molette, je vois.

— C'est parce que j'ai démonté ma bicyclette quand

j'avais cinq ans et que j'ai regardé papa travailler sur la vieille Chevy quand on était gosses. Tu te rappelles ce vieux tacot ?

— Je m'en souviens.

Wyatt avait appris à conduire avec cette voiture, bien avant d'avoir l'âge légal pour passer son permis. Mais on ne l'autorisait pas à s'aventurer hors du portail principal du ranch.

— Bob Adkins ? demanda-t-il à Dakota. Ce nom me dit quelque chose.

— Il possède le ranch voisin. Papa et lui sont apparemment amis depuis des années. Quoi qu'il en soit, j'ai vu un nouveau pick-up garé sur le chemin de papa et je me suis arrêté pour voir qui c'était.

— Pas de secrets au ranch.

— On garde l'œil les uns sur les autres. J'ai cru qu'il plaisantait quand il m'a dit que le pick-up était à toi. Mais il était trop excité pour que ça ne soit pas vrai.

— J'ai tendance à exciter les gens. Une vraie malédiction.

— T'as surtout tendance à te vanter.

Wyatt plongea les doigts dans ses courts cheveux ébouriffés, sachant d'expérience qu'il ne ferait que les décoiffer davantage.

C'était si facile d'être avec Dakota, en contraste total avec sa rencontre avec Troy. Avec Dakota, il se sentait en famille. Avec Troy… Nul besoin d'y revenir.

— Ça t'a fait quoi de dormir dans ton ancienne chambre ?

— Pas grand-chose, jusqu'à ce que je commence à baver sur les cartes de base-ball et les vieilles bougies de Halloween, dit Wyatt d'un ton léger.

— T'as regardé ? Il doit y avoir encore des vieux chewing-gums cachés là-dedans. Papa m'a dit de te laisser dormir, parce que tu es arrivé tard hier soir.

— Tu n'as jamais tellement écouté les conseils.

— C'est ce que dit Viviana. Mais, hé, je t'ai apporté du café.

Il tendit la main derrière lui pour prendre les deux mugs

en faïence qu'il avait posés sur le bureau et en passa un à Wyatt. Celui-ci prit une gorgée et l'avala.

— Brûlant, noir et fort, exactement comme je l'aime.

Dakota s'empara de la vieille chaise à dossier droit dont Wyatt se servait pour faire ses devoirs quand il était enfant.

— Pourquoi ne nous as-tu pas dit que tu venais ?

— J'avais peur que vous fassiez quelque chose de stupide, les gars, comme de vous précipiter dans ma chambre pendant que je dormais tranquillement et de m'arracher les couvertures.

— Où as-tu trouvé une idée aussi bizarre ?

Dakota but son café tandis que Wyatt enfilait le jean qu'il avait jeté au pied du lit, la veille au soir. Il s'était écroulé, après les crêpes, trop fatigué pour prendre une douche. Puis il était resté allongé une bonne heure à refouler les bons et les mauvais souvenirs, et à s'efforcer de comprendre son attirance irraisonnée pour une femme qu'il venait tout juste de rencontrer.

— Papa m'a dit que tu étais arrivé hier soir avec une jolie demoiselle en détresse et sa fille.

Droit au but, songea Wyatt.

— Est-ce que Troy t'a dit qu'un arbre gigantesque était passé au travers du toit de la maison où elle va s'installer ?

— Oui, et qu'on lui avait volé sa voiture. Elle a eu de la chance de tomber sur toi au restaurant.

— Je me disais que Dylan, toi et moi, on pourrait retirer cet arbre de son toit.

— On pourrait, mais ce serait plus facile avec l'équipement adéquat, répondit Dakota.

— Tu veux dire plus que ce qu'on a au ranch ?

Dakota hocha la tête.

— J'ai un ami, un ex-monteur de taureaux, qui possède une société de taille et d'enlèvement des arbres, un peu au nord de Mustang Run. Je ne crois pas qu'il ait beaucoup de travail en janvier. Je vais voir quand il pourrait s'y mettre. Je lui dirai que c'est une urgence.

— Je t'en serais reconnaissant.

Kelly verrait peut-être cela comme une intrusion dans leur fragile relation, mais le trou de son toit devait être recouvert avant que la pluie, la neige fondue, les écureuils, les oiseaux, ou Dieu sait quoi d'autre, ne s'introduisent dans la maison.

— Mais on a tout ce qu'il faut en matière d'outils et de compétences, finit Dakota. Juste au cas où tu déciderais de l'aider pour les réparations. Papa et Dylan ont non seulement construit la maison de Dylan et Collette, mais ils ont aussi bâti un petit bungalow pour Tyler et Julie, tout ça avant que j'arrive. On les a aidés pour les finitions, mais ils ont fait les fondations et la charpente eux-mêmes. Et, les six derniers mois, ils m'ont aidé à construire un joli bungalow pour Viviana, Briana et moi.

Wyatt avait entendu le récit de la manière dont son frère avait découvert qu'il avait eu un enfant avec la belle Viviana Mancini, des mois après la naissance de sa fille, Briana. Dakota leur avait sauvé la vie à toutes deux. D'après sa conversation avec lui, Wyatt savait que son frère était absolument fou de Viviana et aimait sa fille avec une passion qui l'avait surpris lui-même.

— On a décidé de commencer petit et d'ajouter des pièces au fur et à mesure, poursuivit Dakota. Juste une cuisine, un salon, une chambre pour nous et une chambre pour Briana. Mais le bungalow est situé au sommet de la colline et on voit Dowman Lake.

Dowman Lake, le coin de pêche favori de Troy, quand Wyatt était enfant. Son père y gardait un petit bateau à moteur, juste assez grand pour deux. La fierté lui avait donné des ailes quand Troy l'avait emmené avec lui. Ils avaient parlé de trucs d'hommes, comme les chances des Longhorn de gagner la saison, et la manière de nettoyer et d'écailler un poisson-chat. Une éternité auparavant.

Wyatt finit son café.

— On dirait que tu as décidé de vivre au ranch en permanence. Tu hésitais, la dernière fois que je t'ai parlé.

— On prendra probablement aussi un appartement à Austin. Ma superbe fiancée a pris un congé sabbatique, mais elle veut travailler à temps partiel aux urgences d'un grand hôpital. Elle adore son travail et elle y excelle.

Viviana, Briana, Julie. Wyatt allait avoir besoin d'un mémento si la famille continuait à s'agrandir. Et c'était manifestement le cas, puisque Collette, la femme de Dylan, attendait un enfant.

— Et toi, Dakota ? Tu donnes un répit aux taureaux ?

— Faut bien, sourit Dakota. Je suis toujours en lune de miel.

— Depuis six mois ?

Wyatt connaissait des inspecteurs dont le mariage avait duré moins longtemps que ça.

— Ça doit être une sacrée lune de miel.

— Viviana est une sacrée femme.

— Elle a dû te dompter.

— Je suis sûr que tu les rencontreras, Briana et elle, avant la fin de la journée.

Dakota, qui s'adonnait aux circuits de rodéo et collectionnait les boucles d'argent comme des pièces de monnaie, avait raflé le plus grand honneur, quelques années auparavant, en gagnant le championnat du monde de monte de taureaux.

A présent il avait femme et enfant, et cette responsabilité ne semblait pas l'inquiéter. Le mariage et la famille étaient visiblement faits pour lui. Wyatt n'imaginait pas cela pour lui-même.

— Combien de temps restes-tu ? demanda Dakota.

On en venait aux choses sérieuses, se dit Wyatt.

— Je n'en sais rien, avoua-t-il.

— Quand dois-tu retourner travailler ?

— Je n'y retournerai pas.

Il n'avait aucune raison de mentir à Dakota.

— J'ai démissionné avant de quitter Atlanta.

— De ton propre chef ?

— Oui.

— Je croyais que tu aimais ce que tu faisais.

— C'est vrai, mais j'ai d'autres projets.

— Comme quoi ?

— Trouver l'assassin de maman.

Dakota grogna.

— Tu penses toujours que c'est papa, pas vrai ?

— Les preuves disent que c'est lui, mais je garde l'esprit ouvert.

— Il est innocent, Wyatt. J'en étais exactement là où tu en es, il y a six mois. Une fois que tu auras passé du temps avec lui, tu verras combien il aimait maman et combien il est déterminé à retrouver celui qui l'a tuée.

— Bon. Maintenant, je serai là pour l'aider.

— Tu lui as dit ça ?

— Pas directement, mais il m'a demandé d'examiner les informations qu'il a recueillies et j'ai accepté de lui donner mon avis.

— J'espère que tu trouveras vraiment le tueur, Wyatt. Maman mérite que justice lui soit rendue et papa mérite la paix d'esprit. Mais n'ajoute pas à son chagrin. Il est le premier à admettre qu'il a fait des erreurs avec nous, mais il n'a pas tué maman.

— Je m'occupe d'homicides, pas de chasse aux sorcières.

Le son de la voix de Jaci et de petits pieds martelant le couloir flotta par la fente de la porte de sa chambre. Si sa fille était réveillée, Kelly faisait probablement les cent pas, en attendant que Wyatt les emmène en ville, à moins qu'elle n'ait déjà demandé à Troy de le faire.

— Les indigènes s'agitent, dit Wyatt. Je ferais mieux de me secouer.

— Moi aussi. Bob doit se demander ce qui m'est arrivé. Mais je vais parler de l'enlèvement de l'arbre à mon ami avant de partir.

— Merci. Ce serait super s'il pouvait s'y mettre aujour-d'hui, pour que Kelly puisse poser une bâche sur le trou.

Dakota ouvrit la porte et sortit dans le couloir. Wyatt fourrageait déjà dans son sac de voyage, pour y prendre une chemise propre, quand Dakota repassa la tête dans la pièce.

— Bienvenue à la maison, Wyatt. Et puis-je être le premier à te dire qu'il était fichtrement temps ?

Les bavardages surpassaient un concert de rock de plusieurs décibels, quand Wyatt, douché et habillé, prit la direction de la cuisine. La voix rauque de Troy ressemblait presque à un grognement, comparée au timbre aigu de la voix de Jaci. Kelly riait. Et une voix lyrique dotée d'un léger accent du Sud s'interposait au milieu.

Il pénétra dans la pièce et contempla la scène qui s'étalait devant ses yeux. Dakota était debout près de la porte de derrière, un doigt dans l'oreille, et le téléphone sur l'autre. Troy mettait la table.

Une blonde potelée avec une queue-de-cheval dansante retirait une plaque de petits pains dorés du four. Jaci, perchée sur un tabouret de bar, balançait ses petites jambes et regardait sa mère battre des œufs.

Kelly était en jean, celui qu'elle portait la veille puisqu'elle n'avait pas de bagages. Mais il n'avait jamais vu son pull de shantung vert émeraude. Cela lui allait très bien, et il se demanda de quel chapeau magique elle l'avait tiré.

Il fit halte sur le seuil, soudain frappé par une sensation de déjà-vu si puissante qu'il en eut le tournis. Une chanson qu'il n'avait pas entendue depuis des années fit écho dans son esprit. Une chanson que sa mère avait chantée d'innombrables fois en accompagnant l'air d'un ou deux pas de danse, tandis qu'elle préparait le petit déjeuner.

Les voix, les rires, la chaleur du four, l'activité autour de la cuisinière : tout le ramenait dans le passé comme si c'était hier. Ses frères et lui se rassemblaient autour de la table,

Dakota, toujours le dernier, se plaignant qu'il ne trouvait pas son sac d'école.

Son père se montrait à la dernière minute, après plusieurs heures de travail au ranch. Il secouait la boue de ses bottes à la porte de derrière, et entrait avec les nouvelles d'un poulain nouveau-né, ou d'une vache qu'il avait dû tirer d'un ravin près de la rivière.

Le ranch avait besoin de plus, ou moins, de pluie. La journée allait être caniculaire, ou bien il neigerait avant midi. Peu importe que les nouvelles fussent bonnes ou mauvaises, Troy s'arrêtait près de sa femme pour l'embrasser. Puis il souriait et remplissait son assiette, en affirmant que leur mère était la plus jolie et la meilleure cuisinière du Texas.

— C'était Cory qui me rappelait, dit Dakota. Voilà les nouvelles pour le toit.

L'annonce de Dakota sortit Wyatt de sa rêverie et attira l'attention des autres.

— Une de ses équipes peut enlever la branche cet après-midi. En plus, il peut installer le genre de bâche bleue qu'on utilise dans le bâtiment, pour préserver la maison d'autres dégâts dus au temps.

— Génial, dit Kelly. Et je suis censée le rencontrer là-bas ?

— Je peux le voir pour toi, à moins que tu ne veuilles superviser les travaux toi-même.

— Je ne ferais que les gêner.

— Pas de problème. Je te ferai savoir quand le toit sera dégagé et recouvert.

Elle remarqua finalement Wyatt debout sur le seuil, et un sourire éclaira son visage. Wyatt sentit de nouveau ce tiraillement insensé, comme s'il avait touché un fil électrique à mains nues et que le courant remontât le long de ses terminaisons nerveuses.

— Une assiette de plus ? demanda Kelly.

— Volontiers, répondit-il. Aucun homme ne peut résister à des petits pains maison, à moins qu'on ne lui offre des crêpes.

Kelly rougit au souvenir de leur repas de minuit.

— Des petits pains avec de la sauce à la viande maison, ajouta la blonde, mais sans garantie de leur comestibilité. Je n'ai pas encore totalement maîtrisé l'art de lisser les grumeaux.

Elle se sécha les mains avec une feuille de papier absorbant, tout en manœuvrant autour de la table pour venir le saluer.

— Je suis Julie, la femme de Tyler.

— Enchanté de te rencontrer, Julie. Je suis Wyatt, le frère de Tyler, celui qui n'a pas eu de sauce à la viande maison depuis si longtemps qu'il aime même les grumeaux.

Il lui tendit la main. Elle l'ignora et l'attira dans une étreinte chaleureuse.

— Tyler parle tout le temps de toi. Il sera vert d'envie de savoir que je t'ai rencontré en chair et en os.

— Tout le plaisir est pour moi. On sait quand il revient aux Etats-Unis ?

— Rien n'est sûr, mais avec un peu de chance, il sera démobilisé et de retour au ranch pour notre cinquième anniversaire, en mars. Je compte les jours. Kelly peut te le dire. Je l'ai rasée au moins une demi-heure en ne lui parlant de rien d'autre que de Tyler.

— Ça ne m'a pas rasée une seconde, protesta Kelly. Vous m'avez tous tellement aidée ce matin. J'adore ce pull que tu m'as donné, Julie.

— *Prêté*, corrigea Julie d'un air taquin.

Julie était exactement telle que l'avait décrite Tyler, pétillante et exubérante. Et manifestement aussi amoureuse de Tyler qu'il l'était d'elle. Ils s'étaient rencontrés durant une permission de Tyler, au printemps précédent, et mariés avant son retour au service.

Kelly versa les œufs dans une poêle chaude.

— J'ai l'impression d'avoir été parachutée dans une convention de bons Samaritains.

Wyatt, lui, avait l'impression d'avoir atterri dans les pages d'un mauvais roman de science-fiction. Il était l'extraterrestre, le seul personnage qui ne gobait pas l'innocence de Troy et l'image de la famille parfaite.

Kelly, quant à elle, était aussi à l'aise qu'un poisson dans l'eau. Elle s'affairait au-dessus des œufs brouillés, comme si elle avait cuisiné pour la maisonnée Ledger tous les jours de sa vie.

— J'ai parlé à Sean, il y a quelques minutes, dit Troy. Eve et lui viendront ce soir pour la fête de bienvenue.

— Alors nous serons tous là, lança Dakota. Je ferais mieux de dire à Dylan de fumer une poitrine de bœuf.

— Je m'en suis déjà occupé, reprit Troy.

— J'apporterai des tartes au chocolat, intervint Julie. Et je ferai une grande salade de pommes de terre.

Une célébration avec toute la famille, bien qu'ils n'aient pas formé une vraie famille depuis des années. Les fils Ledger avaient été séparés comme du bétail qu'on passe au marquage. Sauf qu'ils n'avaient pas atterri dans le même Etat.

Wyatt adorait l'idée de se rapprocher de ses frères. C'était la pensée d'une famille présidée par son père qui avait un goût amer pour lui. Le fait qu'il était seul à voir les choses de cette façon rendait la pilule encore plus difficile à avaler.

— J'ai parlé aux déménageurs, déclara Kelly, quand il s'approcha du comptoir et se versa une tasse de café. Ils ont été retardés hier et n'arriveront pas à Mustang Run avant midi.

— Et que feront-ils du chargement à ce moment-là ?

— Julie m'a parlé d'un garde-meuble en ville. Je les ai appelés et ils ont plusieurs espaces de stockage disponibles. Je dois rejoindre le camion de déménagement là-bas, pour payer le premier mois de location et signer le formulaire. Je vais pouvoir tout mettre en stock jusqu'à ce que la maison soit prête. Et sur la suggestion de ton père, j'ai appelé ma banque pour faire opposition à toute transaction jusqu'à ce que je puisse aller fermer mon compte et en ouvrir un nouveau. Je crois que je t'ai tout dit de ce que tu as manqué.

Elle remua une dernière fois les œufs, puis les transféra dans un plat de service.

— Tu en as fait des choses !

— Jaci m'a réveillée à 7 heures, alors j'ai eu tout le temps de m'organiser. Maintenant je n'attends qu'une chose, que le shérif m'appelle pour me dire qu'ils ont retrouvé ma voiture.

— Tu es d'une humeur optimiste, ce matin.

— C'est ta famille qui me l'a insufflée. J'ai des pensées positives.

Elle le dit avec autorité, comme pour s'assurer qu'il ne ferait rien pour la contredire.

— Tu sais, Kelly, il y a un nouvel immeuble d'appartements en ville, dit Julie, tandis que tous s'asseyaient à table. Leur panneau mentionne que chaque appartement a son propre garage et un petit jardin à l'arrière. Je ne connais pas le montant du loyer, mais je peux t'y conduire après le petit déjeuner, si tu veux.

— Ce ne sont pas mes affaires, intervint Troy, mais pourquoi dépenser de l'argent ? Il y a toute la place voulue ici, au ranch. Jaci peut avoir sa propre chambre et des hectares de terrain pour jouer dehors quand il fait beau. Vous pouvez même lui faire faire du cheval.

Les yeux de Jaci s'éclairèrent.

— Où sont les chevaux ?

— Ils sont toujours dans l'écurie, répondit Troy, mais plus tard, on va les mettre au pâturage.

— C'est quoi un *patrage* ?

— Un pâturage est un grand terrain clôturé pour les chevaux et les vaches.

— Je peux voir les chevaux ? S'il te plaît, maman. S'il te plaît.

— Nous verrons, dit Kelly. Et merci pour votre offre, Troy, mais ce serait un peu abuser de l'hospitalité du ranch.

— L'offre reste valable si vous changez d'avis. A moins

que l'arbre n'ait endommagé les poutres maîtresses, mes fils et moi pourrons sans doute réparer les dégâts en quelques jours.

— Je ne peux certainement pas vous demander de faire ça.

— On aide ses voisins et ils vous aident. C'est la philosophie des cow-boys.

Wyatt resta en dehors de la conversation. Il avait l'idée de louer l'un de ces appartements pour lui-même. Il ne savait pas combien de temps il pourrait supporter de côtoyer sa famille sans en être malade. D'un autre côté, si la nourriture était toujours aussi bonne, il était tenté de s'incruster.

Il en était à son troisième petit pain quand son portable se mit à sonner. Il le tira de sa poche et regarda l'écran. Le shérif McGuire. Il s'excusa et alla prendre l'appel dans le salon.

— Kelly Burger est-elle toujours au ranch ?

— Oui.

— Bon. J'ai essayé de l'appeler sur son portable, mais elle n'a pas répondu. Vous pouvez lui demander de venir au téléphone ?

— Ce sont des bonnes ou des mauvaises nouvelles ?

— Disons qu'elles sont préoccupantes.

Et quand un shérif disait ça, les nouvelles étaient toujours mauvaises.

8

— Nous avons votre voiture.

Kelly inspira et souffla lentement, soulagée par la nouvelle, mais trop circonspecte pour laisser éclater sa joie.

— Et le voleur était au volant ?

— Non, il l'a abandonnée. Le moteur était froid, ce qui veut dire qu'il était déjà parti depuis un bon moment quand on a remarqué la voiture.

— Dans quel état est-elle ?

— La portière côté conducteur et le coffre ont été forcés, mais ce sont les seuls dégâts visibles. Il y a quelques sacs, un carton de jouets et un tas de vêtements sur des cintres dans le coffre, de même qu'une roue de secours et les outils habituels. Nous n'avons pas trouvé de sac à main.

Ce n'était pas surprenant, se dit Kelly.

— Vous avez regardé dans la voiture ?

— La boîte à gants a été vidée, mais il y a deux sacs de couchage sur la banquette arrière, avec quelques livres et des jouets. La glacière sur le sol a toujours un quart de lait dedans.

— Et le siège-auto de ma fille ?

— Il est toujours là.

Bon. Une chose de moins qu'elle devrait racheter.

— Et mon ordinateur ?

— Aucun signe. Je vous suggère d'appeler votre banque pour faire opposition, par mesure de précaution.

— Je m'en suis déjà occupée.

— Si vous n'avez pas une de ces assurances contre le vol d'identité, vous devriez aussi vous en occuper. Partez du principe que le voleur a eu accès à tout dans votre ordinateur, y compris les dossiers ou les e-mails que vous pensiez avoir supprimés.

— Bonne idée.

Cela la mettait mal à l'aise que son ordinateur soit aux mains d'un inconnu, mais il était neuf. Elle ne s'en était servie ni pour des opérations bancaires ni pour des achats en ligne, donc il n'y avait sans doute rien à craindre.

— Où a-t-on trouvé la voiture ?

— C'est la partie de l'histoire qui me cause du souci, Kelly.

Son estomac se noua.

— Pourquoi ?

— Brent a vu le véhicule ce matin, peu après 8 heures. Il était dans le coin pour acheter des beignets et du café au petit supermarché quand il a décidé de passer jeter un coup d'œil aux dégâts de votre maison. Votre voiture était garée dans l'allée.

Donc le malfaiteur était allé chez elle. Une vague de peur et d'effroi se rua dans ses veines. Et si l'arbre n'était pas tombé sur sa maison ? Et si Jaci et elle avaient été là, quand ce type était arrivé ?

— Pourquoi a-t-il ramené la voiture chez moi ?

— J'espérais que vous me le diriez.

— Comment saurais-je…

La réponse lui vint avant qu'elle finisse sa question. McGuire pensait qu'elle mentait ou, du moins, qu'elle cachait quelque chose. Il devait avoir fait une enquête sur elle, tout comme Wyatt. Ou peut-être Wyatt lui avait-il menti et avait-il fait part au shérif du secret qu'elle lui avait confié la veille au soir. Un mélange de fureur et de peur lui serra la gorge.

— J'étais dans un relais routier pour m'abriter de l'orage quand ma voiture a été volée, commenta-t-elle d'un ton glacial. C'est tout ce que je peux vous dire.

— D'accord, calmez-vous, madame Burger. Du moment que vous ne me cachez rien, vous n'avez rien à craindre.

— Quelle est la position de cette affaire sur votre échelle de priorités ? demanda-t-elle, énonçant les doutes que Wyatt avait soulevés.

— Vous n'avez pas besoin de vous inquiéter. Je prends les affaires de tous les citoyens de ce comté au sérieux, madame Burger. Votre voiture a déjà été remorquée au laboratoire scientifique. On va soigneusement l'examiner à la recherche d'empreintes ou d'autres éléments. Ces informations, plus les descriptions de Wyatt, Edie et vous nous aideront beaucoup à identifier le voleur. S'il est toujours dans la région, nous l'arrêterons.

Elle avait hâte de voir cela. Mais cela ne résolvait pas ses problèmes avec Wyatt.

— Quand pourrai-je récupérer ma voiture ?

— Vous pourrez prendre vos affaires dès que l'examen des preuves sera terminé. Je demanderai à l'adjoint en charge de l'enquête de vous appeler pour vous tenir au courant. Mais j'aurai besoin de la voiture deux ou trois jours de plus.

— Pourquoi ?

— Simple précaution, au cas où nous aurions besoin de l'examiner de nouveau. Dans l'intervalle, soyez prudente, et si le voleur prend contact avec vous, appelez-moi immédiatement.

— Croyez-moi, je le ferai.

— Juste pour que vous me compreniez bien, madame Burger, je n'aimerais pas découvrir après coup que vous saviez qui c'était, ou que vous n'étiez pas une victime choisie au hasard. Donc s'il y a quelque chose que vous ne m'avez pas encore dit, c'est le moment de vous mettre à table.

— Je n'avais jamais vu l'homme qui a volé ma voiture jusqu'à ce que je sois entrée dans ce restaurant routier hier soir. Je n'ai aucune raison de soupçonner qu'il me connaissait.

— Dans ce cas, vous recevrez un appel de l'adjoint dans la journée pour vous indiquer quand vous pouvez venir chercher vos affaires.

Le téléphone échappa des mains tremblantes de Kelly tandis qu'elle mettait fin à la communication.

Wyatt le rattrapa.

— Qu'est-ce que McGuire avait à dire ?

— Prends ta veste, Wyatt. Nous devons parler... Dans le jardin, hors de portée des oreilles de Jaci et de ta famille.

Un vent vif donnait l'impression qu'il faisait plus froid que le zéro indiqué par le thermomètre de la véranda derrière la maison. Kelly ne sembla pas le remarquer tandis qu'elle dévalait bruyamment les marches et pénétrait dans le jardin avec un léger châle.

Heureusement, Wyatt s'était souvenu de son manque de bagages, et avait récupéré une vieille veste de chasse à l'arrière de sa camionnette. Il se dépêcha de la rattraper.

— Mets ça.

Il lui tendait la veste, mais elle garda les bras étroitement croisés sur sa poitrine.

— Je n'ai pas froid.

— Alors tu portes un drôle de rouge à lèvres bleu.

Il drapa le vêtement sur ses épaules.

— Je crois comprendre que le shérif t'a appris de mauvaises nouvelles.

Elle s'éloigna à grands pas et s'arrêta sous un mûrier. Son regard aurait pu congeler des braises.

— As-tu appelé le shérif ?

— Non. C'est lui qui m'a appelé. Il m'a dit qu'il avait essayé de te contacter et que tu ne répondais pas.

— Non, je veux dire : l'as-tu appelé hier soir, après que je suis allée me coucher ? Lui as-tu parlé d'Emanuel Leaky ?

Donc, c'était de cela qu'il s'agissait. Il prit ses mains dans les siennes pour qu'elle ne puisse pas s'éloigner de nouveau.

— Je t'ai promis de ne souffler mot de cela à personne, à moins que ce ne soit pour ton bien. Je ne mens pas, Kelly, et je tiens mes promesses à moins d'avoir une fichue bonne raison de ne pas le faire. Je ne lis pas non plus dans les pensées, surtout celles des femmes, alors si tu me disais ce qui se passe ?

— Brent a retrouvé ma voiture.

— Brent, l'adjoint au shérif que nous avons rencontré hier soir ?

— Exactement.

— Elle a été abîmée ?

— Non. Elle est pratiquement dans le même état que quand elle a été volée. Presque tout ce qu'il y avait dans la voiture semble toujours être là, bien que le voleur ait gardé mon sac et mon ordinateur.

Cela aurait dû être de bonnes nouvelles, songea brièvement Wyatt.

— Il y a autre chose ?

— Oh oui, il y a autre chose, dit Kelly. Le voleur a laissé la voiture dans mon allée.

— C'est bizarre.

— Tellement bizarre que, maintenant, le shérif pense que j'en sais plus que ce que j'en ai dit. Soit cela, soit il connaît mon histoire avec Leaky et pense qu'il y a un lien.

Une possibilité que Wyatt n'avait pas totalement écartée.

— Je doute sérieusement que McGuire ait pris le temps d'enquêter sur toi hier soir. Il n'avait aucune raison d'investir du temps ou de l'énergie sur une jeune mère célibataire dont on a volé la voiture. C'est le comportement inhabituel du voleur qui l'a rendu soupçonneux.

Elle s'éloigna encore et souffla lentement, libérant un nuage de vapeur.

— Pour quelle raison cet homme a-t-il ramené ma voiture chez moi, en dehors du fait qu'il voulait me faire du mal à moi, ou à Jaci ?

— Il voulait peut-être t'intimider, de la même manière qu'il essayait de taper sur les nerfs de la serveuse du routier. Il y a des malades qui s'amusent à ça.

Wyatt reprit sa respiration dans l'air froid tandis que les images sordides d'affaires passées se pressaient dans son esprit. Le viol et le meurtre d'une étudiante. Le corps mutilé d'une infirmière qui avait ouvert la porte à ce qu'elle croyait être un employé de la compagnie d'électricité.

— Je suppose que je devrais être reconnaissante que le shérif s'efforce de contrôler la situation et d'identifier le voleur, dit-elle une fois qu'elle lui eut rapporté l'essentiel de la conversation.

S'il ne le faisait pas, c'était Wyatt qui s'en chargerait.

— Je vais te conduire au garde-meuble quand tu seras prête. A ce moment-là, nous pourrons peut-être reprendre tes affaires dans la voiture.

— Ce serait bien. Peut-être Julie acceptera-t-elle de surveiller Jaci pendant que nous y allons. Elles semblent bien s'entendre, et je ne veux pas que Jaci entende quoi que ce soit qui l'effraie.

— Alors c'est décidé.

— J'ai toujours besoin de trouver un endroit où vivre en attendant que la maison soit habitable.

— Oublie ta recherche d'appartement, Kelly. La situation a changé. Tu restes ici, au ranch.

Il s'était comporté en flic en ordonnant au lieu de demander. Il attendit sa réaction. Mais ce fut l'appréhension et non la colère qu'il lut dans les yeux de Kelly.

— Tu es sûr, Wyatt ? Je ne t'ai apporté que des ennuis.

— C'est le plus logique.

— J'y réfléchirai.

Il se contenterait de cela pour le moment.

Ils restèrent tous deux silencieux en revenant vers la maison. Les questions se pressaient dans l'esprit de Wyatt. Quand le voleur avait-il décidé d'aller chez Kelly ? Il n'avait pas pu s'y rendre directement en partant du relais routier, sinon la voiture aurait été là quand Wyatt et Kelly étaient arrivés, et avaient découvert les dégâts infligés au toit.

Où était-il allé une fois qu'il avait laissé la voiture ? Vivait-il à proximité ou bien avait-il volé un autre véhicule ? Si oui, où ? Et pourquoi ce vol n'avait-il pas été signalé ? Ou bien le shérif en savait-il plus qu'il n'avait dit à Kelly ?

Un lapin bondit en travers de leur chemin, alors qu'ils approchaient des marches. Un cheval hennit au loin. Et la voix excitée de Jaci résonna dans la maison.

Wyatt était à Mustang Run depuis moins de vingt-quatre heures, mais il était déjà immergé dans sa famille et une enquête policière, et préoccupé par une femme qui monopolisait ses pensées et éveillait en lui une faim dévorante qui n'avait rien à voir avec la nourriture.

Atlanta lui semblait à des millions de kilomètres.

Julie accepta volontiers de surveiller Jaci cet après-midi-là. Elle semblait même ravie que Kelly et Jaci restent au ranch quelques jours de plus. Une fois cela arrangé, Kelly se mit à la recherche de Jaci et Wyatt. Elle les trouva sous la véranda latérale avec Troy, qui rangeait un chargement de bûches dans des casiers métalliques.

Jaci portait une parka rouge vif qui lui allait parfaitement et avait l'air presque neuve. Quand la petite fille vit Kelly, elle laissa tomber la petite bûche qu'elle tenait et courut vers sa mère avant de lui entourer la taille de ses bras.

— Monsieur Ledger dit que je peux donner à manger aux chevaux si tu es d'accord. Je peux, maman ? Je peux, s'il te plaît ?

— Eh bien, tu en portes une jolie veste !

— Je garderai l'œil sur elle, dit Troy. Mon petit-fils me suit à l'écurie chaque fois qu'il le peut. Je m'entends bien avec les enfants.

— Je vois ça.

— Alors je peux aller avec lui, maman ?

— Si tu promets de faire ce que monsieur Ledger te dit.

— Oui ! Je peux donner à manger aux chevaux.

Jaci lâcha la taille de Kelly et se mit à bondir sous la véranda comme si elle était montée sur ressorts.

— J'espère que ça ne vous ennuie pas que je lui aie prêté la veste, reprit Troy. Mon petit-fils Joey l'a laissée ici le week-end dernier.

— Ça ne m'ennuie pas du tout, lui assura Kelly. Joey doit faire la même taille que Jaci.

— Presque. Il a sept ans, mais il est petit pour son âge. Vous le verrez ce soir. Toute la famille sera là.

Pour dîner d'un veau gras, pensa Kelly, exactement comme l'avait prédit le shérif McGuire. Sauf que leur réunion serait ternie par les problèmes que Kelly avait apportés dans leur vie.

Troy se frotta les mains.

— Vous devriez venir avec nous, Kelly. Collette a ajouté deux nouveaux quarter horses au troupeau, et ce sont de vraies beautés.

— J'adorerais les voir.

Et elle veillerait ainsi à ce que Jaci ne se fasse pas mal. Les seuls chevaux que sa fille avait côtoyés étaient ceux du manège.

— Alors c'est d'accord, dit Troy. Allons-y.

— Oui, viens, maman. *Lons-y.*

Jaci se cramponna à la main de Kelly tandis qu'ils se dirigeaient ensemble vers l'écurie, mais son flot continu de questions s'adressait à Troy.

— Est-ce que les chevaux peuvent sortir de l'écurie pour jouer ? Est-ce que les chevaux restent avec leurs mamans ? Qu'est-ce que les chevaux mangent ? Est-ce que les chevaux mordent ?

Troy répondit patiemment à toutes ses questions. Non seulement il se débrouillait bien avec les enfants, mais il avait l'air tellement à l'aise au ranch qu'il était difficile de croire qu'il n'était sorti de prison que depuis un an et demi. Il était encore plus difficile d'imaginer ce rancher décontracté tuant de sang-froid la mère de ses enfants.

Mais le mal n'avait pas toujours l'apparence de la laideur, songea Kelly. Luther Bonner était toujours tiré à quatre épingles et possédait d'excellentes manières. Pourtant, il avait travaillé de son plein gré pour l'un des individus les plus brutaux et corrompus du pays. Et il l'avait dénoncé également de son plein gré pour éviter d'être châtié.

Jaci lâcha la main de Kelly à proximité de l'écurie, et se mit à courir. Kelly se hâta de la rattraper. La porte de bois était ouverte, et des odeurs de foin et de cheval l'accueillirent avant même qu'elle ait son premier aperçu des animaux.

Troy s'arrêta devant la première stalle et gratta le museau d'un magnifique étalon.

— Je ne t'ai pas oublié, Gunner. Je suis un peu en retard aujourd'hui, mais j'ai amené des invitées.

Jaci s'éloigna de la stalle et se pressa contre les jambes de Kelly.

— Les chevaux sont grands…

— Pas tous, dit Troy. Viens voir Blanche Neige. Elle n'a pas encore un an.

— Blanche Neige, c'est pas un cheval.

— Cette Blanche Neige-là, si.

Troy dépassa quelques stalles et s'arrêta devant une superbe pouliche blanche.

— Blanche Neige est la dernière acquisition du troupeau.

Le cheval frappa le sol du sabot, envoyant voler la poussière et le foin. Troy la calma d'une voix apaisante.

— Collette te manque, pas vrai ? Je ne te gâte pas autant qu'elle. Elle viendra te voir plus tard.

— Donnons-lui à manger, dit Jaci.

— Bonne idée.

Troy l'aida à mesurer et verser le grain. Elle se lassa très vite de cette tâche, et se mit à sauter dans un tas de foin frais à l'arrière de l'écurie.

— Est-ce que tout le troupeau est là ? demanda Kelly tandis que Troy distribuait la nourriture aux chevaux.

— Ce sont tous les chevaux de Willow Creek Ranch. Il y en a quinze, mais nous avons trois nouveaux quarter horses, en pension au ranch de Sean, à Bandera, que nous amènerons ici au printemps. Nous allons ajouter une nouvelle écurie, deux fois plus grande que celle-ci.

— Que faites-vous de tant d'animaux ?

— Nous les élevons et les entraînons pour les acheteurs. Et Sean et Collette travaillent sur un projet de camping et de promenades à cheval pour les enfants déshérités de la ville.

— Sean est un autre de vos fils ?

Troy hocha la tête.

— C'est le père de Joey. Au départ, il n'était que son beau-père, mais l'adoption a été finalisée il y a deux semaines. La mère de Joey, Eve, était veuve.

Kelly ne savait que trop bien combien c'était difficile, surtout avec un enfant. Cela rendait aussi les relations romantiques compliquées. Kelly était sortie quelquefois avec des hommes, mais elle avait toujours fini par leur en vouloir d'occuper le temps qu'elle aurait pu consacrer à Jaci. Cependant, elle n'avait jamais rencontré un homme comme Wyatt.

— Il fait un froid de canard ici. Tu devrais payer des cow-boys pour nourrir les animaux par un temps pareil.

Kelly se retourna au son d'une voix féminine un peu rauque. La mince brunette qui se tenait au seuil de l'écurie était aussi sexy que sa voix, bien qu'elle ait au moins cinquante ans. Son jean de couturier lui allait à la perfection. Son chapeau et son écharpe assortis, d'une riche nuance de violet, soulignaient un teint sans défaut et des yeux noirs très expressifs.

— S'il fait trop froid pour toi, tu aurais dû attendre à l'intérieur, répliqua Troy.

Le regard de la femme passa de Troy à Kelly et revint au premier.

— Je n'avais pas compris que tu avais des invitées, reprit-elle d'un ton accusateur.

— Je te l'aurais dit si tu avais appelé avant de passer. Je

te présente Kelly Burger, et sa fille Jaci. Elles emménagent à Mustang Run, mais elles vont séjourner quelques jours chez moi.

— Très sympathique de ta part. Je suis Ruthanne Foley, dit-elle, une voisine et une *très* bonne amie de Troy.

Elle fixait Kelly comme s'il s'agissait d'une adversaire dans un combat sans merci. Kelly finit par comprendre ce qu'il se passait. Cette femme la considérait comme une rivale. Ses yeux jetaient des flammes de pure jalousie.

Personne n'avait mentionné que Troy avait une petite amie. Kelly se demanda si cela compliquerait encore les relations de Wyatt avec son père. Mais elle allait rapidement éclaircir le malentendu, avant que la jalousie de la femme ne provoque une scène.

— En fait, c'est Wyatt qui m'a amenée au ranch, expliqua-t-elle. Troy a été assez gentil pour nous inviter, Jaci et moi, à venir voir les chevaux.

— Wyatt est ici ? s'exclama Ruthanne en s'approchant et en posant une main possessive sur le bras de Troy.

Son attitude s'était adoucie, maintenant qu'elle savait que Kelly ne représentait pas de menace pour elle.

— Pourquoi suis-je toujours la dernière à savoir ce genre de choses ? J'ai hâte de le voir.

— Il n'était pas à la maison, quand tu t'es arrêtée ?

— S'il y était, je ne l'ai pas vu. Il y avait seulement Julie, et elle m'a dit que tu étais à l'écurie. Elle n'a pas mentionné que tu n'étais pas seul.

Ruthanne Foley. Le nom ne lui était pas inconnu, bien que Kelly ne parvienne pas à se souvenir où elle l'avait entendu.

Décidant apparemment que la nouvelle venue n'était pas digne de son attention, Jaci continua à faire des galipettes dans le foin.

— Kelly est la petite-fille de Cordelia Callister, reprit Troy. Elle emménage dans la maison Callister, ou du moins, elle le fera quand le toit sera réparé.

Ruthanne s'écarta de Troy et posa sur Kelly un regard froid et indéchiffrable.

— Vous êtes la fille de Linda Ann ?

— Oui. Vous connaissiez ma mère ?

— Je l'ai rencontrée.

Son ton était de nouveau glacial. Si le reste des habitants de Mustang Run ressemblaient à Ruthanne, il n'était pas étonnant que sa mère soit partie sans retour, songea Kelly.

— L'ex-mari de Ruthanne est le sénateur Riley Foley, dit Troy. Notre prochain gouverneur, si on en croit les sondages.

A présent, Kelly savait où elle avait entendu parler de Ruthanne. Par sa mère, des années auparavant.

— Ma mère faisait partie de l'équipe de la première campagne du sénateur.

Ruthanne étudia ses ongles parfaitement manucurés.

— C'était il y a des années.

— En effet, approuva Kelly. J'ai eu dix ans pendant la campagne. Je m'en souviens parce que ma mère était en tournée avec le sénateur Foley et a dû manquer mon anniversaire. Elle s'est rattrapée plus tard avec un voyage à la foire d'Etat.

Ruthanne écarta une mouche avec l'extrémité frangée de son écharpe.

— Où se trouve votre mère maintenant ?

— A Plano, près de Dallas. Elle a pris sa retraite du poste de doyen d'une petite université du Nord-Est, il y a quelques années. Mais elle enseigne toujours les sciences politiques dans une université locale.

— J'évite absolument la politique, commenta Ruthanne. Je n'ai jamais rencontré un politicien auquel on pouvait faire confiance.

— Ma mère n'est pas aussi blasée, dit Kelly, mais, autant que je sache, elle n'a plus participé à une campagne électorale depuis cette époque, du moins pas en tant que membre officiel de l'équipe.

— Si je me souviens bien, elle n'est pas allée jusqu'au

bout de cette campagne avec Riley. Je ne me rappelle pas pourquoi, mais il a dû la renvoyer.

Ruthanne se retourna vers Troy.

— J'attends une invitation à dîner, pendant que Wyatt est là. Appelle-moi. Je ferai ce cheese-cake au chocolat que tu aimes tant.

— N'y compte pas trop, répondit Troy d'un ton évasif. Je ne peux pas faire de plans pour Wyatt. Il a quatre frères qui veulent tous une part de son temps.

Ruthanne dit au revoir sans même jeter un regard à Kelly. Elle partit juste au moment où Julie entrait dans l'écurie.

— Qu'est-ce qui l'a défrisée ? demanda Julie.

— Je crois que c'est moi, répondit Kelly. Je ne sais pas bien pourquoi.

— Peut-être qu'elle n'aime pas partager son petit ami avec d'autres femmes, la taquina Julie.

— Elle a été claire à ce sujet car elle pensait que j'étais ici avec Troy, mais son dédain pour moi semble être plus profond que ça.

— Ne faites pas attention à elle, intervint Troy. Elle n'est jamais contente si elle n'est pas au centre de l'attention. Avec tout l'argent dont elle a hérité, elle se prend pour une princesse.

— Pas étonnant que son mari l'ait quittée, commenta Julie.

— Il n'est pas parti avant qu'elle ait fait tout ce qu'elle pouvait pour lui politiquement, et d'avoir lui-même beaucoup d'argent.

— Depuis combien de temps ont-ils divorcé ? questionna Kelly.

— Environ un an avant que je sois libéré. Et croyez bien qu'il n'y a rien entre nous, en dehors de ces ragoûts et ces desserts qu'elle ne cesse d'apporter.

— Troy est le roi des ragoûts, reprit Julie. Toutes les veuves de l'église lui apportent des petits plats maison. Certains jours, il a assez de nourriture pour ouvrir un restaurant.

— Pas *toutes* les veuves. Mme Haverty passe sur l'autre trottoir quand elle me voit arriver.

Julie rit.

— Et vous la rendez folle en lui souriant et en touchant votre chapeau, comme si vous étiez les meilleurs amis du monde.

— Les gens croient ce qu'ils veulent, conclut Troy, et la moitié de cette ville préfère penser le pire à mon sujet.

Kelly se remémora de nouveau que l'homme affectueux chez qui elle séjournait, l'homme auquel Jaci avait si facilement fait confiance, avait passé dix-sept ans en prison pour le meurtre de sa femme. Un jury l'avait condamné. Même Wyatt, un inspecteur des homicides doté d'une longue expérience, n'était pas convaincu de son innocence.

Troy était fort. Elle l'avait vu soulever un sac de vingt-cinq kilos de grain et le jeter sur le sol comme un sac de pommes de terre de cinq kilos. Et elle soupçonnait que la vilaine cicatrice qui lui courait sur le côté droit du visage ne provenait pas d'un accident de travail au ranch. Elle ne pouvait l'imaginer en assassin, mais elle n'avait pas vu Luther Bonner en criminel non plus.

— Dis-moi quand tu seras prête à aller voir ces appartements, offrit de nouveau Julie.

— Maman, regarde ! Blanche Neige aime la nourriture qu'on lui a donnée !

L'excitation bouillonnait dans la voix de Jaci. Elle aimait le ranch, il y avait tellement d'espace pour jouer dehors !

— J'aimerais attendre encore un peu, répondit Kelly. Si l'offre tient toujours, Jaci et moi resterons quelques jours de plus.

— Vous pouvez rester tant que vous voudrez, dit Troy.

Le portable de Kelly vibra. Quelqu'un lui avait laissé un message. Jusque-là, seuls sa mère, le FBI et le shérif avaient son numéro. Elle pénétra plus avant dans l'écurie pour éviter le miroitement du soleil passant par la porte ouverte.

Une seconde plus tard, elle comprit qu'elle s'était trompée. Quelqu'un d'autre avait ce numéro, et le SMS qu'on lui avait envoyé lui glaça le sang.

9

Kelly réussit miraculeusement à dissimuler son émotion à Jaci jusqu'à ce qu'elles rentrent dans la maison. Elle était déterminée à ne rien dire ou faire qui pouvait effrayer sa fille.

Julie, toutefois, perçut tout de suite un changement dans son comportement. Mais après lui avoir demandé si elle allait bien, elle laissa tomber le sujet. Kelly lui en fut très reconnaissante.

Cette famille était vraiment remarquable. En dépit des tensions entre Wyatt et son père, Kelly n'avait jamais rencontré un tel soutien.

Mais c'était à Wyatt qu'elle voulait parler, à présent. Elle le trouva dans le jardin, assis sur un vieux banc de bois, les yeux dans le vide.

Elle s'assit à son côté et, tirant son téléphone de sa poche, pressa quelques touches pour afficher le répugnant message.

— Tu veux peut-être lire ceci, dit-elle en lui tendant le téléphone.

Elle relut le message en silence par-dessus son épaule.

Jolie voiture, salope, mais pas autant que toi, de loin.
J'ai hâte de te voir nue en train de me supplier de...

Elle se détourna avant que la nausée qui lui retournait l'estomac n'empire.

Wyatt marmonna une bordée de jurons.

— Désolé pour mes manières de flic, dit-il. Mais j'aimerais bien savoir comment ce pervers a eu ton numéro de portable.

— Sans doute sur mon ordinateur. J'ai envoyé mon nouveau numéro à ma mère par e-mail. Je l'avais complètement oublié jusqu'à ce que je voie ce message. Je devrais appeler le shérif McGuire et lui dire que j'ai eu des nouvelles de ce malade.

Wyatt se leva, lui prit les mains et la remit sur pied.

— Appelle-le pendant que nous allons en ville. Tu dois aller au garde-meuble et moi, j'ai besoin de m'échapper.

— Tu ne pourras pas t'échapper. Je suis ton plus gros problème, malheureusement, et je suis avec toi.

Wyatt leva la main et ses doigts s'emmêlèrent dans ses boucles souples, s'attardant quelques secondes brûlantes sur sa joue, avant de repousser ses cheveux derrière son oreille. Le pouls de Kelly s'accéléra et elle détourna le regard pour l'empêcher de voir à quel point son contact l'avait troublée.

— Je sais que la situation est difficile pour toi, Kelly, mais je peux vous protéger, Jaci et toi. Il te suffit de me laisser faire.

— Je peux difficilement refuser.

A moins que cela ne signifie le mettre, lui et sa merveilleuse famille, en danger. Alors elle serait de nouveau seule, et cette fois, sans le FBI pour la soutenir.

Le déchargement du camion de déménagement dans le box du garde-meuble prit bien moins de temps que prévu. Aussi Kelly fut-elle ravie quand Wyatt suggéra d'explorer Mustang Run, en attendant l'appel du shérif au sujet de ses affaires.

Elle était enchantée de revoir cette ville qu'elle n'avait visitée qu'une demi-douzaine de fois dans sa vie. Par la vitre de la camionnette de Wyatt, elle remarqua d'abord les complexes hôteliers vallonnés qui avaient poussé comme des champignons tout autour du lac. Pourtant Mustang Run avait réussi à garder son charme de petite ville, surtout dans la rue principale.

L'étroite rue était bordée de boutiques pittoresques, de

cafés, de boulangers et de glaciers, tous installés dans de petites échoppes en bardeaux, qui existaient depuis près d'un siècle. Des paniers de bouquets colorés s'alignaient le long du trottoir devant le fleuriste. Des poupées anciennes étaient couchées dans des berceaux de bois dans une vitrine. Des robes de quadrille enrubannées habillaient des mannequins dans une autre.

— J'adore la façon dont on a fait revivre ce quartier sans lui faire perdre son caractère historique, dit Kelly.

— Mais certaines choses ont changé, répondit Wyatt. Il y avait un cinéma, à l'un de ces carrefours. Je me souviens d'y avoir vu *Le Retour de Batman,* au moins cinq fois.

— Je crois comprendre que tu es un fan de Batman.

— Le plus grand combattant du crime de tous les temps.

Wyatt s'arrêta à un passage clouté pour laisser passer un homme rondelet tenant deux caniches en laisse.

— Depuis quand n'es-tu pas revenue à Mustang Run ?

— Je suis venue brièvement avec ma mère voir le notaire pour le testament de ma grand-mère. C'était il y a dix ans. J'ai dû retourner à La Nouvelle-Orléans le jour même pour une exposition de bijoux, alors j'ai à peine eu le temps de jeter un coup d'œil à la maison dont j'avais hérité.

— Et avant cela ?

— Je suis venue pour le soixante-quinzième anniversaire de ma grand-mère. J'avais douze ans à l'époque. Ses amis ont donné une fête sur la pelouse, devant sa maison. C'était toute une affaire. Même ma mère est venue pour une journée, et pourtant elle déteste Mustang Run.

— Tu dois être revenue pour l'enterrement de ta grand-mère.

— Il s'est déroulé à Boston. Quand l'alzheimer de grand-mère a commencé à empirer, ma mère l'a installée dans une maison de retraite près de chez elle, afin de pouvoir veiller sur elle sans avoir à faire de fréquents voyages au Texas.

— Tu n'as pas beaucoup vu ta grand-mère durant ton enfance, manifestement.

— Nous nous voyions, mais pas à Mustang Run. Grand-mère prenait l'avion pour Boston deux fois par an, à Noël et en août, quand il faisait trop chaud ici pour elle. Et quand j'étais à l'école primaire, ma mère m'a envoyée deux ou trois fois chez elle, parce qu'elle devait s'absenter pour un séminaire ou une conférence. Je disais déjà à ma grand-mère que je voulais vivre à Mustang Run, un jour.

— Pas étonnant qu'elle t'ait laissé sa maison.

— Que j'ai échoué à entretenir.

— Tu as une assurance ?

— Oui. Mais je ne suis pas certaine que ce soit suffisant. J'ai téléphoné à mon agent. Il doit me rappeler lundi.

— Qu'est-ce que ta mère a contre le Texas ?

— Pas le Texas, Mustang Run. Tout ce qu'elle disait, c'était qu'il n'y avait rien à faire ici. Figure-toi que, pour ma mère, une journée sans stimulation intellectuelle est comme une journée sans caroube. Elle ne passe jamais un jour sans manger de caroube.

— Ça a l'air dégoûtant.

— La caroube n'est pas si mauvaise, une fois qu'on s'y est habitué.

— C'est ce qu'on dit sur les brocolis, mais pour moi, rien à faire. Je suis homme à ne manger que de la viande et des pommes de terre, en dehors de quelques épis de maïs ou des cornilles.

— Que dois-je savoir de plus sur toi ?

— Que je suis vraiment grognon quand j'ai faim. Et si on s'arrêtait pour déjeuner ?

— Je n'ai pas encore digéré le petit déjeuner, protesta Kelly.

En fait, chaque fois qu'elle pensait au SMS, elle avait la nausée, et son estomac n'était pas prêt à accepter de la nourriture.

— Mais j'aimerais bien une tasse de café.

Wyatt s'arrêta sur une place de parking en épi. Kelly sauta du pick-up et envisagea de prendre sa veste sur le siège arrière mais l'y laissa finalement. Le vent était tombé et, avec le soleil de midi qui brillait au-dessus de leurs têtes, son pull était assez chaud.

Survolant des yeux les enseignes et les vitrines, elle repéra le Abby's Diner.

— Nous devrions manger chez Abby. Ma grand-mère et elle étaient de très bonnes amies. Même quand son alzheimer a progressé au point que ma grand-mère ne se souvenait plus d'elle, Abby appelait une fois par semaine pour demander de ses nouvelles. Et elle lui envoyait toujours une tourte à la patate douce par la poste, pour son anniversaire.

— Alors, va pour Abby.

Rien dans l'expression ou le ton de Wyatt n'indiquait que la suggestion lui plaisait.

— Nous pouvons aller ailleurs, si tu préfères.

Il secoua la tête.

— Tous les endroits se valent à Mustang Run.

Wyatt prit la direction du restaurant, les muscles crispés comme s'il s'apprêtait à combattre son passé. Mais il avait sans doute raison, il n'y avait nulle part où aller où cela ne serait pas le cas.

Des odeurs alléchantes les atteignirent longtemps avant qu'ils n'entrent dans le restaurant. A l'intérieur, le niveau du bruit et des odeurs atteignit un pic. Il était une heure et demie, mais toutes les tables et les box étaient occupés, et les seuls sièges disponibles, au comptoir, n'étaient pas côte à côte.

Une hôtesse longiligne aux longs cheveux blonds sourit d'un air de flirt à Wyatt, et s'approcha d'eux d'une démarche aguichante. Les beaux cow-boys étaient apparemment toujours à la mode chez Abby.

— Il y a une attente de dix minutes, dit-elle. Mais notre cuisine le vaut bien.

— Vous nous le garantissez ?

— Si vous n'êtes pas satisfait, le dessert sera à mon compte.

— Difficile de refuser une offre pareille, répliqua Wyatt.

Tandis que l'hôtesse s'éloignait, Kelly se pencha vers Wyatt pour lui murmurer à l'oreille :

— Si tu joues bien tes cartes, le dessert, ce sera probablement *elle*.

— Je pourrais dire la même chose de ces deux cow-boys qui te reluquent au comptoir.

Elle leur jeta un coup d'œil. L'un d'eux lui fit un petit salut, l'autre se contenta de hocher la tête en souriant.

— Ils se montrent seulement amicaux, chuchota malicieusement Kelly.

— Mais oui. Meuhhhh…

Pour un flic, Wyatt avait le chic pour dissiper la tension d'une situation ou d'une journée. Et pour rendre des cow-boys sexy aussi excitants que des poissons nageant sur un écran de veille.

Cinq minutes plus tard, l'hôtesse les fit asseoir à une table nichée dans une alcôve. Au milieu de ce restaurant bondé, leur table offrait quelque intimité.

Wyatt choisit la chaise qui lui permettait de voir la porte.

— Je préfère toujours avoir le dos au mur, c'est un truc de flic.

Cela laissait à Kelly la vue d'un box où trois hommes vêtus de combinaisons de mécaniciens s'attaquaient à des tartes surmontées de montagnes de meringue.

Une serveuse entre deux âges posa des verres d'eau devant eux et leur tendit les menus.

— Le plat du jour est un steak de poulet frit avec des pommes de terre à la crème, de la sauce à la viande et des haricots pinto. Vous pouvez aussi prendre de la salade à la place des haricots.

— Juste un café pour moi, dit Kelly.

— Et moi, je vais prendre le plat du jour, ajouta Wyatt sans se donner la peine de lire le menu.

— Avec des petits pains ou du pain de maïs ?

— Du pain de maïs. Et du thé glacé.

— Je vous sers tout de suite.

— Tu dois avoir très faim, dit Kelly tandis que la serveuse s'éloignait. Tu as vu la taille des steaks de poulet qui sortent de la cuisine ? Ils débordent de l'assiette.

— Une taille idéale pour un hors-d'œuvre.

Il fixait un point par-dessus l'épaule de Kelly.

— Ne prends pas trop tes aises, nous allons avoir de la compagnie.

Avant qu'elle puisse demander de qui il s'agissait, le shérif McGuire apparut devant eux.

— Je suis content de vous rencontrer, dit-il. Cela m'économisera un coup de fil.

— Cela signifie que je peux reprendre mes affaires dans la voiture ? demanda Kelly.

— A partir de 4 heures, m'ont dit les gars de l'équipe scientifique.

McGuire se glissa sur la chaise opposée à celle de Kelly.

— Ils ont fini de vérifier l'intérieur, dit-il en baissant la voix, bien qu'il y eût peu de chances qu'on l'entendît par-dessus le fracas des plats et les bavardages bruyants.

— Vous avez trouvé quelque chose ? interrogea Wyatt.

— Rien d'important.

— Il doit avoir laissé des empreintes, remarqua Kelly.

McGuire secoua la tête.

— Malheureusement, ce n'est pas aussi facile de relever des empreintes dans la réalité que dans les séries policières, Wyatt pourrait vous le dire. Ils ont effectivement relevé des empreintes sur la Corvette, mais cela prendra un bout de temps pour déterminer si elles appartiennent au voleur, ou à quelqu'un qui avait des raisons légitimes d'être dans la voiture.

Kelly sentit la déception l'envahir de nouveau.

— Vous avez pu tracer le SMS qu'on m'a envoyé ?

— Nous y travaillons. Ces choses-là prennent du temps, et si le SMS a été envoyé depuis un portable à carte, ce sera impossible.

Une autre serveuse s'approcha de leur table. Celle-ci était potelée, avec des cheveux gris courts, des yeux d'un bleu étincelant et un sourire qui découvrait un rang de dents jaunies par le thé.

Elle posa un doigt sur le bras du shérif pour attirer son attention, avant de planter les mains sur ses larges hanches.

— Qu'est-ce que tu fais, caché dans ce coin ?

— Je me fais de nouveaux amis, et j'évite cette mégère de cuisinière.

— Rien que pour ça, tu vas devoir payer ta tarte aujourd'hui, poulet.

— Tu changeras d'avis quand je te dirai avec qui je suis assis.

La femme regarda Kelly et Wyatt et se frappa les joues de surprise.

— Bonté divine ! C'est Wyatt ! Sûr que vous pouvez pas nier être un Ledger. On dirait un clone de Troy. Y doit être au septième ciel que vous soyez revenu. Quand êtes-vous arrivé ?

— Hier soir.

— Je suis Abby, dit-elle. Vous ne vous souvenez sans doute pas de moi. Combien vous aviez quand vous êtes parti ? Douze ans ? Treize ans ?

Wyatt sourit enfin.

— Treize ans, et comment pourrais-je vous avoir oubliée ? Vous aviez l'habitude de nous donner de la glace gratis à mes frères et moi, pendant que maman faisait les courses.

Abby rit.

— Et je vous disais de ne pas dire à Helene que je vous avais coupé l'appétit avant le déjeuner.

— On le faisait toujours.

— Ça ne l'ennuyait pas vraiment. Votre mère et moi étions les meilleures amies du monde. Je lui ai appris à faire ma pâte à tarte. Elle m'a appris à cultiver les herbes aromatiques et à faire des bouquets deux fois plus beaux que ceux du fleuriste. Nous n'avions jamais imaginé que nous serions pratiquement parentes un jour. Je suppose que vous avez entendu dire que ma nièce Viviana s'est mariée avec votre frère Dakota.

— Oui, je sais.

— Helene aurait été aux anges. Je vous jure qu'elle me manque encore aujourd'hui. Bien sûr, elle ne me manque pas autant qu'à Troy. Je ne crois pas qu'il surmontera ça un jour. Ils avaient leurs problèmes, bien sûr, comme nous tous, mais j'ai jamais vu deux personnes qui s'aimaient autant que ça.

McGuire prit un paquet de crackers dans le petit panier au milieu de la table.

— Tu n'arrêtes pas de remuer la langue, femme. Cesse de parler une seconde, et vois si tu peux deviner qui est la femme assise à côté de Wyatt.

Abby pencha la tête de côté et étudia Kelly.

— Je donne ma langue au chat.

— C'est la petite-fille de Cordelia Callister.

— Dieu du ciel, vous êtes la fille de Linda Ann !

Abby se laissa tomber sur une chaise et posa la main sur le bras de Kelly.

— C'est si bon de revoir une Callister dans cette ville. Je commençais à penser qu'on allait devoir faire venir une équipe de démolition pour abattre la vieille maison.

— J'espère la réparer et m'y installer, répondit Kelly.

— Votre grand-mère aurait adoré ça. Linda Ann lui manquait terriblement, mais je peux pas dire que je critique votre mère pour avoir dit adieu à cette ville après le fiasco de son mariage.

Kelly se sentit perdue.

— Vous devez la confondre avec quelqu'un d'autre. Maman ne s'est pas mariée à Mustang Run.

— Non, et n'était-ce pas pour le mieux ?

— Qu'est-ce qui était pour le mieux ?

— Qu'elle ait été jetée par ce crétin juste avant la date du mariage. Juste après, elle a rencontré votre père, et Cordelia disait à tout le monde quel bel homme c'était, que Linda Ann et lui étaient des âmes sœurs.

— Encore aujourd'hui, ma mère affirme que mon père et elle étaient des âmes sœurs.

— Quelle tragédie, soupira Abby, qu'il soit mort dans ce terrible accident de voiture, avant votre naissance. Mais, au moins, elle vous avait, et elle n'a pas laissé le chagrin l'abattre comme certains. Elle s'est attaquée à son doctorat, et a fait vraiment quelque chose de sa vie.

— C'est vrai, ma mère est une bûcheuse. Mais elle ne sait pas faire une pâte à tarte.

— Non, elle a toujours été l'intellectuelle, reprit Abby. Vous saviez qu'à son examen d'entrée à l'université, elle a eu la meilleure note de tous les temps à Mustang Run ?

— Non. Elle ne me l'a jamais dit.

De même qu'elle n'avait jamais mentionné le fait qu'elle avait été abandonnée par un idiot devant l'autel. Non que cela ait de l'importance maintenant, mais cela pouvait expliquer pourquoi elle avait quitté la ville.

Abby s'excusa quelques minutes plus tard et le shérif la suivit. La cuisinière riait à quelque chose que disait McGuire.

— J'ai l'impression que ces deux-là flirtent un peu, dit Kelly.

— C'est bien possible.

— Tu as l'air distrait.

— Je me disais seulement qu'avec tant de promiscuité à Mustang Run, je ne vois pas comment quelqu'un pourrait s'en tirer avec un meurtre, à moins que ce ne soit quelqu'un que personne ne soupçonne.

— Pas même le shérif.

— Surtout pas le shérif. Je pense au meurtre de ma mère, mais la même théorie s'applique à ta situation.

— Je ne te suis pas.

— Le shérif traite ton affaire comme si tu étais victime du hasard, mais si c'était plus que ça ?

— Ce ne pouvait être que le hasard, Wyatt, argumenta Kelly. Le voleur ne pouvait pas savoir que je m'arrêterais dans ce restaurant routier. Je ne le savais pas moi-même.

— Le vol de ta voiture était un hasard, mais ce qui s'est passé après ne l'est peut-être pas. C'est peut-être devenu personnel une fois que le voleur a découvert ton identité sur les papiers dans la voiture ou dans tes e-mails et tes fichiers dans ton ordinateur.

— Alors tu penses que le voleur essaie de m'intimider parce que je suis qui je suis ?

— Ce n'est pas tout à fait tiré par les cheveux, étant donné que tout le monde connaît tout le monde ici.

— Je n'avais jamais vu cet homme de ma vie.

— Mais il a pu rencontrer ta grand-mère. En l'occurrence, il connaissait peut-être même ta mère. Elle a grandi ici.

— Grand-mère est morte depuis dix ans et ma mère n'habite plus Mustang Run depuis ma naissance. Seul quelqu'un de vraiment tordu aurait gardé une rancune aussi tenace.

— Comme l'homme qui t'a envoyé ce SMS ?

— Un point pour toi.

La complexité des possibilités augmentait exponentiellement.

— Mais pourquoi laisser ma voiture chez moi, intacte ? S'il veut se venger de moi, pourquoi ne pas la jeter dans la rivière ou au moins casser les vitres ?

— Je doute que cette visite visait à te rendre ta voiture.

Non. L'homme était revenu pour mettre à exécution les menaces de son SMS. La nausée la reprit.

— Je ne fais que formuler des idées, à ce stade, Kelly. Mais peut-être a-t-il vu l'arbre abattu et, en comprenant que tu ne reviendrais pas ce soir-là, il a décidé que c'était le bon moment et le bon endroit pour abandonner ta voiture.

— Et ensuite ? Il a marché jusqu'à la grande route sous la pluie glacée, pour faire du stop ?

— S'il vit dans la région, il a pu appeler un ami pour qu'il vienne le chercher, ou bien il a marché jusqu'à chez lui.

— Ce serait une longue marche.

— Pas forcément. J'ai appelé le shérif pendant que vous étiez dans l'écurie. J'avais besoin qu'il éclaircisse quelques points, et il m'a dit qu'il y a une route à environ un kilomètre et demi, derrière ta maison, avec plusieurs maisons indépendantes et un grand parc pour les mobil-homes.

Donc, ce malade avait peut-être vécu près de chez sa grand-mère. Il aurait pu la terrifier au point de l'empêcher d'aller voir le shérif, étant donné son grand âge.

Non, se dit-elle, elle ne voyait pas sa grand-mère laisser quelqu'un la pousser à bout. Pas avec tous les amis qu'elle avait à Mustang Run. Néanmoins…

— Je commence à comprendre pourquoi ma mère haïssait cette ville.

Il se versa un autre whisky et l'emporta sur le sofa. Il n'arrivait toujours pas à croire à sa chance, alors que la journée de la veille avait si mal commencé.

C'était signe que l'économie tournait mal quand on ne pouvait même plus gagner sa vie malhonnêtement.

Il n'avait pas plus de quelques grammes de cocaïne dans le coffre de sa voiture, une livraison pour une riche bonne femme de River Oaks qui appréciait son petit sniff de l'après-midi. Ça aurait été de l'argent rapide et facile, avec une promesse de défonce, si cet abruti d'ado n'avait pas brûlé le feu rouge et défoncé le flanc de sa voiture.

Il suffisait aux flics de vérifier son permis et de le confronter au fichier, et ils se seraient jetés sur lui comme des souris sur un morceau de fromage. Ces quelques grammes auraient suffi à le renvoyer directement en prison.

Il n'avait pas eu d'autre choix que de prendre la tangente, en évitant la circulation sur South Sherperd et en coupant par les petites rues. Ça avait été une chance qu'il soit tombé sur cette femme qui entrait dans sa Corvette. Elle lui avait pratiquement jeté les clés, à la seconde où elle avait vu son revolver.

Mais voler une voiture appartenant à Kelly Callister Burger, ça, c'était le gros lot. Non seulement il avait l'intention de la faire transpirer, mais elle allait lui rapporter assez de fric pour tous ses besoins du moment.

De l'argent qu'on lui devait depuis presque vingt ans.

Il se demanda quel était le tarif d'un assassinat, ces jours-ci. Il était resté si longtemps derrière les barreaux qu'il n'était plus au courant. Cinquante mille dollars feraient l'affaire, conclut-il.

Il engloutit une autre gorgée de whisky et prit son nouveau téléphone à carte pour passer un appel.

— Allô ?

— J'espère qu'il n'y a personne avec vous, parce que j'ai une offre que vous ne pourrez pas refuser.

10

Deux camionnettes et un grand camion rempli d'équipement de taille étaient garés dans son allée quand Kelly et Wyatt s'arrêtèrent chez elle, après le déjeuner. Avec une heure et demie à perdre avant que Kelly puisse récupérer ses affaires, il leur avait semblé que passer à la maison était plus logique que de retourner au ranch pour revenir en ville ensuite.

Kelly avait appelé deux fois pour avoir des nouvelles de Jaci et, chaque fois, Julie l'avait assurée qu'elle passait de merveilleux moments avec elle. La voix excitée de Jaci avait convaincu Kelly que la réciproque était vraie.

Elle observa ce qui se passait devant elle, tandis que Wyatt et elle mettaient pied à terre dans le rugissement des engins. Quatre hommes musclés, en chaussures de chantier, jeans, lunettes de protection et casques se tenaient sur son toit, manœuvrant d'impressionnantes tronçonneuses, avec l'aisance qu'elle mettait dans le maniement du balai.

Les dégâts paraissaient bien plus étendus à la lumière du jour. Le tronc principal du chêne avait été fendu en deux par la foudre, et l'orage de la veille avait achevé de le briser. La moitié de l'arbre avait atterri sur la maison.

Dakota leur fit un signe de la main et s'approcha d'eux.

— La fête a commencé sans vous.

— Je vois ça, commenta Kelly. A le voir en plein jour, je crois que j'ai de la chance si la maison est encore debout.

— Ça n'est pas aussi grave que ça en a l'air, dit Dakota.

— Bon, sourit Wyatt, parce que vu d'ici, je dirais que le mieux à faire est de tout abattre et de repartir de zéro.

Exactement ce qu'elle n'avait pas envie d'entendre, songea Kelly.

— Cory veut te parler d'abattre le reste de l'arbre, annonça Dakota à Kelly. Il pense… Bon, il te le dira lui-même. C'est celui qui supervise, là-bas, les pieds sur la terre ferme.

Wyatt posa une main au creux des reins de Kelly tandis qu'ils s'approchaient de la maison.

— Va parler à Cory avec Dakota, lui dit-il. Je voudrais jeter un coup d'œil à l'intérieur de la maison.

— C'est sans risque ? demanda-t-elle.

— C'est ce que j'aimerais savoir.

— Une des branches de l'arbre bloque la porte d'entrée, remarqua Kelly.

— C'est pourquoi je vais passer par-derrière.

— Je n'ai pas mes clés avec moi.

— Les vampires traversent les murs.

Il lui adressa un sourire taquin et s'éloigna.

Dakota fit les présentations. Cory retira ses lunettes de protection et posa un pied botté sur l'un des tronçons d'arbre.

— C'est un vrai bazar, mais tout sera nettoyé avant que nous partions. Comme je l'ai dit à Dakota, je pense que vous devriez me permettre d'abattre ce qui reste de l'arbre pendant que je suis là.

— Ce n'est pas joli, approuva-t-elle.

— C'est pire que ça. L'arbre est mort. Vous voyez comme l'écorce se détache du tronc ? Il faudra l'abattre tôt ou tard, pour l'empêcher de tomber sur la maison. On peut aussi bien le faire maintenant.

— Combien est-ce que tout cela va coûter ?

— Si je n'avais pas vu la manière dont Wyatt vous regardait, il y a une minute, j'aurais dit un dîner avec vous. Tel que c'est, je prendrai juste les steaks que Dakota m'a offerts, taillés et prêts pour le congélateur.

Dakota rajusta ses lunettes de soleil.

— T'es dur en affaires, mon pote.

— Je paierai pour le travail, intervint Kelly.

— Ne vous faites pas de souci pour ça. Quand j'aurai besoin d'une faveur, je sonnerai Dakota. On se connaît depuis longtemps. A la longue, les choses s'équilibrent.

Mais Dakota et elle ne se connaissaient pas. Personne de cette famille ne l'avait jamais vue avant la veille. Ils ne lui devaient rien.

— Alors, j'enlève l'arbre ? demanda Cory.

— Je suppose que c'est la seule chose sensée à faire. Alors, oui, débitez donc cet arbre autrefois si magnifique.

— Vous en aurez un tout pareil dans une centaine d'années, plaisanta Cory.

— Vous, les élagueurs, vous avez le cœur grand comme ça.

Après que Cory se fut éloigné et eut commencé à hurler des ordres à son équipe, Kelly se tourna vers Dakota.

— Je ne vous comprends pas, les Ledger. Pourquoi vous donner tant de peine pour moi, alors que vous venez de me rencontrer ?

Dakota haussa les épaules.

— Wyatt t'aime bien, visiblement, et c'est notre frère. C'est le code d'honneur des cow-boys d'aider les autres quand ils le peuvent, de se battre quand ils le doivent, et de ne jamais s'accroupir avec leurs éperons. Fais ton choix.

Dans ce cas, elle choisissait la première proposition. Elle ressentait incontestablement de l'attirance pour Wyatt, mais celle-ci ne pouvait être que physique à ce stade. Ils ne se connaissaient pas assez pour qu'il s'agisse d'autre chose.

Pourtant, elle avait remis sa vie et celle de Jaci entre ses mains, elle s'était installée chez lui, et avait même partagé des crêpes avec lui, à minuit. En outre, elle lui avait avoué qu'elle avait tuyauté l'accusation dans l'affaire Emanuel Leaky.

Et tout cela quelques heures après l'avoir rencontré. Le ciel lui vienne en aide si elle s'était trompée en lui faisant confiance.

— Kelly, viens ici une minute, veux-tu ?

Elle se retourna pour regarder en direction de la maison. Wyatt se tenait dans le jardin, les manches de chemise relevées en dépit du froid. Il avait repoussé son Stetson en arrière, et des boucles de cheveux cuivrés lui tombaient sur le front.

Il était beau à couper le souffle.

— J'arrive tout de suite, cria-t-elle. Merci, Dakota. Je crois que je te dois une faveur maintenant.

— Tu pourras jouer la baby-sitter pour Briana un de ces soirs.

— Marché conclu.

Elle arpenta le jardin pour rejoindre Wyatt, faisant de son mieux pour éviter la boue, et réprimer la bouffée d'attirance qui flambait en elle comme une fusée au départ.

— J'espère que tu ne m'as pas appelée pour me dire que la maison doit être rasée.

— En fait, je crois que Dakota a raison. Ça pourrait être bien pire. La moquette doit être enlevée, de même que le stuc humide et une bonne partie des moulures, mais la maison en elle-même est saine. Je ne peux pas te le garantir juste avec un coup d'œil superficiel, mais je peux te dire qu'on ne construit plus des maisons comme ça, aujourd'hui.

— Enfin de bonnes nouvelles ! Je ferais mieux de me pincer pour m'assurer que je ne rêve pas.

— Je peux faire mieux que ça.

La prenant complètement par surprise, Wyatt se pencha sur elle et posa ses lèvres sur les siennes. Elle se mit à trembler comme une écolière. La tête lui tournait et elle avait les jambes en coton quand il se recula.

— Désolé, dit-il. Ce n'était pas une bonne idée de t'embrasser en public, mais j'ai envie de faire ça depuis que je t'ai vue t'en prendre à cette moto innocente.

— Tu aimes bousculer, pas vrai, cow-boy ? le taquina-t-elle, s'efforçant de calmer le désir qui avait envahi son corps.

— Je mérite toute ton ironie. Mais, en fait, je t'ai appelée pour que tu regardes les cartons que j'ai trouvés dans la pièce de derrière.

Elle le suivit par la porte, qu'il n'avait certainement pas eu de mal à ouvrir, car la vitre de la partie supérieure était cassée. Il la conduisit dans ce qui avait été la chambre de sa grand-mère.

Trois cartons étaient posés au milieu du plancher. Le nom de Kelly était écrit sur chacun d'eux au marqueur noir. Les boîtes étaient au sec, mais il y avait de l'eau sur le sol, non loin de là.

— J'examinais cette fuite dans le placard quand j'ai vu les cartons. Si tu veux les garder, nous devrions les emporter avant qu'ils ne se mouillent.

Elle fixait les boîtes, hésitant à les ouvrir, de crainte qu'il s'agisse de l'œuvre du malade qui lui avait envoyé le SMS.

— Ma mère a payé quelqu'un pour vider la maison après la mort de grand-mère. Cette femme était censée donner tout ce qui avait de la valeur à une organisation charitable locale. Le reste devait être jeté à la poubelle.

— Elle les a sans doute laissés parce qu'il y a ton nom dessus.

— Après les mauvaises surprises des dernières vingt-quatre heures, je suis un peu échaudée, dit Kelly.

— Prudence est mère de sagesse. Dois-je en ouvrir un pour toi ?

— Oui, s'il te plaît, mais fais attention aux serpents, aux araignées et aux scorpions.

Wyatt déchira le ruban adhésif et ouvrit la première boîte. Une carte de la Saint-Valentin fabriquée à la main, d'un rouge vif, avec du brillant et des taches de peinture, reposait sur le dessus. Les mots *Je t'aime* étaient écrits en lettres malhabiles.

Une grosse boule se logea dans la gorge de Kelly.

— C'est ton œuvre ? demanda Wyatt.

— Oui. Je me souviens de l'avoir faite. Je devais avoir six ans à l'époque.

— Alors je suppose que ces boîtes sont pleines de reliques.
Elle hocha la tête.

— Grand-mère a dû les emballer pour moi avant que son
alzheimer devienne trop handicapant.

— Je vais les mettre dans la camionnette.

Un baiser de Wyatt au goût de commencement, et des
souvenirs de sa grand-mère… Même les ravages de la
nature sur son toit et le vocabulaire grossier d'un pervers
ne pouvaient gâcher cela.

Du moins, jusqu'au prochain coup dur.

Le dîner avait incontestablement un air de célébration. Des
côtes et de la poitrine de bœuf fumé, des patates douces, de
la salade de pommes de terre, des haricots verts, du maïs,
du coleslaw, et les meilleurs petits pains faits maison que
Wyatt ait jamais mangés. Et c'était avant qu'on en arrive
aux desserts.

Wyatt s'était de nouveau goinfré, et picorait encore des
miettes de tarte aux noix de pécan du bout de la fourchette,
en buvant sa seconde tasse de décaféiné. Les femmes avaient
emporté leurs desserts et leurs cafés dans le salon, laissant
la cuisine aux hommes.

— On a des nouvelles de la voiture volée ? demanda Troy.

Wyatt les mit au courant de la découverte de la voiture
devant chez Kelly et du SMS.

— C'est très bizarre, commenta Dakota. Ce type doit
être un vrai dingue

— Un dingue sans doute dangereux, souligna Dylan.

— Je suis d'accord, dit Wyatt. Et le shérif aussi.

— Tu vas assurer la protection de Kelly ? interrogea Dylan.

— Officieusement, pour le moment. Je ne veux pas qu'elle
aille en ville toute seule.

— S'il y a quelque chose que je peux faire, tu n'as qu'à
demander, intervint Dakota. Une bonne bagarre ne me
déplairait pas.

— Qu'est-ce qui se passe ? le taquina Dylan. La lune de miel commence à devenir lassante ?

— La lune de miel se passe merveilleusement bien, frangin.

— Je t'aiderai de mon mieux, dit Troy. Mais pour l'instant, j'ai besoin d'air frais et de dépenser au moins un millier des calories que j'ai ingérées ce soir.

Wyatt repoussa son assiette à dessert, tandis que Troy prenait son chapeau et sa veste et sortait par la porte de derrière.

— Si je continue à manger comme ça, je vais devoir m'acheter un jean d'une taille au-dessus.

— On a un remède pour ça, lui lança Dylan. Il y a un tas de bûches à fendre.

— Je pensais que tout ce que vous faisiez, les gars, c'était vous promener à cheval, et frimer avec vos bottes et vos jeans.

— Ça ne m'étonne pas que tu penses ça, dit Dakota, mais la frime nous vient de surcroît.

— Alors, qu'est-ce que vous faites, vous organisez des concours gastronomiques et vous épousez les gagnantes ? demanda Wyatt.

— Non, on a dû leur apprendre à se débrouiller en cuisine, plaisanta Dylan. On a seulement épousé les femmes les plus sexy qu'on a pu trouver.

Dakota leva sa tasse de café.

— Je bois à ça.

— Et les plus intelligentes, ajouta Sean.

— Absolument, approuva Dakota. Ce n'est pas facile de dormir tous les jours avec une femme plus intelligente que toi.

— Dommage que Tyler ne soit pas là ce soir, déclara Dylan, au lieu d'être en Afghanistan. On serait tous ensemble, comme avant. Les fils de Troy Ledger, dans la cuisine de la grande maison de Willow Creek Ranch.

— Les fils de Troy et Helene Ledger, corrigea Wyatt.

Il ne pensait pas que ses frères avaient oublié leur mère, mais ils semblaient avoir oublié pour de bon que leur père avait été accusé de son meurtre.

Ils ignoraient les éléments du procès. Ou bien ils ne s'étaient pas donné la peine de lire la transcription complète, ou bien ils avaient négligé des points importants.

Troy avait laissé l'accusation bâtir l'affaire sur des preuves circonstancielles, sans rien offrir de substantiel pour sa défense. Il n'avait pas expliqué pourquoi Helene avait fait ses bagages le jour où elle avait été assassinée. Au lieu de cela, il s'était comporté comme s'il n'avait pas la moindre idée des raisons de son départ.

— Je sais à quoi tu penses, Wyatt, souligna Dylan. Mais papa n'a pas tué maman. Ils s'aimaient.

— Alors comment expliquez-vous les valises indiquant que maman le quittait ?

— Elle aurait pu juste aller voir ses parents, dit Sean. Ce n'est pas la même chose que de quitter papa.

— Maman aurait été la première à nous dire de soutenir papa, reprit Dylan. Donne-lui une chance. Parle-lui.

— J'ai l'intention de passer beaucoup de temps à parler avec lui.

— Je ne te reproche rien, admit Sean. Moi-même, je ne m'attendais pas à remettre les pieds au ranch et, pour toi qui viens des Homicides, ce doit être encore plus dur de surmonter la condamnation de papa. Mais je suis d'accord avec Dylan. Papa aimait maman. J'en suis de plus en plus convaincu, chaque jour qui passe. Eve pensait la même chose longtemps avant notre rencontre, et elle avait l'avantage d'être une de ses psychiatres en prison.

Quinze minutes plus tard, ils parlaient toujours du procès, sans arriver nulle part. Wyatt entendit avec soulagement des pas sur les marches, signalant le retour de Troy.

Celui-ci secoua la boue de ses bottes et, se débarrassant de sa veste et de son chapeau, les suspendit tous deux au portemanteau près de la porte.

— Le vent a forci, dit-il en se dirigeant vers la cafetière.

La conversation prit un tour plus léger, et Wyatt s'étonna

de la vie agréable que ses frères avaient créée pour eux et leurs familles.

Dylan et Troy travaillaient ensemble, rebâtissant le ranch et ajoutant des terres et du bétail au troupeau. La femme de Dylan devait accoucher dans deux semaines. Ils voulaient une ribambelle d'enfants.

Sean possédait sa propre écurie à Bandera, mais était encore demandé partout dans le pays comme dresseur. Leur fils, Joey, était en cours élémentaire, et aimait les chevaux presque autant que Sean.

— Quels sont tes plans quand tu auras raccroché pour de bon le rodéo ? demanda Wyatt à Dakota.

— Ne ris pas, répondit Dakota, et ne t'évanouis pas sous le choc. Je sais que j'ai laissé tomber l'université après deux semestres, mais c'était parce que j'avais des taureaux à monter. De toute manière, j'ai décidé que puisque nous avons un médecin dans la famille, nous pouvons aussi bien en avoir deux.

— Wouah, s'exclama Dylan. C'est la première fois que j'entends parler de faculté de médecine.

— Je n'en ai parlé à personne, sauf à Viviana et à Troy, mais si j'obtiens les notes suffisantes, j'aimerais retourner à la fac pour faire des études de vétérinaire pour les chevaux. A l'université du Texas, j'espère, étant donné que c'est tout près.

— Je suis impressionné, dit Wyatt.

Sean tapa dans la main de Dakota.

— Et pense à tout l'argent que je vais économiser avec une ristourne familiale.

Troy tira finalement une chaise près de la table, et s'assit avec eux.

— Et toi, Wyatt ? Tu dois avoir de sacrées affaires de meurtres en ville.

— J'avais.

Il n'aurait probablement de meilleure occasion d'avouer à

tout le monde pourquoi il était revenu à Mustang Run. Dakota le savait, donc cela n'allait pas rester secret très longtemps.

— Je n'appartiens plus à la police d'Atlanta. J'ai démissionné.

Troy, Sean et Dylan haussèrent les sourcils dans un silence stupéfait.

— C'est une décision importante, remarqua enfin Sean. Tu as eu une meilleure proposition, ou bien tu quittes la police pour de bon ?

— Je me réinstalle à Mustang Run.

— C'est ce que je me disais, s'exclama Dylan. Tu pourrais nous aider, papa et moi, au ranch. Et si l'idée de faire le rancher ne te plaît pas, je suis sûr que le père de Collette pourra t'engager comme adjoint.

— Je suis ici pour découvrir qui a tué maman.

Cette fois, le silence parut assourdissant.

Troy fut le premier à le rompre.

— Je me demandais quand tu en viendrais à ça. Je peux te montrer mes découvertes et travailler avec toi, ou bien je peux rester totalement en dehors de tes recherches, c'est toi qui décides.

— J'aimerais voir ce que tu as fait, mais j'ai mes propres méthodes, répliqua Wyatt. Je travaille mieux tout seul.

L'expression de Troy devint de marbre, impossible à déchiffrer.

— Je n'interviendrai pas, mais si tu ne trouves pas le tueur, Wyatt, je le ferai. Je n'aurai pas de repos tant que justice n'aura pas été rendue pour Helene.

Troy s'écarta de la table et quitta la pièce, comme si la discussion était close. La tension était palpable, et aucun des frères ne dit mot.

Enfin, Dylan brisa la glace.

— Tu as ta réponse. Il ne l'a pas tuée.

— Peut-être que non, mais quelqu'un l'a fait. Je ne m'arrêterai pas tant que je n'aurai pas trouvé qui.

Kelly borda les couvertures autour de sa petite fille épuisée. Joey et elle avaient joué ensemble comme de vieux amis. Ils avaient commencé avec des jeux de société, et fini sur le plancher avec les dinosaures de Jaci et les personnages d'action de Joey, plus les pièces de bois d'un vieux jeu d'échecs qu'ils avaient trouvé dans l'ancienne chambre de Sean en jouant à cache-cache.

Viviana était pour sa part rentrée chez elle pour coucher une Briana tout ensommeillée.

Kelly, Eve, Collette et Julie avaient feuilleté un vieil album rempli de photos troublantes de Troy, Helene et leurs cinq fils. Une photo d'Helene dans un rocking-chair près du foyer, tenant Wyatt dans ses bras, était particulièrement poignante. Troy était agenouillé près d'Helene, les minuscules doigts de Wyatt enroulés autour de son index, qui paraissait géant à côté.

Treize ans et quatre fils plus tard, Helene avait été brutalement assassinée près du même foyer. Ce rapprochement perturbant mit Kelly mal à l'aise, tandis qu'elle se penchait pour donner un baiser à Jaci. Celle-ci serrait sa poupée contre elle.

— J'aime le ranch, maman.

— Je sais, chérie.

Kelly l'aimait aussi. Elle aimait tout le clan Ledger avec leurs émotions, leur enthousiasme et leur appétit de vivre, des choses qu'elle n'avait pas connues chez elle.

Kelly aimait même Troy. Elle l'aimait beaucoup, mais les secrets mortels cachés dans la maison ne le lâcheraient pas, pas plus que Wyatt, tant que la vérité ne se serait pas fait jour. Et si Wyatt découvrait que c'était Troy qui avait tué Helene, cela détruirait la famille Ledger. Elle se demanda s'il serait capable de vivre avec ça.

Kelly s'était complètement entichée de Wyatt. Son baiser avait éveillé en elle un besoin si vif qu'elle ne pouvait penser à lui sans mourir d'envie de le toucher, et de sentir encore ses lèvres sur les siennes.

Collette était dans le couloir quand Kelly sortit de la chambre sur la pointe des pieds.

— Jaci n'est pas perturbée de dormir dans une chambre séparée ?

— Ça n'avait pas l'air de l'ennuyer. Je crois que c'est parce que Joey lui a dit qu'il a sa propre chambre quand il passe la nuit ici. Ils se sont bien entendus.

— J'ai remarqué. Les autres sont parties pendant que tu couchais Jaci. Elles m'ont chargée de te dire qu'elles ont été ravies de faire ta connaissance et celle de Jaci, et qu'elles reviendront bientôt. Dylan et moi devons y aller, mais je voulais m'assurer que cela ne t'ennuiera pas si nous passons demain, après l'église, pour vous aider à finir les restes. Si tu as assez vu les Ledger pour un bon moment, n'aie pas peur de le dire.

— Ce serait génial. Il y a assez de restes pour nourrir la moitié de Mustang Run. En outre, Dylan est un bon tampon entre Wyatt et son père.

— C'est exactement ce qu'il dit. Il comprend ce par quoi passe Wyatt. J'ai rencontré Dylan le jour où lui et son père retournaient à Willow Creek Ranch pour la première fois en dix-huit ans. Ils ne s'étaient pas parlé tout ce temps-là. La tension entre eux était palpable.

— Ils ont fait du chemin ensemble.

— Oui. Ils se parlent tous les jours.

Collette fit la grimace et posa la main sur son ventre distendu.

— Dylan junior vient de me donner un coup de pied.

— Mais il ne se passera plus longtemps avant qu'il ne donne des coups de pied en l'air ?

— Deux semaines et des poussières, indiqua Collette en se frottant le ventre. Je suis fin prête. La chambre du bébé est finie depuis des mois. Dylan a reverni le berceau dont sa mère s'était servie pour tous les garçons. Il a au moins cent ans et il est magnifiquement sculpté.

— Ça ne m'étonne pas. Les meubles anciens de la chambre d'amis sont splendides.

— Abby dit qu'Helene n'avait pas beaucoup d'argent à dépenser en meubles à l'époque, mais qu'elle avait un don pour trouver de vrais trésors dans les vide-greniers et les restaurer, jusqu'à en faire pratiquement des pièces de musée.

— Helene devait être une femme passionnante.

— A en croire Troy, elle marchait sur l'eau. Il ne l'a pas tuée, tu sais.

— Comment peux-tu en être certaine ?

— Je le sais. Si tu restes assez longtemps dans cette maison, tu sauras aussi qu'il est innocent.

— Comment ?

Dylan se montra dans le couloir.

— J'ai fait chauffer la camionnette pour que tu n'aies pas froid sur le trajet du retour. On peut y aller quand tu veux.

— Je suis prête, dit Collette.

— Comment le saurais-je ? répéta Kelly tandis que Collette s'apprêtait à partir.

— C'est Helene qui te le dira, répondit-elle en soutenant son ventre à deux mains.

Wyatt savait que Jaci dormait dans une chambre séparée, et pourtant il ne s'était pas donné la peine de faire halte pour dire bonsoir à Kelly.

Elle s'était attendue avec nervosité à ce qu'il le fasse.

La question de savoir comment gérer leur attirance grandissante, sachant combien la passion pouvait flamber entre eux sur un simple contact, lui causait des inquiétudes.

Ils étaient encore des inconnus l'un pour l'autre, même si l'intensité de leurs situations respectives avait raccourci la période durant laquelle on fait normalement connaissance et donné un rythme étourdissant à leur relation. Elle craignait qu'ils ne se laissent emporter par cette précipitation.

Pourtant, à présent qu'il n'était pas venu lui dire bonsoir, la pensée que ce baiser qui l'avait transportée n'ait rien signifié pour lui l'inquiétait encore plus.

Kelly rabattit les couvertures et s'apprêtait à se mettre au lit quand la déclaration perturbante de Collette lui revint à la mémoire.

« C'est Helene qui te le dira. »

Qu'entendait-elle par là ? Les photos qu'elles avaient regardées durant la soirée ne parlaient pas, bien qu'elles véhiculent l'image convaincante d'une vie de famille normale. Jusqu'au moment où Helene avait été assassinée.

Celle-ci semblait heureuse sur les photos, même celles qui avaient été prises par surprise. Cependant, même celles-là pouvaient avoir été posées, ou modifiées. Mais dans quel but ?

Le commentaire de Collette était sans doute à attribuer aux changements hormonaux de sa grossesse, qui lui avaient fait paraître les photos particulièrement révélatrices.

Kelly se dirigea vers la porte-fenêtre, tira le rideau de quelques centimètres et regarda le jardin. Baigné d'ombre, il avait pris une apparence éthérée dans le délicat miroitement du clair de lune.

Elle était sur le point de reculer quand elle remarqua Troy. Assis sur l'un des bancs en fer forgé, il avait les épaules tombantes et le visage dans les mains. Il avait l'air d'un homme saisi d'angoisse, une réaction étrange puisqu'il prétendait être ravi du retour de Wyatt.

La tension entre Wyatt et lui avait peut-être de nouveau émergé après le départ des autres. Etait-il possible qu'il ait peur de la vérité que son fils, l'inspecteur des homicides, était décidé à découvrir ? Y avait-il de vieux secrets qu'il ne voulait pas voir révélés, même s'il était innocent du meurtre ?

Le vent se leva avec un gémissement surnaturel. Troy ne

bougea pas. Kelly eut la chair de poule et referma le rideau en vérifiant la poignée de la fenêtre.

Elle se glissa dans le lit et tira les couvertures sur elle. En dépit de ses propres problèmes, c'était Helene Ledger qu'elle avait à l'esprit en s'endormant enfin.

Kelly se réveilla dans une nuit d'un noir d'encre, tremblant dans le courant d'air glacé qui soufflait sur elle avec la force d'un ouragan. Les épais rideaux des fenêtres flottaient comme des voiles. La porte extérieure avait dû s'ouvrir. Sauf qu'elle se souvenait de l'avoir verrouillée…

Quelque chose grinça, comme de vieux os… ou un plancher vieillissant.

Elle n'était pas seule.

11

Le cœur battant, Kelly s'efforça de se redresser, mais les couvertures enroulées autour d'elle la retenaient. Puis, aussi soudainement qu'il s'était levé, le vent glacé tomba. Les rideaux cessèrent de flotter et les grincements se transformèrent en une voix angélique fredonnant une berceuse.

Des images diaphanes apparurent et bougèrent sur le plafond. Lentement, une image se forma au sein de cet amas. Helene berçait son bébé et le serrait contre elle, en chantant une berceuse. L'air en était rythmique et apaisant, mais les paroles étaient terrifiantes.

> *Les péchés des familles peuvent tuer.*
> *Reste en vie. Reste en vie.*
> *Les mères savent toujours. Reste en vie. Reste en vie.*
> *Accroche-toi à l'amour. Reste en vie. Kelly, reste en vie.*

Les paroles et l'image s'évanouirent dans un jet de flammes. Kelly rejeta les couvertures, s'assit dans son lit et tendit la main vers la table de chevet pour allumer la lampe.

La pièce était exactement la même que quand elle s'était couchée. Les battements de son cœur étaient toujours précipités. Elle était à bout de nerfs, exaspérée que son esprit ait transformé les photos de l'album en un horrible diaporama. Mais ce n'était qu'un cauchemar.

Elle sortit du lit et prit sa robe de chambre. Elle n'arriverait pas à dormir avant d'avoir vérifié que Jaci dormait bien et qu'elle n'avait pas froid.

La maison était tranquille. Kelly fit quelques pas jusqu'à la chambre de sa fille, tourna la poignée et ouvrit la porte. La fillette dormait profondément, et sa respiration avait un rythme calme et doux qui rassura Kelly.

— Dors bien chérie. Je t'aime et je serai toujours là pour toi.

Mais tandis qu'elle retournait à pas de loup vers son lit, elle ne put s'empêcher de se demander si Helene avait murmuré les mêmes mots la dernière fois qu'elle avait souhaité bonne nuit à ses fils.

Wyatt fixa avec stupéfaction les tableaux, les notes et les diagrammes qui couvraient tout le mur de la chambre. Quoi qu'il ait attendu des recherches de Troy, ce n'était pas ça. Il avait fait partie d'une unité spécialisée dans les tueurs en série, et leurs enquêtes n'étaient pas aussi minutieuses que cela.

— Depuis combien de temps travailles-tu là-dessus ? demanda-t-il à son père.

— J'ai commencé à rassembler les faits en prison, dès qu'on m'a donné accès à un ordinateur. Je n'étais pas aussi organisé à l'époque, bien sûr. Je n'avais qu'un petit bloc-notes et un crayon dont je devais prendre soin. Parfois, il me fallait des jours pour le tailler, une fois que j'avais cassé ou usé la mine.

— Tu aurais pu être inspecteur aux Homicides si…

Ce « si » resta suspendu en l'air.

— Un inspecteur dans la famille, ça suffit, dit Troy. Et, malgré toutes ces recherches, je ne suis arrivé nulle part. Les impasses ne cessent de s'ajouter aux impasses.

— Les impasses peuvent être trompeuses, remarqua Wyatt. C'est comme un jeu vidéo. Quand tu tombes sur un mur de briques, tu cherches une minuscule ouverture qui te mènera à l'indice suivant.

— Je n'ai jamais joué à un jeu vidéo de ma vie. J'ai regardé faire Joey, et ça me donne le tournis.

— Bon, d'accord. Penses-y comme à un veau qui s'est

perdu dans les sous-bois. Il y a toujours un point de départ. Tu continues à suivre sa piste jusqu'à ce que tu le trouves. Le mugissement du veau équivaut au mobile. C'est un bon point de départ.

L'esprit de Wyatt s'emballait. C'était le mobile qui avait mis Troy sur la liste des principaux suspects. Ça, et le fait que le mari était toujours le premier suspect, quand une femme mariée était assassinée.

— Le mobile, c'est le problème, admit Troy.

Il prit une règle pour pointer un tableau affiché à gauche du mur.

— J'ai listé toutes les personnes que voyait régulièrement Helene. Aucune d'elles n'avait de problèmes avec elle. Tout le monde l'aimait. C'est pourquoi je pense que son meurtre était une agression gratuite, un crime opportuniste, commis par un complet inconnu.

— C'est rarement le cas avec un meurtre…

Wyatt déglutit et ravala le mot « papa » avant de le laisser échapper.

Se référer à Troy comme à son père ne lui posait pas de problème, c'était la réalité de leur relation. Mais il ne pouvait se résoudre à l'appeler papa. Papa était la personne sur laquelle il comptait, l'homme qu'il avait idolâtré. L'homme dont il était certain qu'il serait toujours là pour lui. Cet homme n'existait plus. Ses frères avaient sûrement ressenti la même chose envers Troy, quand ils étaient revenus pour la première fois au ranch.

— Les meurtres gratuits sont rares, commenta Troy, mais il en arrive tous les jours dans ce pays, et à l'époque aussi. Ce type s'est peut-être arrêté pour demander du travail et a décidé d'entrer et de voler quelque chose quand il s'est aperçu qu'il n'y avait pas d'homme autour. Ta mère l'a alors surpris dans la maison et il lui a tiré dessus.

— Rien ne manquait dans la maison, lui rappela Wyatt.

— Mon revolver a été emporté.

— Oui, mais le sac à main de maman était en pleine vue, à moins de deux mètres du bureau où tu rangeais le revolver.

Les éléments soumis durant le procès soulignaient que le revolver n'était pas chargé, étant donné qu'Helene Ledger refusait d'avoir des armes à portée de main de ses enfants.

Les balles du revolver étaient rangées dans une boîte à cigares, dans le tiroir supérieur du bureau. Soit celui qui avait tué Helene le savait, soit il avait trouvé les balles en fouillant le bureau.

L'arme en question avait été plus tard retrouvée sous des pierres au fond de Willow Creek.

Wyatt survola les noms de la liste des suspects de meurtres. La plupart avaient été cochés pour diverses raisons. Mais quelques mots le firent se figer sur place...

« Soupçonné d'être un tueur à gages. Jerome Hurley. »

L'adresse était à Mustang Run. Wyatt tapota le mot *tueur* du bout des doigts.

— Parle-moi de Jerome Hurley.

— Helene n'aurait pas pu être tuée par un tueur à gages. C'était une épouse de rancher. Elle s'occupait de vous, les enfants, et prenait part aux activités de l'église.

Wyatt approuva. Sa mère était une cible improbable pour un tueur à gages. Mais c'était exactement le genre d'homme qu'Emanuel Leaky pourrait engager pour se débarrasser de Kelly.

Troy se servit de sa règle pour suivre la progression jusqu'à la colonne suivante. Hurley avait été accusé du viol d'une femme qui se trouvait seule chez elle, dans un ranch à environ soixante-cinq kilomètres à l'ouest du ranch Ledger, cinq ans après le meurtre d'Helene. Le *x* près de son nom était suivi du mot *alibi*.

— Quel était l'alibi de Jerome ? questionna Wyatt.

— Trois personnes ont certifié qu'il déjeunait avec eux dans un fast-food à Austin, au moment du meurtre.

— Des amis à lui ?

— Les deux femmes étaient des amies. L'homme était son cousin.

— A-t-on vérifié qu'ils ne mentaient pas ?

— La voiture du cousin a été vue par une caméra de sécurité, quittant le parking du restaurant. Il y avait quatre personnes à bord. Deux hommes et deux femmes. Le seul qu'on voyait assez pour l'identifier avec certitude, c'était le cousin.

— Jerome avait un casier pour viol avant ça ?

— Il a été arrêté pour cambriolage et trafic de drogue. La plupart des charges n'ont pas été retenues. Il a fait moins de deux ans pour tous les chefs d'accusation.

— D'où lui vient ce label « tueur à gages » ?

— Cette accusation n'a émergé qu'après l'emprisonnement de Hurley pour viol. Ça a fait les gros titres pendant une semaine, puis je n'ai plus rien vu dans les nouvelles locales ou sur internet à ce sujet. Je l'ai seulement noté pour tenir mes tableaux à jour.

— A-t-il été interrogé pour le meurtre de maman ?

— Plusieurs fois, mais il n'a jamais été arrêté. McGuire m'avait déjà dans le collimateur.

Troy adorait sans doute sa belle-fille Collette, mais son ton indiquait clairement qu'il en voulait toujours au shérif.

Il se servit de nouveau de sa règle.

— Si tu suis ces flèches, tu verras les détails des arrestations de Jerome et ses emplois passés.

Wyatt examina les inscriptions, de nouveau impressionné par cette traque méthodique. A un moment ou un autre, Jerome avait travaillé, au moins à temps partiel, pour chacun des principaux ranchers de la région, y compris la femme qu'il avait violée.

— Il travaillait pour le sénateur Foley au moment où Helene a été tuée, indiqua Troy. Bien sûr, Foley n'était pas sénateur à l'époque. Il était en plein milieu de sa première campagne électorale.

— Je m'en souviens vaguement, dit Wyatt. Maman participait-elle à la campagne ?

— Non.

Troy jeta la règle sur son bureau encombré et s'éloigna, comme si la discussion était terminée. Il s'approcha des portes-fenêtres qui, comme dans la chambre d'amis, donnaient sur jardin.

— Ruthanne et Riley ont tous deux essayé de convaincre Helene de participer à la campagne, surtout Ruthanne. Elle a finalement persuadé ta mère d'aller à Austin, visiter le quartier général de Riley.

— Pourquoi maman a-t-elle décidé de ne pas s'impliquer ?

— Je crois que quelqu'un l'a prise à rebrousse-poil, ce jour-là. Quand elle est revenue à la maison, elle m'a dit catégoriquement qu'elle ne voulait rien avoir à faire avec la politique.

— Je peux comprendre ça.

— J'ai souhaité un million de fois qu'elle n'ait pas pris cette décision. Si elle l'avait fait, elle aurait été au QG de campagne au lieu d'être ici toute seule, quand le tueur est arrivé.

Wyatt se détourna. Il ne voulait pas être influencé par l'émotion qui transpirait dans la voix de Troy. Il fallait s'en tenir aux faits bruts.

— La mère de Kelly était dans l'équipe de Riley, reprit Troy.

Wyatt reporta son attention du tableau sur son père.

— Tu veux parler de Kelly Burger ?

Troy hocha la tête et gratta la cicatrice qui lui barrait le visage.

— Quand as-tu découvert ça ? interrogea Wyatt.

— Ruthanne est venue à l'écurie, quand j'y étais avec Jaci et Kelly, hier matin. Je les ai présentées et elles en ont parlé. J'ai eu l'impression qu'il n'y avait pas beaucoup d'amitié entre

Ruthanne et la mère de Kelly. Mais ce n'est pas surprenant. Ruthanne n'aimait aucune des femmes que Riley côtoyait.

Il y avait beaucoup de choses que Wyatt ignorait sur Kelly. Il aurait sans doute mieux fait de laisser les choses en l'état, étant donné que ce qu'il savait déjà d'elle le terrifiait. Chaque fois qu'elle s'approchait de lui, le contrôle de ses sens lui échappait totalement.

Comme ce baiser, la veille. Il ne l'avait pas prévu. Ce n'était ni le moment ni l'endroit. Mais son sang-froid s'était évanoui, et avant qu'il ne s'en rende compte, ses lèvres étaient sur les siennes et elle le mettait sens dessus dessous.

Wyatt était conscient qu'un seul contact pouvait de nouveau faire fuser des étincelles entre eux. Assez d'étincelles pour démarrer un feu de brousse.

— Tu es devenu terriblement silencieux depuis que j'ai mentionné Kelly, remarqua Troy. Tu ne regrettes pas d'entamer une liaison avec elle, n'est-ce pas ?

— Je n'entame pas de liaison avec elle. Elle a besoin de protection et d'un endroit où dormir. Il semble raisonnable d'offrir cela à une femme en péril.

— J'ai l'impression qu'elle est seule avec Jaci depuis un bon bout de temps. Et toi ? Tu as quelqu'un qui t'attend à Atlanta ?

— Et si c'était le cas ?

— Alors je dirais que tu es dans les ennuis jusqu'au cou.

— Pourquoi ?

— Parce que j'ai vu quatre de tes frères tomber amoureux. Je reconnais les signes subtils et tu les affiches tous.

— Les signes subtils… On dirait le titre d'une comédie romantique.

— Tu peux dire tout ce que tu veux, mais le courant passait incontestablement entre vous, hier, quand vous êtes revenus au ranch.

— Je ne la connais que depuis deux jours.

— Des années, des jours ou des heures, ça n'a rien à

voir. La foudre tombe en un instant. C'était comme ça pour moi quand j'ai rencontré ta mère. C'était comme ça pour tes frères aussi. Essayer de nier ce qu'on ressent ne fait qu'empirer les choses.

Wyatt n'allait certainement pas discuter de sa vie amoureuse ou de son absence avec Troy. Cette conversation gênante fut heureusement interrompue par le bruit de la sonnette d'entrée.

— Ce doit être Dylan et Collette, dit Wyatt. Je vais leur ouvrir.

La sonnette tinta de nouveau avant qu'il n'arrive à la porte. Quand il ouvrit, McGuire se tenait sur le seuil. Sans sourire, une expression mortellement sérieuse sur le visage.

— Kelly est-elle là ?

— Oui. Entrez, je vais aller la chercher.

— Vous feriez mieux d'assister aussi à la conversation.

— Les nouvelles sont si mauvaises ?

Kelly arrivait derrière lui.

— Qu'est-ce qui se passe ?

McGuire enfonça son chapeau et plissa les yeux.

— Je vous le dirai à l'intérieur.

Kelly s'assit sur le sofa. Le shérif avait pris place sur une chaise près de la fenêtre. Wyatt faisait les cent pas. Troy s'était porté volontaire pour emmener Jaci dehors attendre Dylan et Collette. McGuire croisa les jambes.

— Ça m'ennuie de vous embêter avec ce genre de nouvelles, surtout un dimanche, Kelly.

— Je préfère être au courant de ce qu'il se passe, le rassura-t-elle.

— J'ai demandé à mon adjoint de garder un œil sur votre maison, juste au cas où le voleur vous harcèlerait. Je me disais qu'avec le toit recouvert, il pourrait penser que vous étiez revenue.

Kelly eut de nouveau la sensation de sombrer, comme si elle glissait le long d'une falaise, sans rien à quoi se raccrocher.

— Quand l'adjoint s'est arrêté dans votre allée, il a vu un type s'enfuir à pied et disparaître dans les bois derrière la propriété. Il l'a pourchassé mais il a entendu un moteur démarrer. Le temps qu'il atteigne la clairière, la poussière volait. Il n'a pas pu voir le véhicule dans le noir, mais il a aperçu ses feux arrière, quand il a tourné dans le vieux chemin de terre qui passe derrière l'église baptiste.

Wyatt s'arrêta d'arpenter la pièce.

— Vous pensez qu'il est entré dans la maison ?

— La porte d'entrée était grande ouverte.

Les lèvres de Wyatt se serrèrent en une ligne fine et dure.

— Si vous n'arrêtez pas cet homme, c'est moi qui le ferai.

— Nous n'avons aucune preuve du fait que l'homme qui fuyait était celui qui lui a volé sa voiture ou envoyé le SMS.

— Elle est la cible d'agressions répétées, insista Wyatt. Vous le savez aussi bien que moi.

— Ce que je sais, Wyatt, c'est que vous n'avez aucune autorité ou qualification dans cet Etat, et moins encore dans ce comté.

— Alors engagez-moi comme adjoint, répliqua Wyatt.

— Je l'envisagerais si vous n'étiez pas aussi impliqué personnellement dans cette affaire. Tel que c'est, vous joueriez davantage le rôle d'un milicien privé que d'un flic.

— C'est ridicule.

Ce genre de conflit était la dernière chose que désirait Kelly.

— Je suis sûre que le shérif peut s'occuper de cela, Wyatt.

— Exactement, approuva McGuire. Et si vous me laissez terminer, j'ai quelques bonnes nouvelles aussi. On dirait que nous avons trouvé des empreintes fiables.

— Ce sont de très bonnes nouvelles, appuya Kelly, s'efforçant d'injecter un peu d'optimisme dans cette discussion passionnée.

— Le temps que la maison soit prête et que vous vous y installiez, Kelly, nous aurons sans doute procédé à une arrestation.

McGuire décroisa les jambes et se pencha en avant.

— Dans l'intervalle, je vous conseille de ne pas séjourner seule dans la maison, même durant la journée.

— Est-ce qu'on a cambriolé la maison du vivant de ma grand-mère ?

— Pas une fois, dit le shérif. Mustang Run est l'une des villes les plus paisibles du Texas, en temps normal.

— Cordelia avait-elle des problèmes avec quelqu'un de la région ? interrogea Wyatt. Quelqu'un qui lui en voulait, par exemple ?

— Je vois où vous voulez en venir, mais n'ajoutez pas de l'eau au moulin des commérages. Les femmes aiment remuer la langue, et les hommes sont tout aussi bavards. Toutes ces rumeurs sur le fait que Ruthanne Foley voulait chasser Cordelia de la ville, il y a quelques années, sont très exagérées.

— Pourquoi aurait-t-elle voulu chasser ma grand-mère ?

— Ruthanne insistait pour que la mairie fasse abattre quelques vieilles maisons près du parc, pour pouvoir vendre le terrain. Cordelia s'est opposée à ce projet et a accusé Ruthanne de vouloir construire un spa sur les propriétés. C'est Cordelia qui a gagné. Les maisons historiques sont restées debout. On est en train d'en transformer une en musée.

— Tant mieux pour grand-mère.

Collette et Dylan arrivèrent en voiture, juste au moment où le shérif partait. Il parut ravi de voir sa fille. Elle avait l'air reposée, ce jour-là, et était resplendissante. Même à huit mois de grossesse, Collette était renversante, avec ses yeux expressifs, ses hautes pommettes et sa masse de boucles rebelles d'un roux ardent.

Un jour, Kelly voudrait connaître tous les détails de l'expérience de Collette quand elle louait la maison Callister, mais pas tant qu'elle était enceinte ou que l'homme qui semait le chaos dans sa propre vie était toujours en liberté.

Le shérif avait dit qu'ils avaient des empreintes utilisables. Ils procéderaient sans doute bientôt à une arrestation.

A moins que ce ne fût le jour même, ce ne serait pas assez tôt pour empêcher Kelly de quitter la maison Ledger. Elle allait chercher un appartement le lendemain, et cette fois, elle n'en parlerait pas à Wyatt avant d'avoir payé le loyer et d'être prête à déménager.

S'il arrêtait de l'éviter assez longtemps pour qu'ils puissent parler. C'était la première fois qu'elle perdait un homme sur un simple baiser.

Aux alentours de 16 heures, le dimanche après-midi, la température monta jusqu'à quinze degrés. A la manière typique de Hill Country, le vent qui les avait hantés pendant des jours était retombé, et une brise occasionnelle murmurait dans les aiguilles du genévrier près de la porte.

C'était une journée parfaite dans un décor parfait pour une dînette. Jaci avait préparé un goûter pour Troy, Kelly et deux de ses poupées préférées. Elle s'était servie de sa dînette préférée, celle qu'elle avait prise dans la voiture quand elles s'étaient mises en route pour Mustang Run.

La fillette avait servi de petites tasses de lait et des biscuits au chocolat que Julie et elle avaient cuits la veille. Kelly les avait coupés en quatre pour qu'ils tiennent dans les assiettes minuscules.

Une fois les biscuits disparus, Jaci s'éloigna en bondissant pour ramasser un cheval en plastique miniature qu'elle avait vu derrière une azalée naine.

Elle l'apporta à Troy pour qu'il l'examine.

— Son nez est cassé.

— J'en ai bien l'impression, déclara Troy. Ce doit être pour ça que Joey l'a laissé dans le jardin.

— Est-ce que tes grands chevaux se cassent le nez ?

— Jusqu'ici, ce n'est jamais arrivé.

— J'espère que Blanche Neige ne va pas se casser le nez.

— Moi aussi.

— Joey n'a pas peur des chevaux, dit Jaci.

— Plus maintenant, mais la première fois qu'il est venu au ranch, il a dû s'habituer à eux, exactement comme toi.

Satisfaite de cette réponse, Jaci retourna explorer le jardin.

— C'est si paisible ici, commenta Kelly. En entrant dans le jardin, on a l'impression d'être dans un autre monde.

Troy fixait la fontaine étincelante.

— C'était le coin préféré d'Helene. Elle avait prévu chaque détail. Inutile de le dire, c'était dans un terrible état de délabrement, quand j'étais en prison. Collette a passé des heures ici, à remettre les choses en état.

— Je suis sûre qu'Helene approuverait le résultat.

— Je le crois aussi. Je me sens toujours proche d'elle, quand je suis dans son jardin. Le soir, je m'assieds parfois ici, dans le noir, et c'est presque comme si elle était à mes côtés, essayant de me dire quelque chose. J'aime à penser qu'elle attendait seulement que son dernier fils rentre à la maison.

Un frisson parcourut la nuque de Kelly. La prédiction de Collette lui traversa l'esprit.

« C'est Helene qui te le dira. »

Comme Troy, peut-être Collette sentait-elle la présence d'Helene, quand elle s'occupait des plantes ?

Les paroles hantées de son cauchemar lui revinrent.

Les péchés des familles peuvent tuer.
Reste en vie. Reste en vie.

Le portable de Troy se mit à sonner, ramenant Kelly à la réalité en sursaut. Elle rassembla les assiettes et les tasses pendant qu'il parlait.

— C'était Dakota, dit-il après avoir raccroché. Dylan, Wyatt et lui sont en route pour une réunion de famille. J'imagine que je ferais mieux de faire du café.

Kelly n'avait pas été invitée, mais elle était presque certaine que la discussion allait porter sur elle et son tourmenteur.

Elle doutait que ce soit Wyatt qui ait pensé à inclure leur père, mais elle était ravie qu'ils l'aient fait.

Troy se dirigea vers Jaci.

— Merci, madame. C'était le meilleur goûter auquel je suis allé. Vous faites du thé délicieux.

Jaci sourit jusqu'aux oreilles.

— C'était du lait, en vrai.

— Je ne m'en étais pas aperçu.

Troy inclina son chapeau noir usé, et s'en alla rejoindre ses fils. Trente minutes plus tard, le soleil sombra derrière un nuage, et Kelly et Jaci retournèrent dans la chambre d'amis.

Jaci sortit ses crayons de couleur et du papier à dessin.

— Je vais colorier un dessin des chevaux, dit-elle en envoyant valser ses chaussures et en rampant jusqu'au milieu du lit.

Sa mère prit la dernière des boîtes qu'elle avait apportées de la maison de sa grand-mère. Les deux premières contenaient surtout des souvenirs, des bulletins scolaires, des certificats de baptême et d'innombrables petites plaques et certificats que la mère de Kelly avait gagnés durant sa scolarité.

Posant la boîte au bord du lit, Kelly prit le coupe-papier en argent qu'elle avait découvert dans le tiroir supérieur de la commode, et coupa la bande collante. Elle s'adossa aux oreillers et passa l'heure suivante à regarder des dizaines de photos de sa mère durant son enfance.

Linda Anna était une enfant mignonne. Quand elle avait atteint l'adolescence, elle était superbe. Kelly trouva une enveloppe intitulée :

« Linda Ann, années d'université. »

Elle l'ouvrit et fit tomber le contenu sur le lit. Il y avait des dizaines de photos de sa mère dans toutes sortes d'endroits et avec des groupes d'amis. Il n'y en avait aucune d'elle en couple, ce qui rendait d'autant plus probable, selon Kelly, qu'Abby ait confondu Linda Ann avec quelqu'un d'autre, quand elle avait dit qu'elle avait vécu une rupture avant de rencontrer le père de Kelly.

Elle remettait les photos dans la boîte quand elle remarqua une enveloppe marron coincée au fond du carton. En l'ouvrant, elle trouva une vieille coupure de journal.

Elle dut la retourner pour découvrir une autre photo de sa mère. Le papier avait légèrement jauni, mais Linda Ann était toujours ravissante, en robe du soir.

Kelly lut la légende sous la photo.

La mère de Linda Ann Callister
annonce les fiançailles de...

Le reste de la phrase avait été coupée.

Donc, Abby avait raison. Sa mère avait été sur le point d'épouser quelqu'un avant de rencontrer sa véritable âme sœur.

La photo avait été découpée en haut de la page de journal et le bandeau était intact.

Kelly regarda la date et sentit son estomac se serrer.

Il devait y avoir une erreur.

12

La date de l'annonce des fiançailles se situait sept mois avant la naissance de Kelly. Mais son père n'avait pas abandonné sa mère. Et il n'y avait pas eu d'annonce du mariage, car ils avaient prévu de faire une escapade à Las Vegas. Son père avait été tué dans un accident de voiture avant qu'ils aient pu s'y rendre. Sa mère et sa grand-mère lui avaient toutes deux raconté cela.

Si l'annonce du mariage était authentique, alors la mère de Kelly s'était fiancée à un homme, tout en étant enceinte d'un autre. C'était bien éloigné de l'histoire d'amour éternel et d'âmes sœurs qu'on avait racontée à Kelly.

Cependant, les anciennes histoires de sa mère n'étaient pas son affaire, à moins que l'homme qui avait abandonné Linda Ann ne soit son père biologique.

C'était trop perturbant d'y penser en cet instant, mais quand sa vie serait revenue à la normale, Kelly avait l'intention d'avoir un entretien à cœur ouvert avec sa mère.

Elle referma la boîte et la mit de côté, juste au moment où on frappait à sa porte.

L'expectative fit bondir son cœur, mais quand elle ouvrit, elle vit que c'était Viviana, et non Wyatt.

— On te demande dans le salon, dit cette dernière. Les Ledger veulent te faire une offre que tu ne pourras pas refuser.

Wyatt fit les cent pas durant quelques secondes, avant de prendre place dans un des fauteuils près de la cheminée.

— Voilà notre offre, Kelly. Mes frères et moi voudrions réparer ta maison et la rendre habitable pour Jaci et toi. Nous ne pourrons pas y travailler tous les jours, mais je pense que nous pourrons la finir d'ici trois ou quatre semaines, à moins que nous ne rencontrions de gros problèmes.

Kelly le fixa, sans voix. Cela ne lui arrivait pas souvent de ne rien trouver à dire.

— Pourquoi ? finit-elle par murmurer.

— Tu as besoin d'aide et nous avons les outils et les compétences pour te la fournir, répondit Dylan.

— Ce n'est vraiment pas grand-chose, intervint Troy. Janvier est un mois tranquille au ranch, bien qu'il y ait toujours quelque chose à faire dans une propriété de cette taille.

Kelly soutint le regard de Wyatt.

— Tu es d'accord avec ça ?

— Oui, bien sûr.

— C'était son idée, souligna Dakota. Nous n'avons fait que prendre le train en marche.

Elle comprenait de moins en moins Wyatt. Il lui avait à peine parlé depuis le baiser de la veille et, à présent, il ralliait ses troupes pour travailler pendant des semaines sur sa maison.

Pourtant, comme Viviana l'avait prédit, l'offre était trop avantageuse pour qu'elle la refuse. Et le temps que la maison soit réparée, son mystérieux tourmenteur serait sans doute derrière les barreaux.

— Je vous suis reconnaissante de votre proposition, dit Kelly. Et je l'accepte, mais à la seule condition que vous me laissiez payer votre travail.

— C'est ridicule, déclara Troy. Nous ferions la même chose pour n'importe quel voisin dont le toit serait endommagé par un arbre.

Tout allait trop vite pour qu'elle puisse l'assimiler.

— Quand commenceriez-vous ?

— Le mieux serait demain, répondit Dylan. Il faudrait

faire le toit et les réparations extérieures pendant que le temps se maintient.

— Tout le toit doit être remplacé pendant qu'on y est, ajouta Wyatt. Il y a des fuites à l'arrière de la maison, là où l'arbre n'a pas touché le toit.

— Il faudra sans doute que j'attende pour certaines choses, dit Kelly. Quelle somme faut-il envisager pour les matériaux de construction ?

— Aucun problème, dit Dakota. Wyatt s'occupe de…

— On parlera argent plus tard, coupa Wyatt. Inutile de parler dépenses tant qu'on ne connaît pas l'étendue des dégâts.

Il n'y avait pas à se tromper sur ce qu'allait dire Dakota, quand Wyatt l'avait interrompu. Il leur avait manifestement dit qu'il prendrait en charge la facture. Elle n'avait aucunement l'intention de le laisser faire. Et aucune idée de la raison pour laquelle il voulait l'aider ainsi. Ils devaient en parler, et vite.

— Et si on mangeait ? lança Julie. Il reste plein de poitrine pour faire des sandwichs.

Les hommes approuvèrent chaudement sa suggestion.

— Je vais faire du chocolat chaud, proposa Viviana. Et quelqu'un peut faire un feu. Il commence à faire un peu frisquet, ici.

— Bonne idée. Je m'en occupe, déclara Troy.

Jaci bondit sur ses pieds et suivit Troy pour aller chercher des bûches sous la véranda latérale.

— 'Lons-y, dit-elle en imitant l'accent texan de Troy.

Ne pas avoir de grand-père dans sa vie lui manquait beaucoup.

Tandis que les autres passaient dans la cuisine, Kelly se dirigea vers Wyatt. Il était appuyé contre le manteau de la cheminée, et elle s'approcha volontairement tout près. Quelques centimètres seulement les séparaient quand il se retourna et croisa son regard.

Elle vit le désir vaciller dans ses yeux. Une vague de chaleur se répandit dans son corps. Quoi qu'il se passe entre eux, ce ne serait pas par manque d'attirance sexuelle.

— Merci, murmura-t-elle, mais je ne peux pas te laisser payer les matériaux, Wyatt.

— Kelly, je…

Il hésita.

— Je ne veux que t'aider.

— Tu l'as déjà fait.

Elle s'éloigna, plus confuse et déçue que jamais. Tout allait si bien entre eux, au début. Elle avait adoré la manière décontractée dont il flirtait et la taquinait. A présent, il était sur ses gardes.

Pourtant, il était toujours aussi protecteur. Et c'était l'homme le plus viril et le plus excitant qu'elle ait jamais rencontré.

Wyatt regarda Kelly s'en aller. Il se sentait idiot, mais pas autant que s'il s'était précipité dans une relation avec elle, qui n'aurait servi qu'à l'entraîner dans le désastre potentiel de sa propre vie.

Le mieux qu'il pouvait faire était de s'assurer qu'elle et Jaci soient en sécurité, jusqu'à ce que le salopard qui s'en était pris à Kelly soit derrière les barreaux. Si Emanuel Leaky était à l'origine de cette histoire, même cela ne serait pas assez.

Dans l'intervalle, c'était une vraie misère de la côtoyer sans pouvoir la toucher. Et un enfer de dormir à quelques mètres d'elle alors qu'il mourait d'envie de l'avoir dans son lit.

Collette leva les yeux de la tomate qu'elle tranchait.

— Je les ai achetées en allant à ma visite de contrôle. C'étaient les meilleures du marché, mais les tomates de serre me donnent encore plus envie de l'été.

— Ce dont j'ai envie, c'est que Tyler revienne, déclara Julie. Quand il arrivera, ne vous attendez pas à nous voir pendant au moins une semaine. Nous allons finir notre lune de miel.

Toutes éclatèrent de rire.

Enfant unique d'une mère célibataire, Kelly était absolument stupéfaite de voir à quel point les Ledger s'entendaient bien.

— Est-ce que vous passez toujours autant de temps ensemble ? interrogea-t-elle. Ou bien est-ce parce que Wyatt est ici ?

— Nous nous voyons beaucoup, répondit Collette, surtout les week-ends. Mais nous avons aussi beaucoup de temps pour nous. Nous avons tous nos propres intérêts et nos propres maisons.

— C'est une famille très unie, commenta Viviana, en mettant la dernière main à une salade de fruits. Je suis ravie que Briana grandisse dans une famille comme celle-ci, même si nous finirons par passer une partie du temps en ville.

Julie prit un paquet de fromage dans le réfrigérateur.

— Ce n'est pas que les frères ne se disputent jamais. Ils peuvent discuter passionnément d'à peu près tout, depuis la politique jusqu'à la meilleure marque de bottes. Mais si l'un d'eux a besoin d'aide, ils s'y mettent tous, exactement comme pour les réparations de ta maison.

Collette posa le plat de tomates sur la table.

— Si je grossis encore, je ne serai plus capable d'atteindre la table.

— C'était comme ça quand j'attendais Briana, remarqua Viviana.

— J'espère que je reviendrai à ma taille normale aussi vite que toi.

— Ce n'est pas pour changer de sujet, mais Eve est une psychiatre brillante, et elle a une théorie intéressante à propos de cette famille, intervint Julie.

— Qu'est-ce que c'est ? demanda Kelly.

— Elle pense qu'Helene et Troy étaient non seulement très amoureux l'un de l'autre, mais qu'ils ont donné à leurs fils un tel sens de la famille que cela leur est resté même après le meurtre d'Helene et l'emprisonnement de Troy, même après leurs années de séparation.

— C'est tout à fait plausible, admit Kelly.

— Dylan et moi, nous voulons donner à nos enfants le même sens de la famille, de la continuité et de l'amour de la terre, dit Collette. Nous en voulons au moins quatre.

— N'hésite pas à me le dire, si ce ne sont pas mes affaires, Kelly, mais depuis combien de temps ton mari est-il mort ? demanda Julie.

— Trois ans.

— Il doit beaucoup te manquer.

— Ça n'a pas été facile.

C'était vrai. Elle avait perdu un ami. Mais pas un mari au vrai sens du terme. Et certainement pas un amant. Ce n'était que durant les derniers jours qu'elle avait commencé à comprendre à quel point elle avait manqué de passion dans sa vie.

— Jaci allait-elle au jardin d'enfants avant que vous déménagiez à Mustang Run ? demanda Viviana.

— Non. Notre vie n'était pas très stable, l'automne dernier, et j'ai décidé de remettre cela d'un an.

En fait, cette décision avait été prise pour elle par le FBI, une autre des conditions de sa protection en tant que témoin. Cela avait semblé la meilleure manière de veiller à la sécurité de Jaci.

— On dit que les écoles publiques de la région sont excellentes, reprit Viviana.

— Si ça t'intéresse, notre église possède un très bon jardin d'enfants, dans lequel tu pourrais l'inscrire pour le reste de l'année, déclara Julie.

Venue de nulle part, la berceuse envoûtante du cauchemar de Kelly se mit à jouer dans son esprit.

Reste en vie. Reste en vie.

— Je préfère attendre que les choses se stabilisent avant de l'envoyer tous les matins à l'école.

— Inutile de se précipiter, admit Julie. Elle aime le ranch et vous vous êtes bien intégrées à la famille Ledger.

Elles s'étaient peut-être intégrées, mais elles ne faisaient pas partie de la famille, et n'en feraient jamais partie.

En outre, avant que tout cela finisse, Wyatt déchirerait peut-être de nouveau sa famille. Même la proximité affective des frères pourrait ne pas survivre à la découverte que leur père avait vraiment assassiné leur mère.

« Il est innocent. C'est Helene qui te le dira. »

Celui à qui Helene ferait mieux de parler, c'était Wyatt, songea Kelly.

Ruthanne composa de nouveau le numéro de Riley, tout en faisant les cent pas. Son dernier verre d'alcool lui faisait tourner la tête, et chaque sonnerie du téléphone la rendait de plus en plus furieuse.

Enfin, la sonnerie cessa et elle entendit un « allô » rocailleux.

— Où étais-tu, Riley ? Ça fait deux jours que j'essaie de te joindre.

— Tu oublies que nous ne sommes plus mariés, Ruthanne. Je n'ai pas de comptes à te rendre.

— Ne prends pas ce ton arrogant avec moi. C'est moi qui t'ai *fait*, tu t'en souviens ?

— Comment pourrais-je l'oublier ? Tu me l'as rappelé tous les jours pendant des années. Qu'est-ce que tu veux à présent ?

— Nous devons parler.

— Nous n'avons rien à nous dire.

— Je crois que si. As-tu entendu dire que la fille de Linda Ann Callister est revenue vivre en ville ?

— Oui. Et alors ?

— Ne joue pas à ça avec moi, Riley. Viens chez moi demain à 3 heures. Ne sois pas en retard.

— Et si je ne viens pas ?

— Alors tu n'auras plus à te soucier de la fille de Linda Ann. Je veillerai à ce que tu dises adieu à tes chances de devenir gouverneur.

> *Les péchés des familles peuvent tuer.*
> *Reste en vie. Reste en vie.*
> *Les mères savent toujours. Reste en vie. Reste en vie.*
> *Accroche-toi à l'amour. Reste en vie. Kelly, reste en vie.*

La berceuse se fit de plus en plus forte, jusqu'à tourner au rugissement dans les oreilles de Kelly. Elle ouvrit les yeux. Des rubans blancs se mouvaient lentement au plafond.

La berceuse finit par s'arrêter. L'un des rubans dériva comme une plume dans l'air et atterrit sur l'oreiller de Kelly. Elle tendit la main, mais l'objet se calcina avant qu'elle ne puisse le toucher.

Une voix flotta dans la pièce, sans qu'elle puisse dire d'où elle venait.

Parle à ta mère, avant qu'il soit trop tard.

Kelly prit l'oreiller sur lequel le ruban avait atterri et le lança à travers la pièce. Puis elle alluma la lampe de chevet, dont la lumière apaisante et tamisée inonda la chambre.

Encore un cauchemar. Elle se glissa hors du lit et s'efforça de repousser les images de son esprit. La berceuse revint la hanter, de même que la voix étrangement suppliante.

Parler à sa mère. Il n'y avait aucun doute que la découverte de la photo de fiançailles avait mené son subconscient à élaborer ce message. Son niveau de stress crevait visiblement le plafond.

Elle était tout à fait réveillée, à présent. Et elle avait soif. Les cauchemars lui rendaient la bouche incroyablement sèche.

Kelly ne prit pas la peine d'allumer dans le couloir, et elle entra dans la cuisine obscure sans voir la silhouette. Son cœur se mit à battre violemment mais elle réalisa très vite que c'était Wyatt, assis à la table dans le noir, le clair de lune barrant sa poitrine nue.

— Tu m'as fait peur, dit-elle.

— Désolé.

— Que fais-tu debout à cette heure ? demanda-t-elle.

— Je n'arrive pas à dormir.

— Moi non plus.

Il ne lui proposa pas de s'asseoir, mais elle se laissa tomber sur une chaise, face à lui.

— Il faut que nous parlions.

13

Wyatt était soulagé que la lumière soit éteinte. Même dans la clarté de la lune brillant par la fenêtre, la vue de Kelly, dans son pyjama, éveillait en lui un désir si intense qu'il pouvait à peine réfléchir.

— Je suis sûr que tu ne veux pas entendre ce que j'ai à dire ce soir, Kelly. C'est affreusement déprimant.

— Essaie toujours, murmura-t-elle. Qu'est-ce qui t'empêche de dormir ?

— La même chose que depuis mes treize ans.

— La question de savoir qui a tué ta mère ?

— Exactement. Mais il y a de nouvelles implications, à présent. Si je découvre effectivement que c'est mon père, cela va détruire toute cette famille. Si je ne découvre pas qui a tué ma mère, je ne serai jamais capable de vivre en paix. C'est une situation sans issue.

— A moins que tu ne découvres que Troy est innocent. Tu n'as certainement pas écarté cette hypothèse.

— Non, mais je ne vois rien dans ce qu'il m'a montré qui pourrait infirmer ce qui s'est dit au procès.

— Parle-moi du procès.

— Tu cherches des matériaux pour tes cauchemars ?

— Non, j'ai un pervers qui s'en occupe.

— L'affaire telle que l'accusation l'a présentée était simple : ma mère quittait Troy. Il est rentré à la maison pour déjeuner, a trouvé ses valises faites et lui a tiré dessus à trois reprises.

— Pourquoi le quittait-elle ?

— Selon le témoignage de sa meilleure amie, ma mère

avait dit le matin même qu'elle en avait assez et qu'elle allait mettre fin à leurs querelles. Ce n'est pas du mot à mot.

— Et vous, ses enfants ?

— Selon le témoin, elle allait revenir nous chercher et laisser mon père tout seul.

— A-t-elle été la seule à certifier cela ?

— Oui, mais plusieurs autres amies ont déclaré que les parents de ma mère essayaient sans cesse de lui faire quitter Troy. Apparemment, ils pensaient que ma mère s'était mariée en dessous de son rang.

— Etiez-vous si pauvres que cela ?

— Si mes parents avaient des problèmes financiers, je n'en ai jamais rien su. Je veux dire, nous n'allions pas en vacances à Disney World, ou skier dans le Colorado à Noël, mais les enfants des autres ranchers non plus. Je ne me souviens pas d'avoir jamais désiré quelque chose que je n'avais pas.

— Quels éléments a présentés la défense de ton père ?

— En gros, rien. Ils ne pouvaient nier que ma mère avait été tuée avec le revolver de Troy. Il n'y avait pas d'autre suspect. Et Troy n'a rien fait pour plaider son affaire. Selon les actualités de l'époque, il est resté assis, jour après jour, sans montrer la moindre émotion. La seule exception, c'est quand ils ont montré les photos de la scène de crime et qu'ils ont parlé de ses cinq fils orphelins. Le procureur s'est servi de cet accès de larmes dans son plaidoyer pour démontrer que la culpabilité avait finalement rattrapé Troy.

— Peut-être avait-il si mal qu'il ne pouvait affronter le procès. Il s'est totalement renfermé sur lui-même, jusqu'à ce que les photos rendent sa peine insupportable.

— J'espère que tu as raison. Mais j'ai quand même besoin de faits. La seule manière dont je peux prouver l'innocence de Troy, c'est en démontrant que quelqu'un d'autre a tué ma mère.

Il pressa ses tempes, s'efforçant de soulager le mal de tête lancinant qui lui avait martelé le cerveau toute la journée.

— Et maintenant, tu ne regrettes pas de m'avoir interrogé ?

— Non.

— Parlons de toi, dit-il, bien qu'il n'ait pas envie d'entendre louer un mari super-héros, auquel personne ne pourrait se comparer.

— Que veux-tu savoir ?

— Depuis combien de temps étais-tu mariée, quand ton mari est mort ?

— Deux ans. Il est mort d'une tumeur maligne à l'estomac.

— Je suis désolé. Tu as dû être anéantie.

— Je l'ai été. C'était quelqu'un de merveilleux : gentil, intelligent et bon père.

Elle n'avait pas parlé de passion.

— Comment l'as-tu rencontré ?

— Contrairement à ma mère, je n'étais pas du genre studieux. J'ai laissé tomber l'université après ma deuxième année, et j'ai passé deux ans à errer en Europe. C'est à ce moment-là que je suis tombée amoureuse du design de bijoux et que j'ai rencontré Alan. Il avait douze ans de plus que moi, et il était bien plus sophistiqué. Il m'intriguait et sa connaissance de l'art me bluffait.

— Même s'il était assez âgé pour être ton père ?

— Je n'ai jamais connu mon père, alors je n'y ai même pas pensé. Nous avons commencé à prendre des cafés ensemble. Une chose menant à une autre, un soir nous sommes allés jusqu'au bout, sur mon insistance, je dois ajouter. J'étais frustrée de son manque de réaction.

— C'est difficile à imaginer.

— Vraiment, Wyatt ? J'ai l'air de t'inspirer la même réticence. En tout cas, je suis tombée enceinte, en dépit de nos précautions. Je sais que c'est rare, mais cela arrive. Il m'a demandé de l'épouser et j'ai accepté.

— Tu l'aimais ?

— Je croyais l'aimer à l'époque. Je le respectais. Sa conversation était passionnante. Il était honnête et attentionné, et il m'a encouragée à approfondir mon intérêt pour le design de bijoux.

— Tu as oublié de mentionner l'amour.

— Alan ne m'aimait pas vraiment, je pense.

— Mais vous êtes restés mariés ?

— Son cancer avait été diagnostiqué, à ce moment-là. Il avait besoin de moi.

Wyatt tendit les mains en travers de la table et les posa sur celles de Kelly. Son intention était de la réconforter, mais son corps réagit comme si elle venait de se déshabiller devant lui. Il s'écarta de la table.

— Nous devrions essayer de dormir, dit-il d'une voix rauque de désir qu'il reconnut à peine.

— Encore une question, Wyatt.

— Vas-y.

— Pourquoi m'avoir embrassée à perdre haleine et t'éloigner ensuite comme si tu ne supportais pas mon contact ? Pourquoi éviter de te trouver seul avec moi, ou même de croiser mon regard ? Je n'ai pas changé.

— Je suis seulement le code des policiers. Un flic ne s'implique jamais avec une femme qu'il protège. Cela lui fait perdre son acuité et il devient plus susceptible de faire des erreurs.

Elle se leva et lui lança un regard noir.

— Ce sont des bêtises et tu le sais. Tu as peur de moi, Wyatt. Peur de tomber amoureux de moi, peur que j'interfère avec ta détermination à régler tes comptes, quoi qu'il t'en coûte.

— Tu interprètes mon comportement de travers.

— Je ne crois pas, Wyatt. Tu es peut-être un flic coriace, mais tu as peur d'affronter tes propres émotions. Moi, je me suis mariée avec un homme que je n'aimais pas, mais je n'ai jamais fui l'amour comme tu le fais.

Il se leva aussi et fit quelques pas.

— Ça n'a rien à voir avec la peur.

— Prouve-le.

Elle s'approcha de Wyatt, si près qu'il sentit son souffle sur sa poitrine nue.

— Embrasse-moi, et prouve-moi que tu n'as pas peur.

Lui prenant la main, Kelly la pressa sur sa poitrine, de sorte qu'il sentit le pic de son mamelon, sous son pyjama en coton.

Il perdit tous ses moyens et se jeta sur ses lèvres, l'embrassant avec passion, dans une explosion de désir qu'il n'aurait pas pu stopper, même s'il l'avait voulu. Mais il ne le voulait pas.

Alors il la souleva dans ses bras, et la transporta jusqu'à son lit.

14

Wyatt arracha le couvre-lit en patchwork multicolore et déposa une Kelly au cœur battant sur le drap blanc immaculé. Le lit sentait Wyatt, un mélange de savon, de pin et de musc. Elle eut peu de temps pour s'enivrer de ces parfums, car il s'étendit à son côté et se remit à l'embrasser jusqu'à ce que ses poumons exigent de l'air.

Puis il fit pleuvoir des baisers sur ses yeux, son nez et ses joues, avant de revenir à sa bouche. Comme il tâtonnait trop longtemps pour détacher les boutons de sa veste de pyjama, elle l'aida, en souhaitant qu'il l'ait arrachée pour la prendre sauvagement.

Il enveloppa ses seins libérés de ses mains et en suça les mamelons, les picorant et les pinçant légèrement, si bien qu'ils durcirent et se relevèrent, tandis qu'elle se cambrait sous lui.

Les mains de Kelly erraient sur les larges épaules de Wyatt, tandis qu'il dessinait de délicieuses spirales de plaisir sur son ventre. Puis il introduisit ses doigts sous la ceinture de son pyjama. Le désir, qu'elle avait laissé si longtemps inassouvi, flamba en elle.

Elle tremblait quand il lui embrassa le cou et approcha sa bouche de son oreille.

— Tu es sûre que c'est ce que tu veux, Kelly ? Si tu penses avoir des regrets demain matin, dis-le-moi maintenant.

— Je te veux, Wyatt. Je suis sûre de te vouloir. Seulement toi, pas de promesses ou d'engagement que tu ne pourras pas tenir. Juste une nuit pour que je puisse t'aimer et me laisser aller sans inhibitions.

Une nuit de paradis, sans penser à Emanuel Leaky, aux voyous et aux SMS menaçants. Aucune pensée d'aucune sorte, sauf Wyatt et la manière dont il enflammait son cœur.

En se tortillant, elle se dégagea de son pantalon de pyjama, tandis que Wyatt s'extrayait de son jean. Elle le dévora des yeux quand il se dressa nu devant elle. Il n'était peut-être pas à elle, mais jamais rien ne lui enlèverait ce moment.

Wyatt se plaça sur elle et elle enroula ses jambes autour de lui, tandis qu'il la pénétrait. Il s'enfonça en elle encore et encore, et elle se tordit sous lui jusqu'à ce qu'un orgasme brûlant la parcoure. Wyatt jouit tout de suite après, et un sanglot échappa à Kelly.

Wyatt roula sur le côté et la prit dans ses bras.

— Je t'ai fait mal ?

— Non. C'est seulement qu'il y avait si longtemps, et que l'amour avec toi était si bon.

— Je ne veux jamais te faire de mal, Kelly. Cela me tuerait, mais…

Elle l'embrassa pour le faire taire.

— Je te l'ai dit : aucune promesse.

— J'allais seulement dire que j'ai cessé de lutter contre mes sentiments pour toi. Pour te débarrasser de moi, il faudra m'interdire ta porte, et même comme ça, je ne suis pas sûr que ça marche.

— Dans ce cas, tu seras là pendant très, très longtemps.

A moins qu'un tordu et un meurtre vieux de presque vingt ans ne les détruisent tous deux.

Le lendemain vers midi, sans nouvelles du shérif McGuire, Kelly redevint nerveuse. Si Viviana et Briana n'étaient pas venues lui tenir compagnie, elle aurait probablement été hors d'elle-même.

Faire l'amour avec Wyatt l'avait fait changer d'avis quant à sa recherche d'appartement, mais elle n'en était pas moins préoccupée par le danger qui la menaçait.

— Pourquoi n'allons-nous pas en ville voir où en sont les gars ? proposa Viviana. Nous pourrions peut-être même les convaincre de déjeuner avec nous.

— Bonne idée, répondit Kelly. Je vais voir si Troy veut venir avec nous.

— Je suis sûre que oui, reprit Viviana. Il se morfond, privé de l'amusement des travaux et de la chance de passer du temps avec Wyatt.

— Sa crise cardiaque l'année dernière a-t-elle limité ses activités physiques ? interrogea Kelly.

— Un peu. Mais il est ici aujourd'hui parce qu'on lui a attribué le rôle de garde du corps. Wyatt ne te l'a pas dit ?

— Non.

Pour une raison stupide, elle se sentait tellement en sécurité au ranch qu'elle n'avait pas pensé au fait que le criminel, comme l'appelait Wyatt, pouvait se montrer.

— Alors nous devrions rester au ranch, ajouta Kelly. Nous ne pouvons pas laisser Julie et Collette toutes seules.

— Tu sais, on n'est jamais vraiment seul au ranch. Dylan vient d'engager deux nouveaux palefreniers, et ça en fait six. Collette et Julie ne sont pas là aujourd'hui, de toute façon. Elles sont allées à Austin chercher une lampe que Collette a commandée pour la chambre du bébé.

— Combien de temps cela va-t-il leur prendre ?

— Au moins deux ou trois heures, mais ensuite, elles s'arrêteront chez Sean pour aller voir un étalon qu'il pense acheter. Elles ne seront pas à la maison avant l'heure du dîner.

— Et tu es restée coincée ici avec moi ?

— Pas vraiment. Je suis allée faire une promenade à cheval avant le départ de Dakota et ensuite, je suis allée à la maison finir un livre.

En quelques minutes, ils s'entassèrent dans le pick-up de Troy. Viviana se serra entre Briana et Jaci, sagement attachées dans leurs sièges-autos respectifs.

Briana donna des coups de pied et s'agita jusqu'à ce que la

voiture démarre. Puis elle les amusa durant le reste du trajet, avec son délicieux mélange de syllabes compréhensibles et incompréhensibles.

Jaci parlait avec animation de la promenade à cheval que Wyatt lui avait promise au petit déjeuner, ce matin-là. Ses efforts pour faire connaissance avec la fillette étaient source à la fois d'étonnement et de plaisir pour Kelly.

Elle était enchantée d'aller en ville. Wyatt n'était parti que depuis quelques heures, mais elle avait hâte de le revoir.

La première personne qu'elle aperçut dans l'allée de sa maison fut le shérif McGuire. Wyatt et lui se tenaient à l'endroit où s'élevait naguère l'arbre abattu.

— Allez vous mettre au courant des nouvelles du shérif, lui dit Troy. Je vais surveiller Jaci.

— Merci.

— Nous l'avons identifié, annonça le shérif dès qu'elle arriva près d'eux.

— Qui est-ce ? Il vit à Mustang Run ? Vous savez où le trouver ?

— Je crois que nous ferions mieux de trouver un endroit plus tranquille pour que je commence à répondre à ces questions.

— Il fait assez frais pour que nous nous asseyions dans ma voiture, en laissant les portières ouvertes, proposa Wyatt.

Aucun d'eux n'indiquait par leur expression ou leur ton qu'il s'agissait de bonnes nouvelles. L'anxiété monta de nouveau en elle.

— Comme je viens de le dire à Wyatt, l'homme qui a volé votre voiture et la Corvette s'appelle Jerome Hurley.

Wyatt savait déjà ce que le shérif avait à dire. Mais il en savait davantage. Il savait pourquoi Jerome s'en prenait à Kelly et il savait qu'Emanuel était derrière tout ça. Tout ce dont il avait besoin, c'était d'une preuve.

Wyatt avait annoncé dès le départ à Kelly que sa promesse

de garder secret son lien avec Leaky ne tiendrait plus s'il découvrait que cette association la mettait en danger.

Il était convaincu que c'était à présent le cas. Mais il n'était pas persuadé que fournir cette information au shérif était la meilleure chose à faire.

Wyatt faisait confiance à son instinct et son expérience. Il arrêterait Hurley. Mort ou vif, il s'en fichait.

Il reporta son attention sur la conversation entre McGuire et Kelly.

— Il a été condamné pour le viol de la femme d'un rancher de Mustang Run, il y a quatorze ans, expliquait McGuire. Il n'a été libéré qu'il y a deux mois. L'agent de probation a déjà perdu sa trace, et ça m'irrite énormément que personne ne m'en ait parlé.

— Vous avez une idée de l'endroit où le trouver ? demanda Kelly.

— Sa mère est morte et son père est en prison, donc inutile de chercher de ce côté-là. Mais nous allons contacter tous ses anciens amis et inspecter les lieux où se réunissent les voyous du comté.

Le shérif soupira.

— C'est un homme dangereux, Kelly. On peut supposer que c'est lui qui a pénétré dans votre maison l'autre nuit et vous a envoyé le SMS. Nous n'en avons pas encore la preuve, c'est tout. Si les Ledger ne veillaient pas sur vous, je m'arrangerais pour vous mettre sous surveillance jusqu'à ce que nous arrêtions Hurley. Mais je ne peux pas vous donner de meilleurs hommes pour assurer votre sécurité que ceux que vous avez déjà.

— J'en suis consciente, dit Kelly.

— S'il montre le bout du nez n'importe où dans le comté, nous l'arrêterons, conclut McGuire. Et j'ai averti tous les comtés de l'Etat, de même que la police d'Etat, de rester sur le qui-vive.

— J'imagine que c'est tout ce que vous pouvez faire, remarqua Kelly.

Mais ce n'était pas tout ce que Wyatt pouvait faire. Il n'était plus flic. Les règles concernant la détention, la recherche et l'interrogatoire sans motif ne s'appliquaient plus à lui. Il allait s'y mettre le jour même, et ratisser toute la zone que Hurley pouvait avoir traversée, durant la nuit où il avait abandonné la voiture de Kelly.

— Au moins, il sait qui rechercher maintenant, déclara Kelly tandis que McGuire repartait dans son véhicule.

— C'est un début, approuva Wyatt.

Il lui glissa un bras autour de la taille, tandis qu'ils revenaient vers la maison. Il envisageait de lui dire qu'il était presque certain que cette histoire était liée à Emanuel Leaky, mais il n'y avait aucune raison de l'effrayer davantage qu'elle ne l'était. Pas tout de suite, du moins.

— Je suis contente que nous soyons arrivés au bon moment, reprit Kelly, mais, en fait, nous nous sommes arrêtés pour savoir si toi et tes frères vouliez déjeuner avec nous.

— Dakota est allé nous chercher des sodas et des hamburgers il y a une heure, au fast-food d'à côté.

Mais il voulait parler à Troy seul à seul, avant qu'ils ne repartent. Wyatt réussit à s'isoler avec celui-ci, tandis que Kelly parlait de dégâts et de réparations avec Dylan. Dakota et Viviana, quant à eux, s'occupaient des enfants.

— Dakota m'a dit qu'il s'agit de Jerome Hurley, débuta Troy. Il n'était déjà pas recommandable quand il a été condamné, mais on dirait qu'il est sorti de tôle encore plus pourri. Je le crois capable de tout.

— Je suis d'accord avec toi. J'ai quelque chose à faire dans les heures qui viennent. Je te serais reconnaissant de garder l'œil sur Kelly et Jaci, jusqu'à ce que je revienne.

— J'en avais l'intention sans que tu me le demandes.

— Déjeuner dehors ne pose pas de problèmes, du moment

qu'il y a des gens autour. Cela la distraira. Je serai de retour avant la nuit. S'il se passe quelque chose…

— Je sais quoi faire s'il se passe quelque chose. Occupe-toi de l'homme qui cause tous ces ennuis. Rien ne me plairait davantage.

— Je ne m'attends pas à des problèmes au ranch. Ce type ne cherche pas la bagarre. Il veut coincer Kelly toute seule.

Et ne pas laisser de témoins, ajouta Wyatt en son for intérieur.

— C'est ça que tu aimais dans la police ? questionna Troy.

— Non, mais c'était attraper les méchants qui en faisait tout le prix.

Il était presque 14 heures quand ils arrivèrent enfin chez Abby. Kelly était enchantée qu'ils arrivent tard. La foule du déjeuner ayant diminué, il lui serait plus facile de grappiller quelques minutes en tête à tête avec Abby.

Malgré la possibilité qu'une arrestation mette fin à la crise actuelle, elle ne pouvait se sortir les anciennes fiançailles de sa mère de l'esprit. Son dernier cauchemar n'aidait en rien.

Il ne s'agissait pas d'écouter des ragots sur sa mère. Ses fiançailles avaient été annoncées dans le journal, de sorte qu'il ne s'agissait pas d'un secret obscur. Tout ce que Kelly voulait, c'était obtenir le nom du fiancé supposé.

Le nom de l'homme qui était peut-être son géniteur.

Mais peut-être devait-elle laisser le passé là où il était, se dit-elle en y réfléchissant.

La même hôtesse que la dernière fois les accueillit à la porte, mais sans le balancement des hanches et le sourire flirteur affichés pour Wyatt. Le restaurant était moins rempli mais plus bruyant. Toute l'animation semblait concentrée autour d'une table à l'arrière.

— Quelle est la célébrité qui se cache derrière cette foule ? demanda Troy, tandis qu'ils prenaient place dans un box près de la fenêtre.

— Le sénateur Foley. Nous ne l'attendions pas, il est passé à l'improviste. Vous imaginez l'homme qui sera peut-être le prochain gouverneur du Texas s'arrêtant chez nous ? Abby n'est pas du tout impressionnée. Elle n'est même pas sortie de la cuisine pour lui parler.

— Abby le connaissait bien avant qu'il soit sénateur, rétorqua Troy. Et il en faut beaucoup pour l'impressionner.

Une fois l'hôtesse partie, Kelly se tordit le cou pour mieux voir, mais ne put apercevoir le sénateur à travers la foule.

— Ma mère faisait partie de l'équipe de sa première campagne électorale, confia-t-elle à Viviana.

— Tu devrais aller lui parler, répondit celle-ci.

— Je suis sûre qu'il ne se souvient pas de moi, ni de ma mère. C'était il y a vingt ans. En outre, son ex-femme ne m'a pas accueillie très chaleureusement, quand je l'ai rencontrée à l'écurie.

— Ruthanne est comme ça, intervint Troy. Le sénateur vous fera bon accueil, qu'il se souvienne ou non de vous. Il recherche les votes.

La serveuse arriva avec leurs boissons et, après qu'elle eut pris leur commande, Kelly se leva.

— Si ça ne vous ennuie pas, je vais le saluer pendant que nous attendons les plats, dit-elle. Jaci, tu veux venir avec moi rencontrer le sénateur Foley ?

Jaci tordit la bouche d'une manière bizarre. Briana éclata de rire.

— Je vais rester ici. Briana aime bien mes grimaces.

— D'accord. Je reviens tout de suite.

Elle s'attendait à devoir se frayer un chemin dans la foule, pour pouvoir attirer l'attention du sénateur. Mais celui-ci la vit approcher et se leva pour la saluer. Pas tout à fait pour la saluer, en fait, mais pour la fixer. Cela manquait de flegme politicien.

Elle tendit la main.

— Je m'appelle Kelly Burger. Vous ne vous souvenez

sans doute pas de moi, mais je vous ai rencontré il y a des années, quand ma mère faisait partie de votre première équipe de campagne.

— Linda Ann Callister.

— Oui, mais comment savez-vous que c'est d'elle que je parlais ?

— Vous lui ressemblez tant que j'ai dû y regarder à deux fois quand je vous ai vue. Asseyez-vous, dit-il en désignant une chaise vide face à lui.

— C'était formidable de vous parler à vous tous, lança-t-il à la foule autour de lui, mais je n'ai pas vu cette jeune dame depuis très longtemps, et nous avons du temps à rattraper.

— Je ne peux rester que quelques minutes, glissa Kelly. Je déjeune avec des amis, et ils surveillent ma fille pendant que je suis ici.

— Votre fille, laquelle est-ce ?

— Celle qui fait des grimaces.

Kelly la désigna du doigt.

— Elle s'appelle Jaci.

— Elle a la beauté des Callister.

— Merci.

— Comment va Linda Ann ? questionna-t-il.

— Elle va très bien. Elle a récemment pris sa retraite d'un poste de doyen d'une petite université du Nord-Est, et son mari et elle se sont réinstallés au Texas.

— Où cela, au Texas ?

— A Plano.

— Alors elle est heureuse ?

— Je crois.

— Voudriez-vous lui transmettre mon bonjour, la prochaine fois que vous la verrez ?

— J'y veillerai.

— Dites-lui que je pense souvent à elle, et que la statue ridicule qu'elle a gagnée à la foire d'Etat est toujours sur mon bureau.

— Je le ferai.

— Comment prend-elle le fait que vous vous réinstalliez à Mustang Run ?

— Elle ne le sait pas encore. Je pensais lui faire la surprise après avoir déménagé, et m'être suffisamment installée pour qu'elle vienne me rendre visite. Mais comment savez-vous que je m'installe ici ?

— La rumeur court.

— Ah oui. Les nouvelles vont vite dans les petites villes. C'est ce que ma mère détestait le plus à Mustang Run.

Elle jeta un coup d'œil derrière elle pour regarder Jaci.

— On vient de nous servir, alors je ferais mieux d'y aller avant que ce ne soit froid.

Il se leva avec elle, lui prit la main et la garda un peu trop longtemps.

— Merci de vous être déplacée. Cela signifie bien plus pour moi que vous ne le croyez.

Il avait paru très content de la voir, trop content. Et il se souvenait très bien de sa mère, jusqu'au prix bon marché qu'elle avait gagné à la foire, et qu'il gardait sur son bureau.

Kelly se demanda ce qui s'était vraiment passé entre sa mère et lui, à l'époque où elle travaillait pour lui. Elle soupçonnait que cela allait au-delà de la relation classique employée/employeur.

Pas étonnant que Ruthanne l'ait détestée dès la première minute.

Kelly commençait à penser qu'elle ne connaissait pas du tout sa mère. Mais elle n'ennuierait pas Abby avec ses questions sur ces fiançailles rompues. Les réponses devraient venir directement de la source.

Riley regarda s'éloigner Kelly, stupéfait de sa ressemblance avec sa mère. Elle avait le même balancement des hanches, classique mais subtilement séducteur. Le dos droit, la tête haute, une allure qui attirait et retenait l'attention des hommes.

Même son nez était ressemblant, juste assez retroussé pour lui donner une expression charmante et espiègle. Le trait le plus frappant qu'elles partageaient était peut-être les lèvres pleines et sensuelles qui avaient autrefois rendu Riley fou de désir.

S'il avait véritablement aimé quelqu'un dans sa vie, c'était Linda Ann.

Il y avait une éternité de cela. A l'époque, il n'était personne. A présent, son étoile montait aussi vite que des blancs d'œufs en neige. Prochain arrêt, la demeure du gouverneur. Et ensuite, s'il jouait bien ses cartes, cela pourrait être la Maison Blanche.

Une raison suffisante pour laisser le passé là où il était. De nos jours, les gens pardonnaient une indiscrétion ou deux aux politiciens, mais certaines choses ne pouvaient s'oublier.

Il avait franchi la ligne près de vingt ans auparavant.

Wyatt prit son Stetson accroché près de la porte de derrière et dévala les marches en direction du hangar à bois. Les bûches ne manquaient pas pour la cheminée, mais il avait besoin de se soulager en maniant la hache.

Il n'était parvenu à rien dans l'après-midi. Si quelqu'un avait aperçu Hurley depuis sa libération, il s'était débrouillé pour bien mentir. Wyatt pouvait en général détecter un menteur avant même que le mensonge ait quitté sa bouche. C'était dans les yeux, l'expression, le mouvement même de la pomme d'Adam.

Il s'empara de la hache, la balança de toutes ses forces et fendit des bûches jusqu'à ce que la sueur lui coule du front. Alors il enfonça la pointe de la hache dans le bois et s'arrêta pour retirer son T-shirt noir. Roulé en boule, le vêtement lui servit à éponger son front.

La température était montée au-dessus de vingt degrés dans la journée. Un nouveau front froid était attendu deux jours après, apportant avec lui un léger risque de neige.

Même pour le Hill Country du Texas, ce temps paraissait hors saison en janvier.

Wyatt se souvint avoir chevauché avec Troy une année, alors qu'il tombait une neige légère. Ils s'étaient dirigés vers le promontoire qui bordait la propriété au nord, et avaient trouvé une biche prise dans les branches d'un mesquite mort. Wyatt avait aidé son père à libérer l'animal terrorisé.

Quand ils étaient revenus à la maison, il avait entendu Troy commenter à sa mère l'homme qu'il était devenu. C'était avant que tout ne s'effondre.

Wyatt ne s'était pas du tout montré adulte, alors. Il avait supplié et pleuré quand ses grands-parents avaient séparé les garçons pour les confier aux membres de la famille qui voulaient bien d'eux. Ses frères avaient besoin de lui, mais il n'avait pas pu les aider.

Et, à présent, il s'était chargé d'une mission qui pouvait de nouveau détruire leur vie à tous.

Mais il commençait à comprendre pourquoi ses frères croyaient à l'innocence de Troy. Les recherches de son père étaient beaucoup plus détaillées et exhaustives qu'il ne s'y était attendu, il devait l'admettre.

Cependant, à supposer que son père soit vraiment innocent, Wyatt ne croyait pas à l'hypothèse d'un meurtre gratuit, pas encore du moins.

Il entendit des pas et, levant les yeux, vit Kelly s'avancer vers lui. Quand elle sourit et agita la main, il sentit le désir monter en lui au point de l'étouffer, accompagné du chagrin de savoir qu'il n'y avait pratiquement aucune chance pour que cette relation fonctionne.

Kelly était tombée amoureuse de celui qui la protégeait, de la même manière qu'elle s'était entichée de son mari avant de l'épouser. Elle voyait ce qu'elle voulait voir en Wyatt, non le flic endurci qu'il était devenu. Il ferait un bien mauvais mari.

Il prit la hache et l'abattit aussi fort que possible, pour libérer la fureur et la frustration qui lui brûlaient les entrailles.

Kelly resta immobile un instant, regardant jouer les muscles de Wyatt qui maniait la hache. Quand il enfonça la lame de l'outil dans le bois, elle s'avança entre ses bras et savoura son baiser avant de reculer. Puis elle posa les paumes de ses mains sur sa poitrine.

— Tu es le plus beau cow-boy avec lequel j'aie jamais couché.

— Il faudra que tu en fréquentes davantage.

— Non, je suis heureuse avec ce que j'ai.

— Mais tu sais que je ne suis pas vraiment un cow-boy, dit Wyatt.

— Tu marches comme un cow-boy, tu parles comme un cow-boy, tu as l'air d'un cow-boy et tu ne détonnes pas du tout à Willow Creek Ranch.

— Je dois avouer que j'aime cette vie, mais seulement jusqu'à un certain point.

— Ton boulot de flic ne peut pas te manquer. Tu en es toujours un, même si tu n'as plus d'insigne. Je sais que tu as passé l'après-midi à traquer Jerome Hurley. Et tu veux toujours trouver l'assassin de ta mère.

— C'est vrai, mais qu'est-ce que je vais faire, une fois qu'ils seront derrière les barreaux ?

— Le shérif McGuire a l'air d'être surchargé de travail. Non pas que j'essaie de te faire changer de vie.

— Troy m'a dit que tu avais bavardé avec Riley Foley aujourd'hui, déclara Wyatt.

— Oui. J'ai été surprise de voir qu'il se souvenait si bien de ma mère, après toutes ces années.

— Quand a-t-elle travaillé pour lui, déjà ?

— Il y a dix-neuf ans.

— L'année où ma mère a été tuée. Riley avait déjà été réélu quand sa femme a témoigné au procès de Troy.

— C'était un témoin de moralité ?

— C'était la meilleure amie de ma mère, celle dont je t'ai dit qu'elle a apporté un témoignage à charge contre mon père.

— C'est surprenant.

— Pourquoi ?

— Quand je l'ai rencontrée à l'écurie, elle se montrait très possessive avec Troy, au cas où j'aurais eu l'idée de pénétrer sur son territoire.

— Selon mes frères, elle essaie de capturer Troy dans ses filets depuis qu'il a été libéré. Ils disent que ça ne l'intéresse pas.

— Libéré, mais pour vice de procédure, dit Kelly en pensant tout haut. C'est un peu bizarre qu'elle se mette en frais pour un homme qu'elle a aidé à envoyer en prison.

— Ce n'est pas très logique, n'est-ce pas ?

— Non.

Mais ni Ruthanne, ni le sénateur n'étaient la raison de sa venue.

— Je pensais me rendre à Plano demain, pour rendre visite à ma mère. J'en ai déjà parlé à Julie. Elle est d'accord pour surveiller Jaci et me prêter sa voiture. C'est un trajet de trois ou quatre heures seulement. Je serai de retour avant la nuit.

— Je croyais que tu ne voulais pas l'inquiéter.

— Je n'ai pas l'intention de lui parler de Jerome Hurley, ni même du vol de ma voiture. J'ai trouvé quelque chose dans les cartons que grand-mère m'a laissés, et j'ai besoin de la questionner là-dessus.

— Tu veux m'en parler ?

— J'aimerais bien avoir ton avis.

— Vas-y.

Kelly lui expliqua l'annonce des fiançailles et la signification de la date. Mais elle ne mentionna ni son cauchemar ni la berceuse qui ne la quittait pas.

— Tu ne penses pas que cela peut attendre jusqu'à l'arrestation de Jerome ?

— Je ne peux pas l'expliquer logiquement, mais je sens que je dois en parler à ma mère maintenant.

— Dans ce cas, j'irai avec toi.

Elle n'en avait jamais douté.

Jerome décrocha le téléphone à la première sonnerie.

— Allô ?

— Je suis d'accord pour négocier les termes du contrat, mais pas au téléphone.

— Dites-moi l'heure et l'endroit et apportez du cash.

— Vous êtes sûr que votre téléphone est intraçable ?

— Vous croyez que j'ai l'intention de retourner au trou ?

— Alors je vous verrai à minuit, sur la voie de dégagement, près du pont de Dowman-Lagoste.

— Je connais bien l'endroit.

Il s'était débarrassé d'un corps là-bas, une fois. Pour ce qu'il en savait, ce qui restait du cadavre dormait toujours avec les poissons.

Il coupa la communication. Le marché était conclu. Le même marché qu'il avait passé pour tuer Helene Ledger vingt ans auparavant. Sauf que la victime avait changé.

Et le paiement aussi.

15

La maison de Plano était une bâtisse à un seul étage, située dans une impasse tranquille. Le jardin était impeccable, avec des haies méticuleusement taillées et des parterres de fleurs dénués de mauvaises herbes. Kelly avait la certitude qu'ils trouveraient le même style et la même perfection raffinés à l'intérieur.

La vie de Linda Ann était minutieuse, et suivait des horaires inflexibles qui laissaient peu de place à la spontanéité. Kelly n'avait jamais douté de l'amour de sa mère envers elle, mais Linda Ann avait du mal à exprimer de la chaleur et de l'émotion.

Pourtant, à une époque, elle avait été assez provocante pour que le sénateur Foley ne l'oublie jamais.

Kelly pressa la sonnette. Quelques secondes plus tard, sa mère apparut à la porte, habillée pour son cours de l'après-midi. Elles échangèrent une étreinte rapide, puis Kelly présenta Wyatt comme Wyatt Alan, en se servant de son deuxième prénom comme nom de famille, sur l'insistance de ce dernier.

Wyatt ne voulait pas parasiter la conversation avec des propos sur le meurtre de sa mère et la libération de son père, au cas où Linda Ann se souviendrait de ses parents.

— Je suis enchantée de vous rencontrer, Wyatt. Je suis désolée que Walter ne soit pas là pour se joindre à nous, mais mon mari est à l'étranger pour quelques semaines. Il anime un séminaire à l'université de Londres.

— Je suis désolée de l'avoir manqué, déclara Kelly.

C'était un pieux mensonge, car elle n'aurait pu poser ses questions devant lui. Ainsi, elle n'aurait pas à blesser ses sentiments en lui demandant de les laisser seuls.

Ils suivirent Linda Ann dans le salon.

— J'aurais aimé que Jaci vienne avec toi, déclara sa mère. Il y a une éternité que je ne l'ai pas vue.

— Je l'amènerai bientôt. Mais comme je te l'ai dit au téléphone, ce n'est qu'un aller et retour rapide.

— Oui, tu m'as dit que tu avais quelque chose d'important à me dire. Je me suis fait du souci toute la nuit. Est-ce que cela a à voir avec ta santé ? Si quelque chose ne va pas, je veux que tu me le dises, Kelly.

— Il ne s'agit pas de ma santé, maman. Je vais très bien. Il y a seulement certaines choses dont j'aimerais te parler.

— Dieu merci. Tu es restée si secrète l'année dernière, que je craignais que tu ne me caches quelque chose.

Seulement une année dans le programme de protection des témoins, songea Kelly.

— J'ai des scones aux myrtilles. Voudriez-vous prendre un café en parlant, ou préfères-tu attendre que nous ayons terminé cette discussion ?

— Commençons par parler, dit Kelly qui se sentait de plus en plus nerveuse à chaque seconde. Je vais m'installer à Mustang Run, maman.

Linda Ann se redressa et noua ses mains sur ses genoux comme si elle avait besoin de quelque chose à quoi se raccrocher.

— Pourquoi t'installer là-bas ? questionna-t-elle. Tes opportunités seront limitées. Pourquoi pas Santa Fe, Carmel ou même Austin, où ta créativité serait stimulée ?

— Je m'installe dans la maison de grand-mère. Je pourrai travailler chez moi et passer plus de temps avec Jaci. J'ai contacté plusieurs bijoutiers à Austin et San Antonio, et l'idée de vendre mon travail les a intéressés.

— On dirait que tu as déjà pris ta décision. J'aurais aimé que nous en parlions d'abord.

Kelly prit son sac à main et en tira l'enveloppe brune contenant l'annonce des fiançailles. Elle se pencha en avant et la tendit à sa mère.

— J'ai trouvé ça dans une boîte de photos de grand-mère.

Linda Ann sortit la coupure et fixa la photo.

— Je n'arrive pas à croire que ta grand-mère ait gardé ça. Tu n'as sûrement pas fait tout ce chemin depuis Mustang Run pour parler de fiançailles rompues dans un lointain passé.

Cela avait effectivement l'air un peu idiot, dit comme ça. Elle n'aurait jamais dû laisser ses cauchemars l'influencer, se dit Kelly. Mais elle était là, à présent. Autant poser ses questions.

— Tu ne m'as jamais dit que tu étais fiancée, avant de rencontrer mon père.

— Ce n'était pas la peine d'en parler. C'était une erreur que nous avons rectifiée avant le mariage.

— La date est sur la photo, maman. C'était sept mois avant la date de mon acte de naissance.

Linda Ann ferma les yeux. Quand elle les rouvrit, son visage était crispé.

— Etais-tu enceinte de l'homme auquel tu étais fiancée…

— Ou bien est-ce que je le trompais avec ton père ? termina Linda Ann pour elle.

— Je ne te juge pas, maman. Tu sais bien quelle pagaille était mon propre mariage. J'ai seulement besoin de savoir si mon père biologique est toujours en vie. Je suis adulte maintenant. Les secrets sont inutiles entre nous.

Linda Ann se leva et fit les cent pas dans la pièce. C'était la première fois que Kelly la voyait perdre contenance.

— Tu as raison, Kelly. Il est temps que tu saches la vérité et je suis lasse de vivre avec ces mensonges. Mais tu dois te souvenir que nous parlons d'une très courte période de ma vie, il y a trente ans.

— Je comprends.

— J'étais fiancée à Riley Foley, un jeune homme important du campus. Ce n'était pas le plus intelligent, ce n'était pas un athlète, et il n'était même pas riche. Mais il avait du charisme.

Il en avait toujours, pensa Kelly. Cela l'avait mené loin en politique.

— Nous avons commencé à nous fréquenter durant notre dernière année d'université, et il m'a demandée en mariage à Noël. Ta grand-mère était loin d'être riche, mais elle voulait que j'aie un beau mariage, et elle a dépensé une bonne partie de l'assurance-vie de mon père, de l'argent qu'elle aurait dû garder pour vivre.

— Cela lui ressemble tout à fait. Généreuse à l'excès.

— Le mariage était déjà organisé et payé en grande partie quand Riley a rompu nos fiançailles, deux semaines avant la date prévue. Il m'a dit qu'il était tombé amoureux de quelqu'un d'autre.

— Ruthanne ?

— Nulle autre qu'elle. Elle était la fille d'une des familles les plus riches de Mustang Run. Son père possédait des intérêts dans une société pétrolière et l'un des plus grands ranchs de la région. J'étais furieuse contre Riley, peinée que ma mère ait gâché tant d'argent, et très gênée d'avoir été abandonnée pratiquement devant l'autel.

Kelly sentit son estomac se nouer tandis que la vérité se faisait jour en elle.

— Alors le sénateur Foley est mon père.

— Oui, mais je ne lui ai jamais dit. J'ai quitté la ville et commencé une nouvelle vie. J'ai demandé à ta grand-mère de répandre la nouvelle que j'avais rencontré un homme merveilleux et qu'il était mort plus tard, avant que nous puissions nous marier. J'ai dit à tout le monde que j'étais enceinte et très heureuse de porter son bébé. Cela a l'air juvénile et stupide maintenant, mais c'était ma manière de faire face.

— Grand-mère savait-elle la vérité ?

— Oui, mais elle ne l'a jamais dit à quiconque.

— Et, en dépit de tout ça, tu as travaillé pour Riley Foley dix ans plus tard ?

— Oui, une décision que je regretterai toute ma vie. Je l'ai rencontré dans un hôtel de Boston, où nous assistions à des conventions différentes. Nous avons pris quelques verres. Il m'a dit que son mariage allait très mal, et qu'il n'avait jamais cessé de m'aimer.

Et sa mère, dont Kelly avait toujours pensé qu'elle était la personne la plus sensée du monde, s'était montrée assez naïve pour avaler ça.

— Riley m'a persuadée de renoncer à mon poste de professeur en sciences politiques et de travailler à sa campagne. Nous avons passé le reste de la semaine à Boston, en séchant nos conventions respectives, sauf l'article que je devais présenter.

— Ruthanne a dû être ravie d'apprendre que tu travaillais avec son mari.

— Elle était livide et a soupçonné rapidement que nous avions une liaison. Mais c'est Helene Ledger qui nous a pris sur le fait.

A la mention du nom d'Helene, l'attitude de Wyatt changea du tout au tout. Il se redressa et fixa son regard sur Linda Ann.

— Avez-vous dit qu'Helene Ledger a découvert que Riley et vous aviez une liaison ?

— Oui. Elle était passée au quartier général de la campagne pour discuter de bénévolat. Elle nous a vus, Riley et moi, nous embrasser devant le bâtiment, puis elle nous a suivis jusqu'à l'hôtel.

— Combien de temps était-ce avant qu'elle soit assassinée ? questionna Wyatt.

Linda Ann posa les yeux sur lui.

— J'y viens.

Mais Wyatt se comportait maintenant en inspecteur. Kelly le vit dans l'expression déterminée de son regard et la crispation de sa mâchoire. Cette tension nouvelle la rendit nerveuse. C'était de sa mère qu'ils parlaient, pas d'un suspect de meurtre.

— Helene est allée voir Riley et lui a déclaré que s'il ne disait pas la vérité à Ruthanne, elle le ferait.

— Et l'a-t-elle fait ? demanda Wyatt.

— Je ne sais pas. Je sais seulement que Riley croyait qu'elle le ferait, mais qu'il s'en fichait. Il m'aimait et il allait quitter Ruthanne et m'épouser, même si cela devait lui coûter son investiture. J'avais décidé qu'il était temps de lui dire qu'il avait une fille, mais je n'en ai pas eu le temps.

Wyatt se pencha en avant, le regard rivé sur Linda Ann.

— Qu'est-ce qui vous en a empêchée ?

— Avant que je le revoie, Helene a été assassinée. J'ai piqué une crise d'hystérie. J'ai appelé Riley et je l'ai accusé de l'avoir tuée. Il m'a juré qu'il n'avait rien à voir avec ce meurtre.

— Vous l'avez cru ? interrogea Wyatt.

— Je l'ai fait après m'être calmée. Riley n'était peut-être pas un mari modèle, ni un fiancé fidèle en l'occurrence, mais ce n'était pas un assassin.

— Que s'est-il passé ensuite ? continua Wyatt. Vous avez continué à voir Foley ?

— Non. J'ai finalement repris mes esprits. Je ne voulais plus rien avoir à faire avec Riley et sa campagne. J'ai quitté son équipe et je suis retournée à Boston.

— Avez-vous appelé la police après la mort d'Helene et parlé de sa menace de révéler votre liaison ?

— Non, j'aurais dû le faire, je sais, mais cela les aurait mis sur la piste de Riley, et je savais qu'il était innocent. Cela aurait anéanti ses chances de mener une carrière politique. De plus, je déteste l'admettre, mais j'étais toujours amoureuse de lui.

— Quand l'as-tu revu ?

— Je ne l'ai jamais revu, sauf parfois, à la télévision,

quand il passait aux nouvelles nationales. Mais j'ai juré, à l'époque, de ne plus jamais me lier à lui.

Kelly luttait contre un accès de vertige et de nausée. Elle était venue chercher la vérité, mais elle ne s'attendait pas à une histoire aussi morbide. Néanmoins, elle était navrée que sa mère ait dû vivre avec ces secrets sordides. Pas étonnant qu'elle dépense toute son énergie dans son travail : sa vie privée était une affreuse pagaille.

— J'ai pleuré de soulagement quand Troy Ledger a été arrêté, et de nouveau quand il a été reconnu coupable du meurtre, avoua Linda Ann. J'étais reconnaissante que le meurtre d'Helene Ledger n'ait rien à voir avec sa menace de révéler ma liaison avec Riley. J'aimerais penser que si on n'avait pas trouvé le meurtrier d'Helene, j'aurais parlé. Malheureusement, je ne suis pas sûre que je l'aurais fait. C'était l'horrible fin d'un chapitre écœurant de ma vie. J'ai décidé alors que je ne permettrais pas que ma fille devienne un pion dans le jeu de Riley.

— Et tu as résolu de me faire croire indéfiniment que mon père était mort.

— C'est ça. Si j'ai commis une erreur, c'était par amour, et par peur que tu ne paies pour mes péchés.

Les péchés des familles peuvent tuer.
Reste en vie. Reste en vie.

La berceuse résonna de nouveau dans l'esprit de Kelly. C'était comme si son cauchemar avait tenté de l'avertir. Son cauchemar ou l'esprit d'Helene. Sauf que Kelly ne croyait pas aux fantômes.

Des larmes coulaient sur le visage de sa mère.

— Je suis tellement navrée que tu aies découvert qui est ton père de cette manière, Kelly. Pourras-tu me pardonner d'avoir choisi le mensonge et de te l'avoir fait vivre ?

Kelly s'approcha de sa mère et l'étreignit.

— Je t'ai dit que je ne suis pas ici pour te juger. Tu es

ma mère, et je t'aime. Mais je suis contente que tu m'aies enfin dit la vérité.

Ils ne restèrent pas pour le café et les scones. Kelly était certaine que son estomac ne le supporterait pas. Cinq minutes plus tard, ils étaient de retour dans le pick-up de Wyatt, en route pour Mustang Run.

La réalité de ce que Kelly venait d'apprendre commençait à pénétrer son esprit.

Riley Foley était son père, peu importait la décision de sa mère, et il y avait une possibilité pour que ce soit lui, et non Troy, qui soit à l'origine du meurtre d'Helene. Elle comprenait mieux, maintenant, pourquoi Wyatt était déterminé à découvrir la vérité sur son père.

Mais c'était bien pis pour lui que pour elle. Il avait connu et aimé son père. Le sénateur était un inconnu qui avait seulement fait don de son sperme, avant de briser le cœur de sa mère.

Et la victime brutalement assassinée était la propre mère de Wyatt.

Kelly tendit la main et la posa sur la cuisse de Wyatt.

— J'ai peur de penser à ce qui va se passer.

— Tu veux aller confronter le sénateur ?

— Peut-être un jour. Pas maintenant.

— Tu as conscience que si je découvre qu'il a assassiné ma mère, je ferai tout mon possible pour qu'il soit arrêté et condamné ?

— Je l'imagine bien.

Son père biologique était à présent le suspect principal de Wyatt dans le meurtre de sa mère, en raison de la liaison qu'il avait entretenue avec sa propre mère. Cela ne pouvait pas être plus compliqué.

Comment pourraient-ils continuer leur relation avec cette épée de Damoclès suspendue au-dessus d'eux ? Et même s'ils réussissaient à traverser cette épreuve, Wyatt n'avait manifesté aucune intention de rester à Mustang Run ou de l'emmener quand il partirait.

— J'ai quelque chose d'autre à te dire, reprit Wyatt.

Son ton grave lui fit peur.

— Est-ce quelque chose que j'ai envie d'entendre ?

— Non, mais je dois te dire que je suis persuadé que Jerome est un tueur à gages engagé par quelqu'un qui travaille pour Emanuel Leaky. Et ce n'est pas une théorie farfelue. J'ai de solides raisons de le penser.

Si Emanuel Leaky savait qu'elle avait un rapport avec son arrestation, alors sa seule option serait de retourner dans le programme de protection des témoins avec Jaci.

Cela ne prendrait-il jamais fin ?

Deux jours plus tard, les recherches de Jerome Hurley parurent faire halte, tandis que tous les autres domaines de la vie de Kelly accéléraient à une allure étourdissante.

Avant toute chose, la tension entre Wyatt et son père semblait avoir grandement diminué, depuis que le premier avait de solides raisons d'espérer que le second était innocent. Armé de l'information de la liaison de Linda Ann avec Riley, Wyatt avait une nouvelle perspective sur le meurtre d'Helene.

Le shérif McGuire l'avait engagé comme adjoint sur une base temporaire, afin qu'il puisse arrêter Jerome Hurley s'il le retrouvait. Wyatt était déterminé à le faire. Il fouillait les rues chaque jour, parfois jusqu'à la nuit, en quête d'un indice sur sa présence ou son domicile.

Quand Kelly formula l'hypothèse que Jerome était parti, Wyatt lui rappela avec brusquerie que penser de cette manière pouvait l'amener à se faire tuer. Il était convaincu que Leaky avait lancé un contrat sur elle, et que Jerome avait accepté la tâche. A présent, le criminel attendait simplement son heure.

Dylan, Dakota et Sean avaient retiré la moquette, le stuc et le bois humides de sa maison, et avaient engagé des couvreurs pour installer un nouveau toit la semaine suivante.

Elle n'arrivait pas à affronter la possibilité qu'elle ne s'installe jamais dans cette maison, même si Jerome était arrêté, et n'avait pas le cœur de le leur dire.

Si Emanuel Leaky avait commandité sa mort, elle ne pourrait rester à Mustang Run.

Finalement, le shérif lui rendit sa voiture, mais Wyatt lui ordonna de ne jamais quitter seule le ranch. Elle perturbait incontestablement la marche de la maison Ledger.

Kelly se prépara une tasse de thé brûlant, puis revint dans le salon où Jaci jouait à se déguiser, arpentant la pièce dans des chaussures à talons appartenant à Kelly et une jupe à taille élastique dont elle se servait comme d'une robe. Un vieux sac que Viviana lui avait donné complétait l'ensemble.

— Je vais aller en ville acheter des couches pour mes bébés, dit Jaci.

— Les bébés ont besoin de couches, approuva Kelly.

— Je leur achèterai aussi des bonbons.

— Je ne crois pas que les bonbons soient bons pour les bébés.

— Hon-hon. Mes bébés aiment ça.

— Le mien aussi.

La sonnette retentit. Jaci courut accueillir les visiteurs, quels qu'ils fussent.

— Laisse-moi ouvrir la porte, lui ordonna Kelly.

Elle regarda par l'œil-de-bœuf, et déverrouilla la porte en voyant Collette et Dylan.

— Je ne savais pas que tu avais déjà de la visite, sourit Dylan. Qui est cette dame ravissante ?

— C'est moi.

Jaci pouffa, et laissa tomber son sac à main pour les étreindre.

— Nous allions chez Sean, et comme nous n'avons pas vu le pick-up de Wyatt, nous avons pensé que vous aimeriez vous joindre à nous, dit Collette.

— N'est-il pas un peu tard pour aller à Bandera ?

— Il n'est que 14 heures passées de quelques minutes, répondit Collette. Nous y serons vers 15 h 30. Nous dînerons là-bas et serons de retour vers 21 heures.

— On peut, s'il te plaît, maman ? S'il te plaît, supplia Jaci. Je veux jouer avec Joey.

— Collette devient folle depuis qu'elle ne peut plus monter les chevaux et faire de l'exercice, ajouta Dylan.

Kelly devenait un peu folle elle-même. Jerome Hurley faisait d'elle une prisonnière.

— Ce serait génial, dit-elle. Je vais chercher nos vestes et dire à Troy que nous partons. Dois-je lui demander s'il veut venir ?

— Je le lui ai demandé ce matin, déclara Dylan. Il a dit non. Je crois qu'il est de nouveau dans les tableaux jusqu'au cou.

— Dylan et toi, vous pourrez parler du remodelage de ta maison pendant le trajet, intervint Collette. Il a eu l'idée fabuleuse d'abattre le mur de séparation entre la cuisine et le salon et d'en faire un grand espace ouvert.

— On peut aussi rehausser le plafond, remarqua Dylan, et percer des fenêtres sur le côté pour que tu aies plus de lumière. J'ai dessiné les plans, mais je les ai laissés chez toi. La prochaine fois que tu y vas, jettes-y un coup d'œil.

— Vous êtes stupéfiants, tous. J'ai hâte de voir ce que vous avez inventé.

Elle prenait la direction de l'arrière de la maison quand elle entendit la porte s'ouvrir de nouveau. Quand la voix de Wyatt résonna, toute idée de partir avec Dylan et Collette s'évanouit. Heureusement, ils proposèrent quand même d'emmener Jaci. Du temps en tête à tête avec Wyatt était une denrée rare.

Wyatt attacha le siège de Jaci sur le siège arrière du pick-up, et vérifia que c'était sûr. Il était encore maladroit avec la fillette. Il n'avait pas vraiment l'habitude des enfants.

Mais elle l'avait charmé, et il faisait des progrès avec elle.

Il se débrouillerait mieux une fois qu'il ne serait plus totalement concentré sur les recherches de Jerome Hurley. Même le besoin de trouver l'assassin de sa mère s'était temporairement effacé devant cette nouvelle urgence.

Une fois Kelly hors de danger, il devrait prendre des dispositions quant à leur relation. Il était fou d'elle et elle semblait partager ses sentiments. Mais la situation s'était terriblement compliquée, depuis quelques jours.

Que ressentirait-elle, quand il serait forcé de révéler aux médias les secrets enterrés de sa mère ? Que ressentirait-elle, si son enquête anéantissait son père biologique tout en blanchissant le nom du sien ?

— N'hésite pas à prendre des notes sur les dessins que j'ai laissés dans la maison, lui lança Dylan. On n'en est encore qu'au stade de l'idée, alors encourage Kelly à formuler les siennes aussi.

— Je le ferai.

Jaci grimpa sur son siège tandis que Collette parcourait en se dandinant la distance de la véranda au pick-up. On aurait dit qu'elle allait éclater d'une minute à l'autre.

— Quand doit-elle accoucher, déjà ? questionna Wyatt.

— Le médecin dit qu'elle pourrait avoir les premières contractions la semaine prochaine.

— Pourquoi tu viens pas avec nous chez Joey ? demanda Jaci à Wyatt.

— Ta mère et moi allons en ville, tout à l'heure, pour inspecter la maison où tu vas emménager.

Une BMW argentée s'arrêta dans l'allée, alors que Collette attachait sa ceinture.

— Ruthanne, dit Dylan. C'est le moment de partir.

— Il faut au moins lui dire bonjour, protesta Collette.

Les « bonjours » menèrent à un monologue interminable à propos du plaisir que ressentait Ruthanne à revoir Wyatt après tant d'années. Ce dernier saisit l'occasion de la jauger.

Riche. Séduisante. Fausse. Ces trois adjectifs la résumèrent dans son esprit. S'il devait émettre une hypothèse, il aurait parié que c'était sa richesse et son influence politique qui avaient amené Riley à abandonner la mère de Kelly.

Le sénateur était déjà un conspirateur à l'époque. L'envie démangeait Wyatt de revenir à l'affaire de la mort de sa mère. Si Riley Foley était à l'origine du meurtre d'Helene, Wyatt veillerait à ce qu'il paie pour ça. Mais même une sentence de mort ne compenserait pas la vie d'Helene, les années volées à Troy, et le cœur brisé des garçons qui avaient grandi sans père et mère.

— Je ne veux pas vous retarder, dit enfin Ruthanne. Troy est là ?

— Oui, mais il est occupé, répliqua Dylan. Il a dit qu'il ne voulait pas être dérangé.

Bon réflexe de la part de Dylan. Troy lui en serait reconnaissant.

— 'Lons-y, dit Jaci, énonçant tout haut ce qu'ils pensaient tous.

— Et où vas-tu, Jaci ? demanda Ruthanne.

— On va chez Joey. Maman peut pas venir, pasqu'elle va voir notre nouvelle maison.

— C'est bien.

Ruthanne rentra enfin dans sa voiture. Jaci agita la main tandis que Dylan démarrait. Et Wyatt rejoignit Kelly dans la maison pour un petit délice d'après-midi.

Il y avait un bar de motards à la limite du comté, où quelqu'un lui avait dit le matin même que Jerome venait de temps en temps.

S'il se montrait ce soir-là, ce serait sa dernière soirée dehors pour un bon bout de temps.

Kelly se sentit tout excitée tandis que Wyatt et elle s'avançaient vers la porte de la maison Callister. En dépit des craintes de Wyatt, elle refusait de croire qu'elle était sur la liste noire d'Emanuel Leaky. Jerome n'était qu'un malade qui la harcelait pour ses propres raisons perverses.

Croire qu'Emanuel voulait la voir morte équivalait à renoncer à vivre une vie normale.

Elle devait s'en tenir au fait que Jerome serait bientôt arrêté et qu'elle s'installerait alors dans cet adorable cottage pour y vivre sa vie… avec Wyatt, avec un peu de chance.

Wyatt ouvrit la porte et attendit qu'elle pénètre à l'intérieur. Elle regarda autour d'elle, choquée par la nudité de la maison dépouillée de la plupart de ses revêtements intérieurs.

— On dirait un squelette, dit-elle.

— Représente-la-toi avec la chair. Si nous abattons ce mur qui sépare cette pièce de la cuisine, que nous rehaussons le plafond de soixante centimètres, et que nous perçons un rang de fenêtres sur le mur latéral, cette pièce aura l'air deux fois plus grande.

Elle visualisa les modifications, de la même manière qu'elle le faisait pour retravailler un bijou. Il fallait peser ce qu'on perdait de l'ancien dessin contre ce qu'on gagnait avec le nouveau. Mais s'ils se débrouillaient bien, elle pourrait garder le style cottage de la maison, sans se sentir enfermée.

— Je crois que c'est une très bonne idée. Je dirai à Dylan que…

Un bruit de raclement en provenance du couloir l'interrompit.

— Qu'est-ce que c'était que ça ?

Wyatt posa la main sur la crosse du revolver qu'il portait à la ceinture, depuis qu'il était adjoint.

— Reste là, je vais aller voir.

Une seconde plus tard, elle entendit :

— Foley ! Que s'est-il passé ?

La question de Wyatt fut suivie d'un bruit qui ressemblait à celui d'une masse abattue sur un mur. Kelly se précipita dans le couloir obscur.

Wyatt était sur le sol, du sang coulant à flots d'une énorme entaille à la tête. Ses yeux étaient révulsés et il ne bougeait pas.

— Quel plaisir de vous revoir, Kelly. Maintenant nous allons avoir tout le temps de parler de Linda Ann.

16

— Ruthanne ?

— Oui, c'est bien moi. Eh oui, je sais tout de la sordide liaison de votre mère avec Riley.

Ses yeux noirs accusateurs étaient fixés sur Kelly, et le pistolet qu'elle tenait à deux mains était pointé sur sa tête.

La peur envahit Kelly, si puissante que ses jambes pouvaient à peine la porter. Elle n'arrivait pas à penser avec clarté. Tout cela n'avait aucun sens.

Wyatt ne bougeait toujours pas. Etait-il mort ? Non, ce n'était pas possible. Elle ne le laisserait pas mourir. Elle devait trouver une manière de les sauver tous deux.

— Attachez Wyatt, Jerome, et dépêchez-vous, ordonna Ruthanne. Nous devons en finir, et partir d'ici avant que McGuire, ou l'un de ses malheureux adjoints ne vienne fureter par ici.

Kelly repéra alors Jerome. Celui-ci lui lança un regard aussi pervers que celui qu'il lui avait jeté en quittant le relais routier.

— J'vous avais dit qu'on se reverrait. Même si je ne m'attendais pas à ce que ce soit comme ça.

Kelly sentit ses entrailles se nouer.

— Vous êtes dépravé.

Il rit comme si elle venait de lui faire un compliment.

Enfin, elle identifia la source du raclement qui s'était fait plus fort. Riley gisait à quelques mètres dans le couloir, ligoté et bâillonné. Du sang lui sortait de la bouche, et se répandait sur sa poitrine.

Kelly détourna le regard de ce spectacle sanglant. Elle devait se concentrer.

— Vous vous êtes associée à Jerome ? Mais pourquoi, Ruthanne ? Rien de tout cela ne vous concernait. C'est Riley qui a enfreint toutes les règles

— Riley n'a rien accompli tout seul, à part courir le jupon. C'est moi qui l'ai *fait*. J'ai investi de l'argent dans sa campagne, et utilisé l'influence de ma famille pour le propulser dans les cercles politiques utiles. Il m'a remerciée en me quittant.

Ou sans doute, il l'avait quittée parce qu'elle était folle, se dit Kelly.

Wyatt était toujours inconscient, mais à présent Kelly voyait le marteau gisant à ses pieds. Ce devait être avec cela que Jerome l'avait frappé.

Jerome ligota les chevilles de Wyatt puis lui lia les mains derrière le dos. Enfin, il prit le revolver de Wyatt dans son holster et le poussa du pied vers Ruthanne.

— Vous voulez que j'abatte cette garce pour vous, ou bien vous avez l'intention de rester là à parler toute la journée ?

— Taisez-vous, Jerome. C'est moi qui commande, ici. La dernière fois que je vous ai confié un meurtre, vous avez si lamentablement échoué que j'ai dû m'en occuper moi-même.

— Je n'ai pas échoué. C'est vous qui ne pouviez pas attendre que je mette mon plan à exécution.

— Je ne veux pas lui tirer dessus. Je veux qu'elle soit vivante pour sentir la chaleur des flammes, quand cette maison brûlera et sera réduite en cendres. Dommage que sa mère adultère ne soit pas là pour partager la fête. Versez de l'essence partout dans la maison, maintenant. Nous avons assez perdu de temps.

— C'est comme si c'était fait.

Jerome s'éloigna en riant.

Luttant contre la panique qui l'envahissait, Kelly s'efforçait de comprendre la vérité.

— Donc vous étiez au courant de la liaison de ma mère avec Riley ?

— Ça vous surprend ?

— C'est Helene Ledger qui vous l'a dit ?

— Non. J'ai fait en sorte que cette fouineuse vertueuse n'ait jamais l'occasion d'en parler à quiconque.

— C'est vous qui avez tué Helene Ledger, articula Kelly quand l'évidence se fut frayée un chemin dans son esprit en proie à la confusion.

— Je n'avais pas le choix.

— Mais vous étiez amies ! Elle essayait de vous aider. Elle a confronté Riley pour le forcer à révéler leur liaison…

La liaison illicite de la mère de Kelly. Comment cela avait-il pu mener à un meurtre et maintenant à cela ? La réponse était tragiquement claire. Ruthanne était folle, impitoyable et vindicative au-delà du croyable. Pourtant…

Wyatt remua. Il était vivant. Le soulagement envahit Kelly, bien qu'elle sache que si elle ne faisait pas quelque chose rapidement, Wyatt, Riley et elle ne resteraient pas longtemps en vie.

Elle se demanda si la confession de Ruthanne avait percé l'état de coma de Wyatt et l'avait ramené à la conscience.

Le doigt de Ruthanne se recourba sur la détente.

— Je préfère ne pas vous tuer, Kelly, mais faites un seul geste, et je presse la détente.

Recevoir une balle serait infiniment préférable à brûler vive, mais elle ne pouvait renoncer. Le shérif et ses adjoints allaient peut-être faire leur apparition, comme l'avait dit Ruthanne.

L'odeur de l'essence se répandit dans la maison, piquant les yeux et la gorge de Kelly.

Wyatt se mit à se tordre de douleur, tout comme Riley quelques minutes auparavant. Non. Du coin de l'œil, Kelly comprit que les contorsions de Wyatt étaient volontaires.

Il essayait de se libérer les mains. Il fallait qu'elle fasse parler Ruthanne. Wyatt avait besoin de temps et c'était ce qui leur manquait.

— Pourquoi avoir tué Helene ? répéta Kelly.

— Elle ne voulait pas seulement que Riley m'avoue son infidélité. Elle voulait qu'il confesse ses péchés devant les électeurs. Helene était très à cheval sur la morale. Elle croyait que les politiciens doivent adhérer à des principes plus élevés que le reste d'entre nous.

Presque tout le monde avait des principes plus élevés que Ruthanne, songea Kelly.

— L'élection de Riley signifiait-elle tellement pour vous ?

— C'était tout pour moi ! Si ses chances d'être élu avaient disparu, il aurait divorcé et épousé Linda Ann. J'ai veillé non seulement à ce qu'il soit élu, mais aussi à ce qu'il ne puisse pas me quitter sans devenir le principal suspect dans le meurtre d'Helene.

— Vous vous êtes tue et avez laissé Troy Ledger aller en prison pour votre crime ?

— Non. Je n'ai rien laissé au hasard. J'ai fait les bagages d'Helene ce jour-là, après l'avoir tuée avec le revolver de Troy. J'ai déchiré ses vêtements afin que, si Troy arrivait à prouver son innocence d'une manière quelconque, McGuire ne puisse pas soupçonner une femme du crime.

— Vous ne réussirez jamais à vous en sortir.

— Bien sûr que si. C'est Jerome qui portera toute la culpabilité. Ça ne lui fera rien, il sera à Rio de Janeiro. Son départ est déjà organisé.

La voix de Ruthanne était devenue rauque à cause des vapeurs d'essence.

— C'est fait, prévint Jerome.

Il s'approcha de Wyatt pour laisser couler les dernières gouttes d'essence sur sa chemise.

— Je m'en vais, à présent, déclara Ruthanne. Attachez Kelly, sortez et attendez d'entendre ma voiture démarrer, avant de mettre le feu à cet incinérateur. Ravi d'avoir fait votre connaissance, Wyatt, ajouta-t-elle, comme si elle ne faisait que passer. Mes respects à votre mère, et dites-lui que j'ai l'intention d'épouser le pauvre mari endeuillé qu'elle a laissé derrière elle.

Ruthanne tourna les talons et prit la direction de la porte arrière.

Tout était dit. Wyatt et Kelly allaient mourir ensemble. Elle ne sentirait plus jamais ses bras autour d'elle. Elle ne serait pas là pour voir grandir Jaci.

Des larmes brûlèrent les yeux de Kelly tandis que Jerome l'attachait. Même ligotée, elle pourrait peut-être ramper jusqu'à la porte, mais pas avant que Jerome n'ait laissé tomber une allumette et créé l'enfer. Il n'y avait aucun moyen de sauver Wyatt ou elle-même.

— Je t'aime Wyatt. Je t'aime de tout mon cœur. Je veux passer le reste de ma vie avec toi et Jaci. Je le veux tellement, tellement...

Jerome lui fourra un bâillon dans la bouche et s'éloigna.

17

Wyatt libéra sa main du dernier nœud, juste au moment où Jerome se penchait sur lui. Il lui attrapa une jambe et tira si fort que la tête de Jerome rebondit contre le mur du couloir tandis qu'il tombait à terre. Son revolver vola à travers la pièce.

Les chevilles de Wyatt étaient toujours ligotées. Sa seule chance était de maintenir Jerome au sol. Si ce dernier réussissait à se remettre debout, Wyatt ne pourrait sans doute pas le retenir avant qu'il n'enflamme l'essence et s'enfuie.

Il était hors de question que Wyatt laisse cette maison brûler avec Kelly à l'intérieur. Il devait lui donner le temps de s'échapper. L'adrénaline se répandit à plein jet dans ses veines. Son instinct et son entraînement avaient pris le contrôle de ses muscles et de son cerveau. Il arracha le bâillon de sa bouche.

— Sors d'ici, Kelly ! Roule sur toi-même jusqu'à la porte ou tiens-toi au mur et fais des bonds. Mais sors d'ici tout de suite !

Jerome lança un coup de coude dans le cou de Wyatt, mais celui-ci maintint son emprise, tandis que Jerome se préparait à lui envoyer son genou dans l'aine.

Kelly se déplaçait, mais dans la mauvaise direction. Elle venait vers Jerome et lui. Jerome était de dos par rapport à elle, mais il ne la laisserait jamais passer.

Puis il vit le pied de Kelly effleurer le revolver de Jerome. Elle le poussa du pied vers Wyatt. L'arme s'arrêta à quelques centimètres, hors de portée.

Wyatt entendit la porte de derrière s'ouvrir. C'était sans

aucun doute Ruthanne, qui revenait s'informer des raisons de ce délai. Elle avait un revolver, et il était possible qu'elle ne se rende pas compte qu'un coup de feu suffirait à enflammer toute la maison.

Wyatt poussa de toutes les forces de son corps. Il réussit à déplacer le corps de Jerome et le sien juste assez pour refermer sa main sur la crosse du revolver. Puis il enfonça l'arme dans le flanc de son adversaire.

— Si je presse la détente, nous allons tous exploser, dit-il.

— Ce n'est pas sûr.

— Tu veux prendre le risque ?

Le visage de Jerome prit une teinte cendrée et la sueur se mit à couler sur sa figure comme s'il sortait de la douche.

Wyatt entendit des pas lourds provenant de la façade de la maison. Jerome se libéra et se mit à courir vers l'arrière.

McGuire parcourait le couloir en martelant le sol.

— Enfer et damnation ! Cette maison a plus d'essence qu'Exxon. Quel genre de fête est-ce que vous donnez, les gars ?

Le soulagement envahit Wyatt, mais il fut de courte durée.

— Jerome a des allumettes et encore de l'essence. La maison va exploser.

— Jerome porte de jolis bracelets métalliques à l'heure qu'il est. Mes adjoints l'ont appréhendé avant qu'il ne passe la porte pour finir son sale boulot.

Puis il cria à un autre adjoint qui venait d'entrer dans la maison :

— Brent, emmène Kelly dehors, et ne t'arrête pas jusqu'à ce qu'elle soit hors de danger. Charlie, fais la même chose avec… Bon sang, c'est le sénateur. Fais-le sortir aussi.

McGuire s'était déjà agenouillé et défaisait les cordes qui retenaient les chevilles de Wyatt.

Celui-ci vacilla un peu en se remettant debout.

— Appuyez-vous sur moi, Wyatt, ordonna McGuire. Il faut y aller.

Le temps qu'ils sortent, des voitures de patrouille et des camions de pompiers remplissaient l'allée.

Wyatt était encore un peu étourdi et une bosse de la taille d'un œuf se formait sur le côté de sa tête. Cela aurait été bien pis s'il n'avait pas saisi le bras de Jerome à temps pour ralentir le coup.

Il chercha Kelly des yeux et la vit entourée d'adjoints à l'autre bout de l'allée. A sa grande surprise, il remarqua Ruthanne, elle aussi entourée d'adjoints.

— Je veux que Kelly et vous alliez à l'hôpital pour vous faire examiner. Ordre de la police, déclara McGuire, avant qu'il ne proteste. Je vous y rejoindrai et je prendrai vos dépositions là-bas.

— Vous êtes tombé à pic, lui dit Wyatt. Comment avez-vous fait ?

— La réactivité de la police. J'avais demandé à mes adjoints de surveiller régulièrement la zone boisée, derrière la maison de Kelly, au cas où Jerome se cacherait dedans. Quand j'ai vu les voitures, j'ai appelé des renforts. Puis nous sommes tombés sur Ruthanne, qui prenait la poudre d'escampette. J'ai pensé qu'elle avait quelque chose à voir là-dedans.

— Elle a avoué avoir tué ma mère.

— Vous plaisantez ?

— Non. C'est une histoire longue et compliquée. Je vous donnerai tous les détails, mais d'abord je dois m'assurer que Kelly va bien.

— Mais vous avez dit que Ruthanne a admis avoir tué Helene ?

— Oui. Elle s'adressait à Kelly, mais je l'ai entendue. Bien sûr, elle s'attendait à ce que nous mourions avant de pouvoir le répéter.

— Dans ce cas, je pense que vous devriez réaliser une dernière tâche en tant qu'adjoint.

— Laquelle ?

— Arrêter Ruthanne Foley pour le meurtre d'Helene Ledger.

— Je crois que je peux faire ça.

Kelly se tenait à quelques pas, quand Wyatt lut ses droits à Ruthanne et lui glissa les menottes aux poignets. Elle savait qu'il vivait pour ce moment depuis qu'il avait treize ans et était rentré à la maison pour trouver le corps de sa mère.

Quelques minutes auparavant, elle avait pensé qu'ils allaient mourir. A présent, la vie s'étendait devant eux, comme une route pavée de promesses dorées. Tout ce qu'ils avaient à faire, c'était de l'emprunter.

Elle lui avait avoué ce qu'elle ressentait. Le reste lui appartenait. Elle lui donnerait tout le temps dont il avait besoin. Elle n'allait nulle part.

Quand il eut fini de procéder à l'arrestation, le shérif conduisit Ruthanne vers une voiture de patrouille.

Wyatt s'approcha de Kelly et la prit dans ses bras.

— J'ai affronté des tueurs plus souvent que je ne m'en souviens, déclara-t-il. Mais je n'ai jamais eu aussi peur que ce soir, quand j'ai cru que je ne pourrais pas te sauver.

Sa voix était rauque d'émotion.

— Tu m'as sauvée, Wyatt. Tu nous as sauvés tous les deux, et le sénateur aussi.

— Oui, mais il y a quelque chose que nous devons éclaircir tout de suite.

— Je n'arrive pas à penser à quelque chose qui ne puisse pas attendre.

— Moi oui. Tu te souviens de ce que tu as dit quand tu as pensé que nous allions mourir ?

— Que je t'aimais.

— Que tu voulais passer le reste de ta vie avec moi.

— Tu n'es pas obligé de…

— Ne retire pas ce que tu as dit. Je sais reconnaître une

demande en mariage quand j'en entends une. Ma réponse
est oui.

— Oh ! Wyatt, je t'aime !

— Je t'aime aussi, Kelly. Je n'ai jamais été aussi certain
de quelque chose de toute ma vie.

Il l'embrassa, et la vie qui avait failli si mal tourner reprit
son cours normal autour d'elle.

Epilogue

Trois mois plus tard

Troy se tenait dans le jardin, derrière la maison, et savourait le bonheur qui l'envahissait à l'idée du mariage de Wyatt et Kelly.

Tyler était rentré d'Afghanistan pour de bon, et travaillerait au ranch avec Dylan et lui. Eve avait une petite bosse sous sa nouvelle robe. Joey aurait un petit frère ou une petite sœur à l'automne. Collette avait donné le jour à un solide petit garçon, auquel ils avaient donné le prénom de Troy.

Dakota reprendrait ses études à l'automne pour préparer un diplôme de médecine vétérinaire équine. Wyatt et Kelly s'étaient installés dans la vieille maison Callister, bien qu'ils travaillent toujours sur la nouvelle aile. Et Wyatt avait pris la direction du nouveau département des homicides de Mustang Run.

Nonobstant les dix-sept années qu'il avait passées en prison, Troy était incroyablement chanceux. Il avait épousé la femme qu'il aimait et avait eu cinq beaux garçons avec elle. Il chérissait les souvenirs de sa vie avec Helene. Elle lui manquait tant, à des moments comme celui-là, qu'il pouvait à peine le supporter.

Helene aurait dû être là aujourd'hui. Elle aurait dû partager ce moment avec Wyatt et Kelly. Elle aurait dû se régaler de ses petits-enfants et presser le fils de Dylan sur son cœur, en lui chantant une berceuse comme elle l'avait fait pour leurs fils.

Dernièrement, elle ne venait plus le rejoindre quand il marchait dans le jardin dans la brume froide ou le miroitement du clair de lune. Mais il pouvait toujours la retrouver dans son cœur.

Wyatt s'approcha de lui.

— Maman te manque toujours, n'est-ce pas ?

— Elle me manquera toujours, mais la vie continue. Je suis un homme heureux.

— En dépit de toutes les années que tu as passées en prison ?

— J'aurais dû défendre davantage ma liberté. J'aurais dû le faire pour vous, les garçons. Mais je n'arrivais pas à surmonter mon chagrin. Ce n'est pas une excuse. C'était ainsi.

— Je sais. Je me suis finalement pardonné pour n'avoir pas réussi à rassembler la famille en ton absence.

— Tu n'as rien à te pardonner. Tu étais un fils formidable et tu l'es toujours. Tu étais notre premier-né. C'est toi qui as fait de nous une famille.

Troy mit son bras sur les épaules de Wyatt.

— Maintenant, tu vas avoir une famille à toi, et je ne doute pas que tu seras un merveilleux mari et père.

— Merci, papa. Et au cas où je ne te l'aurais pas dit, je t'aime.

— Je t'aime aussi, fils.

Troy essuya de la main une larme au coin de son œil tandis que Wyatt s'éloignait.

Jaci courut à lui et lui tira la manche.

— Viens, grand-père. 'Lons-y. Faut que tu me regardes jeter les pétales de roses pour que maman marche dessus.

Wyatt se tenait sous l'arche de fleurs et regardait sa splendide fiancée. Du jour le plus tragique de sa vie au plus heureux, les choses avaient accompli un tour complet à Willow Creek Ranch.

La vie n'était jamais juste ni prévisible. Mais à présent, elle était aussi douce que possible. Justice avait enfin été faite pour sa mère. Le nom de son père avait été blanchi. Tristement, le sénateur Foley n'avait pas survécu à sa blessure à la poitrine, et Kelly ne pourrait jamais décider par elle-même si elle voulait de lui dans sa vie ou non.

Mais Ruthanne était en prison, attendant son procès pour le meurtre d'Helene et Riley. Jerome était aussi en prison. Rien n'indiquait qu'Emanuel Leaky projetait de se venger de Kelly, ou même qu'il savait qu'elle avait joué un rôle dans son arrestation.

Et Wyatt Ledger, le flic dur et solitaire, était sur le point de se lier à une femme et une fille qu'il aimait plus qu'il n'aurait cru possible.

— Wyatt Ledger, acceptez-vous de prendre pour épouse légitime Kelly Burger, ici présente, pour vivre dans les liens du mariage ? Promettez-vous de la chérir, de la consoler, l'honorer et la garder, pour le meilleur et pour le pire, dans la richesse et la pauvreté, la santé et la maladie, et de lui rester fidèle jusqu'à ce que la mort vous sépare ?

— Oui.

C'était la promesse la plus facile qu'il ait jamais faite.

— Vous pouvez embrasser la mariée.

Kelly sentit la promesse de milliers de lendemains dans le baiser de Wyatt. Elle n'avait jamais imaginé qu'elle pourrait être aussi heureuse.

Quand la marche nuptiale se fit entendre, ses pensées se tournèrent vers la femme qui avait donné le jour à l'homme merveilleux qu'elle aimait si profondément.

— Repose en paix, Helene Ledger. Tes fils sont tous rentrés à la maison.

RACHEL LEE

Irrésistible séduction

BLACK *ROSE*

éditions **HARLEQUIN**

Titre original : RANCHER'S DEADLY RISK

Traduction française de ESTELLE BELHIS

1

Sur le chemin qui la menait de chez elle à l'établissement scolaire où elle enseignait, Cassie Greaves se prit à penser que le temps s'était bien rafraîchi dans le comté de Conrad. A l'est, le soleil à peine levé jetait un éclat mordoré sur le paysage et les arbres, dont la parure avait changé de couleur quelques semaines plus tôt, se défaisaient à présent de leur manteau rougeoyant, laissant à nu leur ramure qui semblait tendre de longs doigts gris vers les cieux. Elle s'amusait à traîner les pieds dans les feuilles mortes comme lorsqu'elle était enfant, et un sourire lui montait aux lèvres.

Au cours de sa carrière d'enseignante, soit durant les sept dernières années, elle avait vécu sous des climats beaucoup plus chauds, dans des endroits où seules deux, voire trois saisons alternaient. Une des raisons qui l'avaient attirée dans ce comté était de retrouver l'hiver, de connaître de nouveau la froidure, de devoir s'emmitoufler à chaque sortie, ainsi que de passer des soirées tranquilles, à corriger des copies ou à lire un roman, une tasse fumante à ses côtés.

Ayant été élevée dans le Nord-Ouest, elle avait ressenti un besoin grandissant de s'enfouir chaque nuit sous de nombreuses couvertures, pour se réveiller chaque matin à l'écoute des bruits de la ville étouffés par une épaisse couche de neige fraîchement tombée.

Aussi romantique que fût l'image qu'elle s'en faisait, elle savait aussi qu'elle apprécierait nettement moins d'autres aspects de la froide saison, mais ce matin, elle préférait ne pas y songer.

Elle ne voulait penser qu'à cette douce morsure du froid, à la perspective de redécouvrir les joies du ski, et à cette nouvelle école qu'elle adorait déjà. Il s'agissait d'un lycée de huit cents élèves, donc bien plus petit que ceux qu'elle avait eu l'habitude de fréquenter. De plus, en dépit de récentes coupes budgétaires, ses classes comptaient de petits effectifs. Il était du fait bien plus facile d'apprendre à connaître les élèves, et lorsqu'elle parcourait les couloirs, de nombreux visages lui semblaient déjà familiers.

Les longs corridors. Une autre chose qui lui plaisait. Dans les établissements précédents, il n'y en avait pas. Elle sortait d'une classe rafraîchie par l'air conditionné et se trouvait écrasée par la chaleur en empruntant une coursive, avant de pénétrer dans une autre salle climatisée. Si ces patios avaient leur charme, elle aimait davantage les bâtiments plus classiques.

Elle sourit plus largement puis se mit à chantonner en parcourant les quatre derniers pâtés de maisons qui la séparaient du lycée. Elle enseignait les mathématiques à quatre niveaux différents, ce qui lui permettait de ne jamais sombrer dans la monotonie.

Elle avait tiré quelques leçons de ses premières semaines d'enseignement dans le comté. Nombre de ses élèves n'avaient aucune intention d'aller à l'université. Beaucoup souhaitaient reprendre le commerce ou la ferme de leurs parents, si bien qu'elle avait dû se résoudre à adapter le contenu des problèmes qu'elle leur soumettait en classe, de manière qu'ils y trouvent un intérêt pratique. Contrairement à d'autres villes où elle avait exercé, beaucoup de jeunes ici ne concevaient pas d'étudier pour la simple raison qu'on leur demandait de le faire.

Par ailleurs, l'homogénéité de leurs origines sociales l'avait incitée à reformuler ses énoncés de manière plus pragmatique, car tous semblaient être intéressés par le même type d'exercices. Et depuis qu'elle lui demandait de calculer l'espace nécessaire au stockage d'un certain nombre de bottes de foin, sa classe d'algèbre ne la fixait plus d'un regard consterné. Les élèves, de retour à la maison, allaient mesurer une botte de foin, ronde ou oblongue, suivant la machine employée, puis lui fournissaient une réponse obtenue en s'étant littéralement retroussé les manches.

Rien ne leur plaisait tant que découvrir le volume d'un silo à grain, calculer des volumes de bois de construction, dessiner les plans d'un hangar, ou évaluer le nombre d'hectares de pâture nécessaires à un troupeau d'un certain nombre de têtes. La passion avec laquelle elle exerçait son métier semblait d'ailleurs prendre une nouvelle mesure.

Inspirant l'air frais à pleins poumons, elle s'avisa que ce lieu l'avait conquise bien plus vite qu'elle ne l'aurait espéré.

Lorsqu'elle arriva sur le campus, Lincoln Blair se tenait sur le perron du lycée. Depuis son arrivée, l'entraîneur de l'équipe de football, qui enseignait également les sciences, s'était montré très distant avec elle, même si tout le monde paraissait beaucoup l'apprécier.

Personnellement, elle l'avait surnommé « le bourreau des cœurs » parce qu'il était si séduisant qu'elle ne pouvait ignorer les étranges effets qu'il produisait sur sa libido lorsqu'il se trouvait à proximité. Il avait les cheveux sombres et les yeux d'un bleu éclatant, et quelque chose en lui donnait à croire qu'il descendait d'une longue lignée de guerriers celtes. Aucune femme ne pouvait rester insensible à sa mâchoire carrée, sa peau légèrement tannée par le soleil et le vent, et ce bassin étroit qu'un déhanchement indolent mettait en valeur.

D'après les dires de ses collègues, il s'occupait du ranch que possédait sa famille depuis de nombreuses générations, et il y travaillait dès qu'il en avait le temps, ce qui expliquait certainement ses traits burinés. Mais, alors que les autres enseignants l'avaient accueillie à bras ouverts, il s'était claire-ment distingué par l'air réservé qu'il avait affiché en la voyant.

Evidemment, elle ne pouvait le lui reprocher. Elle avait assez souvent eu affaire à des hommes qui n'attendaient d'elle qu'une aventure sans lendemain pour se convaincre que quelque chose chez elle ne tournait pas rond. Par ailleurs, elle savait qu'il n'était jamais judicieux d'entamer une relation avec un collègue, *a fortiori* dans une ville aussi petite, où les gens ne manqueraient pas de le remarquer, et d'en alimenter les potins locaux.

Ce n'était certes pas la première fois qu'un homme l'ignorait, et à en juger par ses expériences passées, s'enticher de Lincoln Blair ne ferait que la rendre malheureuse, tôt ou tard.

Il la salua d'un hochement de tête lorsqu'elle arriva à sa hauteur, et lui ouvrit la porte, sans toutefois lui emboîter le pas. Elle en conclut qu'il était de surveillance à la rampe des bus, cette tâche ingrate consistant à s'assurer que les élèves descendant des transports en commun ne profitaient pas des quelques mètres les séparant de la porte d'entrée de l'établissement pour chahuter.

Tout en saluant ses collègues de gestes amicaux en se dirigeant vers sa classe, elle tenta de chasser de ses pensées l'image de Lincoln. Contrairement aux autres écoles où elle avait enseigné, elle avait sa propre salle de classe, ce qui lui laissait le loisir de la personnaliser un peu. Il était agréable d'avoir un espace où accrocher des posters ou disposer du matériel qui pourrait éveiller la curiosité de ses élèves. Elle faisait aussi de son mieux pour donner à sa discipline d'enseignement un tour concret, car après tout, les mathématiques faisaient partie de la vie quotidienne. En classe, le terrain d'application était simplement différent, et un peu plus ciblé, rien de plus.

Elle prépara rapidement son espace de travail, puis regagna le couloir pour y surveiller les allées et venues des élèves. Cette école avait conservé le principe des heures de vie de classe, durant lesquelles le professeur principal effectuait l'appel du matin et transmettait les informations importantes. Au bout de quinze minutes, les élèves rejoignaient leur première classe, alors que dans les autres établissements où elle avait enseigné, cette prise de contact faisait partie intégrante du premier cours. Or, si cette solution réduisait les déplacements des élèves, les professeurs, en contrepartie, voyaient leurs heures d'instruction passablement rognées.

Comme tous les vendredis, les élèves semblaient un peu plus turbulents, et moins concentrés qu'à l'ordinaire, leur esprit manifestement focalisé sur les activités qu'ils avaient planifiées pour le week-end à venir. A moins qu'ils ne soient seulement impatients de s'échapper pour profiter du temps absolument magnifique.

Quoi qu'il en soit, elle se sentait déjà fatiguée lorsqu'elle verrouilla sa salle de classe au moment de la pause-déjeuner. Comme elle n'avait pas à surveiller la cafétéria ou les couloirs aujourd'hui, la salle des professeurs semblait lui tendre les bras.

Son sac-repas à la main, elle rejoignit le flot des élèves qui se dirigeaient vers le réfectoire ou la salle de permanence.

Très rapidement, le corridor qu'elle empruntait se vida, si bien qu'elle se retrouva seule. Mais lorsqu'elle arriva à la hauteur des toilettes des garçons, un cri la fit s'arrêter.

— Arrêtez ! Fichez-moi la paix !

Craignant que la situation n'ait le temps de s'envenimer si elle se contentait d'attendre l'arrivée d'un collègue masculin, elle s'engouffra sans hésiter dans les toilettes en poussant la porte du coude.

Si les cinq élèves qui s'y trouvaient ne la remarquèrent même pas, ce qu'elle vit la perturba profondément. Elle savait que ce genre de choses se produisait dans pratiquement toutes les écoles, mais le fait d'en être un témoin direct l'horrifia.

L'un de ses élèves, James Carney, était acculé dans un coin de la pièce, les bras repliés contre son visage, comme pour se protéger. Il était petit pour son âge, aussi frêle qu'un roseau, et elle avait déjà eu l'occasion de remarquer qu'il n'avait pas beaucoup d'amis. D'ailleurs, en avait-il un seul ?

Quatre autres garçons l'entouraient, et l'insultaient copieusement, le traitant tour à tour d'intello, de crétin, de gonzesse.

Inutile de lui faire un dessin pour comprendre ce qui se passait. Avant qu'elle ait le temps d'intervenir, deux des garçons se mettaient à cracher sur James, ce qui, de toute évidence, n'était pas la première fois.

Avant que la scène ne prenne un tour plus violent, elle frappa dans ses mains le plus fort possible, et cria :

— Ça suffit !

Quatre visages effarés se tournèrent vers elle. Il fallut davantage de temps à James pour qu'il baisse enfin la garde.

— Où est-ce que vous vous croyez ? rugit-elle. De quel droit traitez-vous quelqu'un de cette manière ? Si vous avez pris la peine de lire le règlement du lycée, vous savez à quelles sanctions vous vous exposez. James, tu vas bien ?

Le jeune garçon se releva et se précipita vers la sortie.

— Je vais bien, marmonna-t-il en passant à côté d'elle. Ne compliquez pas les choses.

— Va voir l'infirmière, dit-elle avant de se tourner vers les autres.

Alors qu'elle prenait pleinement conscience de ce qu'elle venait de voir, elle sentit la colère enfler en elle. Durant de longues secondes, elle se contenta de dévisager les quatre agresseurs.

Garde ton sang-froid, s'exhortait-elle.

Dans ce genre de situations, il était primordial de rester calme et raisonnable.

— C'est du harcèlement, dit-elle posément. Un acte méprisable. Cela ne fait pas de vous des hommes, bien au contraire. Et vous savez que cela n'est pas acceptable dans un établissement scolaire. Suivez-moi au bureau du principal.

— Vous pouvez toujours essayer, rétorqua l'un d'entre eux, avant qu'ils ne lui frôlent l'épaule en quittant les lieux de leur forfait.

Livide, et impuissante, elle savait qu'il était vain de leur courir après ou de s'interposer physiquement.

Mais elle n'allait pas rester les bras ballants, certainement pas. Elle ramassa son sac-déjeuner, qu'elle fourra dans une poubelle — hors de question de consommer de la nourriture tombée à terre, *a fortiori* dans des toilettes — puis elle se rendit chez son supérieur. Elle n'allait pas tolérer cet acte de défi.

Mon Dieu, se dit-elle en chemin, James semblait résigné à se faire battre... si cela ne s'était pas déjà produit lorsqu'elle avait fait irruption dans la pièce. Elle aurait aimé connaître le nom des quatre élèves. Ils étaient de toute évidence dans la classe de Gloria Teasdale, l'autre professeur de mathématiques. Gloria approchait de la retraite, et travaillait à temps partiel. Déjà âgée à leurs yeux et portant trop de parfum, elle était parfois la cible de remarques désobligeantes de la part de ses élèves, mais Cassie avait choisi de les ignorer. Il était naturel que les élèves parlent de leurs enseignants en dehors de leur classe, et elle ne voyait pas au nom de quoi elle pourrait les en empêcher. D'ailleurs, elle était persuadée que certains ne devaient pas se gêner pour la critiquer elle aussi. Les risques du métier, songea-t-elle, avec un sourire mi-figue, mi-raisin.

Mais le harcèlement était d'une tout autre nature. Outre le fait que c'était clairement interdit par le règlement intérieur, ceux qui en étaient victimes gardaient des séquelles psychologiques, et parfois physiques.

Lorsqu'elle arriva au secrétariat, elle demanda à Marian, la réceptionniste, de prendre contact avec l'infirmière scolaire afin de s'assurer que James allait bien. Puis elle entra dans le petit bureau du principal. C'est là qu'il déjeunait chaque jour, semblant chercher à éviter la salle des professeurs tout autant que le réfectoire.

Parfois elle se disait qu'il se retranchait derrière des barricades qui l'isolaient de tous les tracas auxquels on est confronté dans un lycée. D'autres jours, elle avait plutôt le sentiment qu'il se sentait comme un poisson hors de l'eau, et qu'il n'était pas à son aise parmi les collègues. A moins qu'il ne considère plus confortable pour les professeurs de ne pas être en présence de leur directeur durant leurs moments de pause. Elle avait encore du mal à interpréter son comportement.

Cependant, son visage rond s'illumina d'un sourire lorsqu'il la salua. Il avait environ vingt-cinq kilos en trop, et son repas consistait en quelques légumes crus sur lesquels reposait une poignée de dés de poulet. Il lui avait confié qu'il suivait un régime, mais sans grand succès. En voyant son assiette, elle ne put que compatir à son triste sort.

— Vous persistez à vous affamer ? lui demanda-t-elle.

— Malheureusement, oui. Le médecin affirme que j'ai perdu un kilo, alors il faut croire que c'est efficace. Mais certains jours, je me demande si le jeu en vaut vraiment la chandelle.

— Je vous comprends.

Il se cala dans son fauteuil, ignorant la triste salade qui, sans l'ajout d'une vinaigrette ou d'une pointe de mayonnaise, serait bien difficile à avaler.

— Est-ce qu'il y a un problème ? Vous semblez… perturbée.

D'un geste de la main, il lui proposa de prendre un siège.

Elle s'assit, tout en essayant de mettre de l'ordre dans ses pensées et de garder un calme qui n'était qu'apparent.

— Je suis choquée, reconnut-elle. Je viens d'assister à une tentative d'intimidation dans les toilettes des garçons. Je suis intervenue, et j'ai ordonné aux agresseurs de me suivre jusqu'ici, mais ils m'ont rétorqué que je pouvais toujours essayer, et ils m'ont frôlée de près en quittant les lieux. Lee, nous savons tous deux que de tels actes sont répréhensibles.

— Jusqu'où sont-ils allés ?

— Ils crachaient sur l'un de leurs camarades et l'insultaient. Le pauvre garçon était recroquevillé dans un coin de la pièce, comme s'il s'attendait à être roué de coups.

Le principal fronça les sourcils.

— En effet, cela n'a rien d'anodin. A qui s'en prenaient-ils ?

— A James Carney.

Le directeur secoua la tête.

— Je dois vous avouer que je ne suis pas surpris. Certaines personnes ont le chic pour attirer ce genre d'ennuis.

— Bien souvent, il suffit d'être un peu différent des autres.

— Ce qui est malheureusement le cas de James. Plus intelligent que la plupart, et plus petit. Est-ce que vous saviez qu'il avait sauté une classe l'année dernière ? Je ne suis pas certain que cela lui a été bénéfique, mais ses parents, ainsi qu'un groupe de professeurs, ont décrété qu'on ne pouvait pas lui faire perdre son temps. Ça a peut-être été une erreur.

— Absolument pas, s'insurgea-t-elle. Ce garçon a parfaitement le droit d'avancer à son propre rythme, et cela n'autorise nullement les autres à s'en prendre à lui pour cette raison.

Lee acquiesça timidement.

— Etes-vous en mesure d'identifier ses agresseurs ? Reconnaîtriez-vous leur visage ? Ils doivent être dans la classe de Mme Teasdale, si toutefois ils suivent régulièrement leurs cours, soupira-t-il. Comment souhaitez-vous que je règle le problème ?

— Il me semble que le règlement prévoit une exclusion, lui rappela-t-elle.

Elle se sentit à la fois mal à l'aise et ennuyée en remarquant qu'il gardait le silence. Il n'allait tout de même pas suggérer de fermer les yeux ?

A ce moment, Marian fit son apparition.

— James Carney ne s'est jamais présenté chez l'infirmière, lança-t-elle, avant de s'éclipser.

— Il n'est donc pas trop affecté, en conclut Lee.

— Cela ne clôt pas la discussion !

Le principal haussa les sourcils, et leva une main.

— Loin de moi cette pensée, Cassie. Je suis simplement soulagé d'apprendre que le petit va bien.

— Physiquement peut-être…, le corrigea-t-elle un peu sarcastique. Mais j'imagine que vous connaissez aussi bien que moi les répercussions que peut avoir ce genre d'agression.

— Evidemment, répondit-il d'un ton plus sec. Je suis aussi bien informé que vous. Et cela explique pourquoi de tels actes sont interdits par notre code de conduite.

Elle tenta de refréner son irritation.

— Je suis désolée. La scène à laquelle j'ai assisté m'a bouleversée, et lorsque ces garçons m'ont clairement défiée, cela n'a fait qu'aggraver mon malaise. S'ils refusent d'obéir à un enseignant, comment endiguer le problème ? Comment sommes-nous censés réagir ?

Lee repoussa son assiette et se pencha vers elle, les coudes plantés sur son bureau.

— Je ne pense pas qu'il soit judicieux de les exclure. C'est prématuré.

— Pardon ? s'exclama-t-elle, encore chamboulée par ce qu'elle avait vu, et maintenant horrifiée d'entendre de tels propos. Nous ne pouvons pas faire fi des règles établies, si nous voulons qu'elles soient respectées.

— Calmez-vous, je vous en prie. Je comprends parfaitement votre indignation. Vous avez toutes les raisons du monde d'être bouleversée. Mais nous ne sommes pas dans un grand établissement de centre-ville. La tolérance zéro, ce n'est pas forcément ma tasse de thé. Vous savez, il faut que jeunesse se passe...

Elle s'apprêtait à ouvrir la bouche, mais d'un geste, il lui intima le silence.

— Lassez-moi m'expliquer, Cassie. Je ne cautionne pas ce qu'ils ont fait. C'était mal, j'en conviens. Mais nous devons nous demander comment gérer cette situation sans que les incidences soient disproportionnées.

Il lui fallut un moment pour prendre une profonde inspiration, mais elle parvint à se calmer légèrement.

— Très bien, je vous écoute.

— Il est hors de question de tolérer le moindre harcèlement, nous sommes bien d'accord. Mais réfléchissons également à l'impact que nos décisions vont avoir sur les élèves. Vous n'avez pas manqué de remarquer que rares sont ceux qui envisagent d'entrer à l'université. Pour certains, c'est simplement parce qu'ils comptent s'investir dans l'entreprise familiale une fois leur diplôme en poche. Parfois, c'est parce qu'ils n'en ont pas les moyens. Seule une poignée d'élèves est suffisamment aisée pour se le permettre, et nous disposons aussi de quelques bourses d'études. Mais dans l'ensemble, ceux qui décident de poursuivre leurs études après le lycée s'engagent dans des cursus courts, dans des établissements locaux.

Elle opina lentement. On lui avait déjà expliqué tout cela au moment de son embauche.

— Il faut donc garder à l'esprit qu'une décision inconsidérée de notre part pourrait les inciter à quitter l'école, ou réduirait leurs chances d'obtenir l'une de ces bourses. Vous n'ignorez pas que certains garçons espèrent en décrocher une grâce à leurs performances sportives. En cas d'exclusion, leurs perspectives seraient réduites à néant.

Ce n'est qu'à ce moment que l'identité de l'un des agresseurs revint à l'esprit de Cassie.

— L'un des élèves incriminés est le pivot de l'équipe de basket-ball.

Lee baissa la tête.

— Aïe ! Dans ce cas, c'est l'issue du championnat, et l'avenir d'un athlète qui est dans la balance. Il comptait vraiment obtenir cette aide financière, et d'ailleurs, plusieurs recruteurs sont déjà venus le voir jouer.

— Il aurait dû réfléchir avant de s'en prendre à James Carney.

— Je partage votre opinion, mais il n'a que dix-sept ans. Vous rappelez-vous comment vous étiez à son âge ? Songiez-vous à toutes les conséquences que pouvaient avoir vos actions, en particulier lorsque vous étiez entourée d'amis ? C'est ce qui me dérange dans cette politique de tolérance zéro. Pour quelle raison gâcher la vie d'un jeune, lorsqu'il est possible de régler les choses plus pacifiquement ?

Cassie se mordit la lèvre. Elle non plus n'était pas une adepte de ce principe, car elle était consciente du fait que les jeunes faisaient parfois des bêtises sans même en avoir conscience.

— Mais il s'agit d'un cas particulier. Ces garçons n'ont pas commis une erreur... ils se sont ligués contre l'un de leurs camarades. J'ignore jusqu'où ils seraient allés si je n'étais pas intervenue. Et nous devons prendre James Carney en considération. Quelles vont être les répercussions de cet acte sur lui ?

— Je ne l'oublie pas, vous savez. Je veux que cela cesse, mais sans que cela provoque d'autres actes similaires, et sans que cela ruine l'avenir de quiconque.

— Dans ce cas, que comptez-vous faire ?

— D'abord, identifiez ces élèves. Ensuite, je prendrai contact avec leurs parents, auxquels j'expliquerai que si de tels actes se reproduisent, leur progéniture sera exclue de l'établissement. Pour cette fois, ils seront mis en retenue.

Cassie, bien que déçue, savait qu'elle ne pouvait s'opposer à cette décision. Lee avait raison. Ils devaient prendre garde à ne pas aggraver la situation, en poussant certains élèves à abandonner leurs études, ou en prenant le risque de leur faire perdre une bourse universitaire. A moins que ces actes ne se reproduisent.

— Vous n'êtes pas satisfaite, reprit Lee, en triturant sa feuille de laitue du bout de sa fourchette, avant de la reposer. Je vous comprends, car moi non plus, cela ne me convient pas. Nous avons toujours eu ce genre d'incivilités à gérer, comme dans tous les établissements, d'ailleurs. Mais si ma mémoire ne me fait pas défaut, rien de comparable à ce que vous m'avez décrit. Si vous avez une meilleure solution, merci de m'en faire part. Comprenez-moi, il n'y a pas de solution idéale. Si je me montre trop inflexible, James risque de subir des représailles. Aussi, nous devons trouver un compromis, et faire en sorte de ne porter aucun préjudice à ces cinq élèves.

L'estomac noué, elle garda le silence, incapable de trouver des arguments pour réfuter son raisonnement somme toute logique.

— Ces actes d'humiliation me sont insupportables, lui avoua-t-elle. Les victimes en gardent des séquelles, parfois toute leur vie. Et j'exècre l'attitude de petits voyous qui agressent leurs congénères.

— Il serait peut-être judicieux de faire changer cette mentalité. Le fait que ces actes soient interdits par le règlement intérieur n'est manifestement pas suffisant. Nous devrions travailler sur ce point en classe.

La dernière remarque de son supérieur éveilla sa curiosité.

— Que voulez-vous dire ?

— Nous devons sensibiliser nos élèves à ce problème, ainsi que leurs familles. Leur faire percevoir les souffrances occasionnées par leur attitude.

Elle acquiesça.

— Ces jeunes auraient pu finir au poste de police pour ce qu'ils ont fait.

Elle eut l'impression que Lee venait de pâlir.

— Voyons, n'exagérons rien. Un peu de chahut ne fait pas de vous un criminel. Cela mérite plutôt une bonne remontrance.

— Je ne cherchais pas à dramatiser les choses, concéda-t-elle. Mais si le simple rappel à l'ordre s'avère infructueux, nous pourrions aussi leur rappeler qu'aux yeux de la loi, de tels agissements sont punissables. Ça les fera réfléchir. Un policier pourrait leur en toucher quelques mots.

Lee sourit.

— Je remarque que vous fourmillez déjà d'idées. Que diriez-vous de collaborer avec un autre enseignant afin d'élaborer un plan de cours à ce sujet, que nous pourrions exploiter en réunissant toutes les classes ?

Instantanément, l'esprit de Cassie se mit en ébullition. Elle songeait déjà à rédiger toute une séquence pédagogique, et à rassembler des idées qui seraient utilisables à l'échelle de toute l'école.

— Très bien. Avec qui me suggéreriez-vous de travailler ?

— Lincoln Blair. Outre le fait que les élèves l'adorent, il fait aussi figure d'autorité morale pour beaucoup d'entre eux. Bien plus que moi, j'en ai peur, s'esclaffa Lee. Je ferai part de ce projet à Lincoln après les cours, et je vous dirai s'il est intéressé. En attendant, il me faudrait le nom des agresseurs. Je voudrais appeler leurs parents sans tarder.

Il marqua une pause.

— J'espère seulement que leur comportement n'est pas le résultat de ce qui se produit chez eux…

Cette possibilité n'était pas à exclure, pensa Cassie en quittant le secrétariat, quelques minutes plus tard. Parfois, les bourreaux étaient eux-mêmes des victimes.

Pourquoi était-elle envahie par le sentiment qu'elle s'apprêtait à remuer des eaux fangeuses que chacun prenait soin de laisser stagner ?

Le seul aspect positif qu'elle trouvait à cette mésaventure était que sa collaboration avec Lincoln Blair lui permettrait certainement de comprendre pour quelle raison il l'évitait comme la peste.

En fin d'après-midi, elle avait découvert l'identité des quatre agresseurs, grâce à l'aide de ses collègues, auxquels elle n'avait cependant pas jugé bon d'expliquer pour quelle raison elle voulait les connaître. Sa liste en main, elle se dirigea vers le bureau du principal, qu'elle trouva engagé dans une conversation avec Lincoln. Son supérieur lui fit signe de se joindre à eux, et elle prit place sur le deuxième siège qui faisait face au bureau du directeur.

— Cassie te fournira de plus amples détails, lança Lee. Après tout, c'est elle qui est à l'origine de tout cela.

Elle se tourna vers son collègue, et ne put que remarquer

que ses yeux, d'un bleu magnifique, croisèrent son regard brièvement avant de se détourner.

— J'ai les noms, annonça-t-elle rapidement, en tendant sa liste à Lee.

Il la prit du bout des doigts, comme si elle risquait de le mordre, puis marmonna un mot que personne n'était censé employer au sein d'un établissement scolaire.

— Bon sang, poursuivit-il alors, pourquoi fallait-il que ça tombe sur Ben Hastings ?

— Effectivement. Ce n'est pas ainsi que je me le représentais, ajouta Lincoln.

Cassie commençait à perdre patience.

— Je n'ai pas inventé cette liste, vous savez.

Lincoln lui lança un regard furtif.

— Ce n'est pas notre propos. Simplement, je suis surpris. Ses aptitudes sportives font qu'il est souvent mis en avant comme un modèle, et je me disais que si son comportement était aussi discutable, nous aurions dû nous en rendre compte plus tôt. Rien de plus.

Cassie réprima son envie de répliquer en s'avisant qu'elle prenait les choses de manière trop personnelle. James avait occupé ses pensées tout l'après-midi, et, honnêtement, elle reconnaissait que cela n'était pas étranger au fait qu'elle-même avait subi des quolibets lorsqu'elle était une adolescente plus ronde que la moyenne. Des garçons, et même certaines filles, ne cessaient de la harceler au sujet de son poids.

— Autant que je sache, avança Lee, les pires cas de harcèlement se produisent d'ordinaire dans les écoles primaires ou au collège. Il s'agit principalement de bagarres et d'échanges de noms d'oiseaux. Mais généralement les choses s'arrangent au lycée. Du moins, on ne tombe plus dans des extrêmes.

— Les choses ont changé, repartit Lincoln. Depuis que l'usine a ouvert ses portes, nous avons vu l'arrivée d'un nouveau public, et en dépit de la vague de licenciements, il y a encore de nombreux élèves qui ne sont pas originaires du comté. Cela crée des tensions.

Lee haussa un sourcil.

— Que veux-tu dire ?

— Ce sont les locaux contre les nouveaux. Avant, la plupart de ces incidents étaient réglés au sein des familles, qui devaient prendre garde à entretenir des relations cordiales avec tout le monde. Mais ce n'est plus le cas aujourd'hui, et les derniers venus deviennent des cibles de choix. James Carney fait partie de ces petits nouveaux, en dépit du fait qu'il est né dans le comté. Sa famille est revenue s'installer ici après des années passées ailleurs. De plus, il est du genre sérieux ; il est plus fragile que les autres, et il ne fait pas partie des équipes sportives. Ce qui ne contribue pas à une intégration facile et fait de lui une victime toute désignée pour le reste de la meute.

— Où veux-tu en venir ?

Lincoln se pencha en avant.

— Au fait qu'il faut agir sans attendre. Si nous laissons ces actes d'intimidation impunis, nous devrons faire face à des situations plus sérieuses. Je comprends que tu te montres réticent à exclure ces élèves. Pour être honnête, cela risque même de porter préjudice à James Carney, ainsi qu'à Mlle Greaves.

— Appelez-moi Cassie, glissa-t-elle rapidement, impatiente d'entendre ce qu'il allait proposer.

— Cassie, répéta-t-il en la regardant à peine. Ecoute, Lee, il est évident que la dynamique de l'école n'est plus la même qu'autrefois. Nous avons des gamins qui ne se pressent plus de rentrer à la maison le soir parce qu'ils doivent donner un coup de main sur l'exploitation ou au magasin. Certains ont même la vie plutôt facile ; ils ont des voitures flambant neuves, des appareils électroniques dernier cri, et s'ils ont un petit boulot, c'est pour avoir de l'argent de poche. Comment peux-tu imaginer que ce fossé entre deux modes de vie ne crée aucun ressentiment ?

Lee se renfrogna et Cassie sentit son estomac se nouer. Elle ne supportait pas la perspective d'être de nouveau témoin d'actes semblables à ceux auxquels elle avait assisté le matin même. Ce souvenir la bouleversait encore, en particulier la vision de James recroquevillé, cherchant à éviter les crachats de ses camarades de classe.

— J'ai vu ces changements s'opérer, poursuivit Lincoln. La plupart de ces nouveaux venus comptent aller à l'université, et ils ne resteront pas dans le coin. Et les autres en ont conscience, ils savent qu'ils ne sont que de passage ici. Les dissensions sont de plus en plus fréquentes, des groupes rivaux se forment, et commencent à s'insulter. A ton avis, pour quelle raison ai-je instauré le principe de tolérance zéro pour mes joueurs de football ? Jusque récemment, c'était inutile, mais ces deux dernières années, j'ai clairement expliqué à mes gars qu'un geste humiliant suffirait à les faire exclure de l'équipe.

— Tu n'es pas en train de me suggérer de suspendre ces élèves, j'espère !

— Pas encore, reprit placidement Lincoln, en se renfonçant dans son siège. Mais j'aime ton idée de mettre en place une campagne de sensibilisation à ce problème. Il faut le régler tant qu'il reste gérable. Car ce qui s'est produit n'était certainement pas un acte isolé. Des factions se forment, et nous ne pouvons pas laisser le fossé s'accentuer entre les groupes.

En l'écoutant, Cassie comprit pour quelle raison Lincoln était si apprécié de ses élèves comme de ses pairs. Il semblait vraiment sentir le pouls de l'école.

— Comment vous en êtes-vous aperçu ? lui demanda-t-elle.

— Mes élèves se confient à moi, et j'essaie de leur prêter une oreille attentive, répondit-il avec un bref sourire à son intention. Et puis, cela fait longtemps que j'enseigne ici. C'est plus facile pour moi de voir les changements se produire que pour vous, ou même pour Lee, qui a moins de contacts directs avec les élèves.

— Vous êtes donc prêt à vous investir dans ce projet ? lança-t-elle.

— Absolument. En revanche, je suis mortifié par ce qui s'est passé aujourd'hui. Ce sont des actes qui se produisent d'ordinaire à l'école primaire, ou chez de nouveaux collégiens. Or nos élèves ont pratiquement un pied dans le monde adulte. Au mois de juin, ils y sauteront à pieds joints. Aussi devraient-ils adopter un comportement plus adéquat. Evidemment, on assiste parfois à quelques bousculades, et les noms d'oiseaux fusent encore lorsqu'ils chahutent un peu trop, mais ces pratiques dignes de petits malfrats sont d'un autre âge. Nous allons devoir marcher sur des œufs si nous ne voulons pas envenimer les choses.

— Vous vous rangez donc à l'avis de Lee, concernant les sanctions à prendre ?

— Nous devons faire quelque chose. A partir du moment où vous êtes intervenue et où ils vous ont ignorée, c'est devenu indispensable. Il faut que des mesures soient prises, et que ces actes soient punis. Nous ne devons pas laisser régner un quelconque sentiment d'impunité. Mais j'aimerais aussi faire en sorte que cela ne se fasse pas au détriment de James Carney.

— Il n'a rien fait de mal, s'insurgea Cassie. Il a refusé de m'en parler, et a même précisé que je compliquais les choses. Aussi, s'ils doivent être furieux envers quelqu'un, ce serait plutôt contre moi.

Lee s'interposa alors.

— Nous pouvons leur infliger des heures de retenue pour leur comportement irrespectueux envers Mlle Greaves, qu'en dites-vous ?

Lincoln se tourna vers elle et, pour la première fois, la regarda vraiment. Elle sentit une décharge électrique la parcourir jusqu'à l'extrémité des orteils.

— Que vous ont-ils fait, exactement ?

— Eh bien, outre le fait qu'ils ont refusé de me suivre jusqu'au bureau du principal, ils ont pris un malin plaisir, en quittant la pièce, à me frôler de l'épaule. Et cela n'avait rien de fortuit.

Lincoln, stupéfait, haussa les sourcils.

— Cela ne présage rien de bon.

Lee tapa du plat de la main sur son bureau.

— Nous ne pouvons pas laisser passer ça. Sinon, ce sera l'anarchie.

— Mais le problème n'est pas là, protesta Cassie.

— Maintenant, si, repartit Lincoln. Vous aussi, vous avez été malmenée. Du moins, c'est ainsi que je le vois. Faisons abstraction des détails encore plus gênants et envoyons ces jeunes en retenue pour avoir manqué de respect à Mlle Greaves, à Cassie, je veux dire. Ils ont clairement choisi d'ignorer les directives données par un professeur. Nous nous occuperons du reste en temps voulu, mais essayons de ne pas attirer trop d'attention sur James Carney. Si nous sommes chanceux, ils lui ficheront la paix, puisque ce n'est pas lui qui leur donne des migraines ces jours-ci.

Cassie se remémora l'incident, et en particulier la manière dont les élèves l'avaient bousculée en passant. C'était au-delà de l'irrespect, pratiquement une menace sous-jacente. Lincoln avait raison : elle avait été malmenée. Aussitôt, elle sentit la colère enfler en elle.

— Mais je ne veux pas que Cassie devienne un bouc émissaire, reprit Lee.

Cassie s'agita sur son siège.

— Ecoutez, Lee, nous ne pouvons pas fermer les yeux. Que pensez-vous qu'ils vont me faire ? Ils peuvent s'énerver si ça leur fait du bien, mais vous ne croyez quand même pas qu'ils useraient de violence physique à mon encontre, n'est-ce pas ?

Lee parut choqué.

— Non, bien sûr. Vous êtes une enseignante, voyons !

Cassie n'était pas convaincue que cela constitue une protection à toute épreuve, mais les élèves incriminés devaient avoir conscience du fait que leur vie deviendrait un enfer s'ils lui faisaient subir les mêmes humiliations que celles infligées à James Carney.

Lincoln prit la parole :

— Insiste sur le fait qu'il est inacceptable d'ignorer un enseignant, et précise que le fait de l'avoir touchée, aussi légèrement que ce soit, constitue une forme d'agression physique. Je pense qu'aucun d'eux n'est assez stupide pour prendre cela à la plaisanterie.

— Vous avez raison, admit-elle finalement. Mettons en place cette campagne de sensibilisation, et en attendant, envoyons ces malotrus en retenue pour les punir de leur conduite irrespectueuse envers moi. Qui sait, peut-être que leurs parents, lorsque vous les appellerez, vous témoigneront leur soutien en prenant d'autres mesures. Effectivement, il vaut mieux détourner l'attention loin de James. Je ne voudrais pas qu'il subisse des représailles. Après tout, c'est lui qui a le plus besoin d'être préservé.

— Très bien.

Lincoln quitta son siège, évoquant pratiquement à Cassie une icône de l'Ouest sauvage dans ses bottes de cow-boy et sa chemise en jean délavé.

— Je retourne aux vestiaires, avant que les gars se demandent si je n'ai pas pris la poudre d'escampette. Nous avons un match à l'extérieur ce soir.

Puis il se tourna vers Cassie.

— Cette solution vous satisfait-elle vraiment ?

— Parce que je me retrouve dans l'œil du cyclone ? Ce n'est pas un problème. Ces voyous ne m'effraient pas, ils me sont insupportables, voilà tout.

Il esquissa alors un sourire.

— Je vous passerai un coup de fil demain matin, de

manière que nous convenions d'un moment auquel nous rencontrer. J'ai hâte de faire bouger les choses.

Il quitta la pièce, sous le regard ébahi de Cassie. Il allait l'appeler ? Cela signifiait-il qu'elle n'était pas si infréquentable qu'elle le craignait parfois ?

Lee interrompit son flot de pensées en reprenant la parole :

— Si cela vous convient, c'est ainsi que nous allons gérer la situation. Mais cette stratégie est temporaire. Je ne voudrais pas que ces jeunes croient que le harcèlement n'est pas pris au sérieux par les adultes.

— Vous m'en voyez ravie.

Désormais rassurée de constater que la direction prise semblait être la bonne, elle prit congé de son supérieur, et rassembla ses affaires avant de quitter l'établissement pour profiter au mieux de son week-end.

Le ciel était certes dégagé, mais le crépuscule pointait déjà à l'horizon. La nuit hivernale les enveloppait bien plus tôt qu'elle n'en avait l'habitude.

Mais au lieu de songer au temps magnifique ou à cette fin de semaine relaxante, elle ne parvenait pas à chasser Lincoln de ses pensées. Bon sang, elle avait l'impression qu'il répugnait même à poser les yeux sur elle. Etait-elle devenue si repoussante depuis hier ?

Elle secoua la tête et tenta de le chasser de son esprit. A bien y réfléchir, elle ne se sentait plus si ravie d'avoir focalisé l'ire de ces malotrus sur sa petite personne.

Elle avait enseigné dans un établissement où un collègue avait été agressé par l'un de ses élèves, aussi ne se berçait-elle pas d'illusions : son statut ne la mettait pas à l'abri d'une quelconque forme de violence. Cependant, elle savait d'expérience que ces individus étaient généralement des lâches.

Tout se passerait bien, se répétait-elle comme un mantra.

Mais elle restait curieuse de découvrir pour quelle raison Lincoln semblait si déterminé à garder ses distances. Contrairement aux autres collègues, il ne prenait pas la peine d'essayer de la mettre à l'aise dans cet établissement qui était nouveau pour elle.

En sa présence, elle avait le sentiment d'être enveloppée d'un halo répulsif. Comme si des pointes acérées enjoignaient à Lincoln de rester à l'écart de cette nouvelle venue.

Ayant connu quelques mésaventures par le passé, elle aurait dû se montrer mieux armée face à ce genre de réaction. Plus d'un homme l'avait couvée de ses attentions dans le seul but de vérifier qu'elle accepterait de partager son lit, mais ils ne tardaient pas à prendre la tangente, d'une manière ou d'une autre. L'une de ses amies avait même reconnu que c'était pour le moins étrange, avant de s'empresser de lui rappeler qu'elle finirait par trouver chaussure à son pied. Que tout venait à point à qui savait attendre.

Pour autant, jusqu'à présent, elle n'avait jamais rencontré personne qui détournait sciemment le regard chaque fois qu'il risquait de se poser sur elle.

Peu importe, se réprimanda-t-elle. Il ne valait guère mieux que les autres, même s'il affolait ses sens chaque fois qu'elle le voyait.

Le problème ne venait peut-être pas d'elle, dans le fond. D'autant qu'il avait proposé de l'appeler le lendemain au sujet de cette campagne qu'ils devaient organiser.

Non, elle n'y était sans doute pour rien.

Cette perspective revigorante à l'esprit, elle se hâta de rentrer préparer son dîner et corriger ses piles de copies. Si elle se montrait efficace, demain elle n'aurait plus qu'à planifier quelques leçons pour la semaine à venir.

Cette perspective lui mit du baume au cœur et dissipa presque le souvenir de James recroquevillé dans un coin des toilettes.

On allait lui apporter de l'aide, à lui, mais aussi aux autres jeunes qui subissaient le même sort. N'était-ce pas ce qui comptait vraiment ?

2

Lincoln rentra chez lui après le match. Le lycée le plus proche restait si éloigné qu'entraîner une équipe sportive relevait du casse-tête dans cette région. Autant que possible, les organisateurs évitaient de programmer des rencontres en soirée, car tout le monde était conscient de la longueur des trajets, mais cette semaine, en raison des travaux prévus dans le gymnase pendant le week-end, ils n'avaient guère eu le choix.

Et comme c'était souvent le cas, ils avaient subi une cuisante défaite. Rien de bien étonnant d'ailleurs, car l'équipe du lycée de Busby était chaque année époustouflante.

Cependant, comme il ne cessait de le répéter à ses joueurs, l'essentiel n'était pas de gagner, mais de se donner à fond. Tant que le plaisir du jeu était intact, le reste importait peu. A certains moments, il se demandait cependant si ses gars le croyaient. Pourtant, il y avait toujours foule lorsqu'ils sélectionnaient les joueurs qui feraient partie de l'équipe représentant l'école.

Une fois assuré, à la descente du bus, que chaque joueur serait raccompagné jusque chez lui, il lui restait quarante-cinq minutes de route pour regagner son ranch, où ses animaux réclamaient ses soins.

Les moutons et les chèvres étaient à l'abri dans leur enclos, et surveillés de près par les chiens qui, pour leur part, devaient se demander quand ils recevraient enfin leur pitance. Ses quelques chevaux passaient la journée au corral, mais la nuit, ils retrouvaient leur box individuel dans l'écurie. Les rentrer ne prenait pas beaucoup de temps, mais il se sentait déjà bien las. Il commençait sa journée à 5 heures du matin, en s'occupant du bétail, et finissait rarement avant minuit. Aussi sa fatigue permanente était-elle certainement imputable à ces nuits trop courtes.

Alors que le bruit du match, puis celui des joueurs dans le bus s'effaçaient progressivement de sa mémoire, tout comme l'analyse des points à améliorer pour que l'équipe fonctionne mieux, l'image de Cassie Greaves se forma devant ses yeux.

Bon sang, cette fille avait un charme à couper le souffle ! Elle ne ressemblait pas à ces stars de cinéma, bien sûr, mais plutôt à… une espèce de déesse régnant sur la nature. Elle avait une silhouette assez épanouie pour se fondre dans ce moule, sans toutefois être plantureuse. Non, elle était plutôt pulpeuse, exactement le genre de femme qui avait toujours su attirer son regard. Ses cheveux d'un blond de miel, coupés au carré, ainsi que ses yeux d'un vert mutin la rendaient irrésistible. Chaque fois qu'il posait les yeux sur elle, il se sentait submergé par le désir. Il avait parfois l'impression d'être de nouveau lycéen.

Mais comme il avait toujours vécu dans ce comté, il savait que de nombreuses personnes s'y installaient, pensant y trouver le bonheur, puis, le premier hiver passé, faisaient leurs valises, découragées par le froid, l'isolement, et le manque de distractions. Si même les natifs des environs s'en allaient, comment pourrait-il le reprocher à ceux qui n'y avaient pas d'attaches particulières ?

La plupart des gens ne se satisfaisaient pas d'une vie de labeur, et ne supportaient pas de voir les mêmes têtes jour après jour. Sa fiancée avait plié bagage au bout de deux ans, affirmant qu'elle allait mourir d'ennui. Ce qui se serait sûrement produit, avait-il fini par reconnaître. Qui aurait eu envie de passer sa vie aux côtés d'un type qui, lorsqu'il n'était pas au lycée, travaillait dans son ranch ? Quelle vie excitante !

Il avait donc pris son parti d'éviter à l'avenir ce genre

de déconvenue. Lorsqu'une femme provoquait en lui les sentiments qu'il éprouvait pour Cassie Greaves, et qu'elle n'avait pas encore subi les rigueurs d'un premier hiver dans le comté, il faisait en sorte de se retrancher derrière une espèce de bouclier sorti d'un film de science-fiction.

Mais il avait l'impression de friser parfois la goujaterie, et il fallait y mettre un terme. Lorsque Lee lui avait suggéré de collaborer avec elle, son instinct lui avait hurlé de refuser. Monter un projet avec elle ? Quelle folie !

Malheureusement pour lui, sa conscience professionnelle avait pris le dessus. Cette histoire de harcèlement devait être réglée avant qu'elle ne dégénère. Ce qui se produirait s'ils ne trouvaient pas un moyen d'y sensibiliser les élèves. Faire la sourde oreille, parce qu'il fallait que jeunesse se fasse, ne mènerait à rien de bon. Oui, il leur revenait de prendre les choses en main. La plupart des jeunes qui fréquentaient l'école avaient sûrement malmené certains de leurs camarades à un moment ou à un autre, ou avaient eux-mêmes été victimes d'intimidateurs.

Mais ce fléau ne pouvait être ignoré. Les éducateurs ainsi que les psychologues en avaient tiré des leçons au cours des décennies précédentes. Et en observant les dynamiques qui se développaient entre les élèves récemment, il craignait que ce problème ne prenne un tour incontrôlable.

Comme cela avait été le cas aujourd'hui. Il avait beau ressentir de la compassion pour James Carney, ce qui le mettait mal à l'aise était la manière dont ces jeunes s'étaient comportés envers Cassie. Il allait donc retrousser ses manches, et, sans baisser la garde, faire en sorte que les élèves comprennent que ces chahuts n'avaient rien de sympathique, que ce ne serait pas sujet à plaisanterie, et que l'administration se montrerait intraitable.

Il fut presque soulagé d'atteindre son ranch et de se concentrer sur les soins à prodiguer aux bêtes. C'était une occupation qui l'aidait à garder la tête sur les épaules, et qui lui rappelait que le règne animal dans son ensemble était parfois bien plus admirable que certains spécimens qui s'enorgueillissaient d'appartenir à l'espèce humaine.

Après avoir salué, caressé, nourri, et mis à l'abri sa joyeuse compagnie, il rentra chez lui et se prépara un bol de porridge instantané. Il avait dîné plusieurs heures auparavant, et si les parents remplissaient toujours le sac de leurs adolescents d'en-cas, il était pour sa part souvent trop stressé pour avaler quoi que ce soit avant ou pendant un match. Il se sentait un peu l'âme d'un père dont la flopée de fils serait assise sur le même banc.

Ce ne fut qu'une fois installé à table, alors qu'il dégustait en solitaire sa collation nocturne, qu'il se rendit compte combien sa maison était silencieuse. Il l'avait déjà ressenti huit ans plus tôt, lorsque son père était décédé, et lorsque Martha l'avait quitté, abandonnant sur cette même table sa bague de fiançailles.

S'il appréciait cette quiétude, bonne compagne durant les longues journées de labeur, elle lui semblait parfois pesante. Ce soir, par exemple, elle lui donnait une grande sensation de vide.

La bâtisse dans laquelle il vivait avait été construite au début du vingtième siècle pour y accueillir une famille nombreuse, et il suffisait de jeter un regard aux photos prises à cette époque pour comprendre qu'elle avait bien rempli sa fonction. Son arrière-grand-père n'avait pas chômé. Il avait agrandi et aménagé le corps de ferme, tout en développant l'exploitation et leur cheptel. Cependant, après la Seconde Guerre mondiale, les jeunes étaient partis. Grâce au GI Bill, qui facilitait l'accès aux études universitaires et à certains emplois pour les soldats démobilisés, d'autres opportunités s'étaient présentées pour eux. Seul son grand-père avait choisi de reprendre l'exploitation lorsqu'il était rentré de la campagne du Pacifique Sud.

L'époque où la ferme abritait sous son toit une dizaine

d'enfants était bien révolue. Sa grand-mère avait perdu tous les enfants auxquels elle avait donné naissance, à l'exception de celle qui allait devenir sa mère, et qui était elle-même morte en couches. Son père ne s'était jamais remarié.

Il était donc le dernier représentant d'une longue et prolifique lignée. Parfois, lorsqu'il passait en revue les chambres vides et poussiéreuses, imaginant ce à quoi ressemblait ce lieu à son âge d'or, il déplorait le manque de contact humain. Cinq ans plus tôt, il avait organisé une réunion familiale, et rencontré pour la première fois certains de ses grands-oncles et parents plus ou moins éloignés, mais en dépit des promesses faites de se voir plus régulièrement, leurs relations avaient pris fin dès que ceux-ci avaient quitté la ville. Ils n'avaient plus aucune espèce d'attache avec cette région, ni avec lui.

Il ne leur en voulait pas. Les temps avaient changé, les modes de vie évolué, et ils semblaient si éloignés de ce qui persistait à se faire dans ce comté qu'ils ne devaient pas comprendre ce qui l'incitait à y rester.

Mais lui tenait énormément à ses racines, profondément ancrées dans cette région, et il s'en rendait compte chaque fois qu'il parcourait sa propriété, prenait soin de ses bêtes, ou effectuait des réparations dans sa maison. Il appartenait à cette terre et ne l'aurait échangée pour rien au monde.

Martha ne s'était jamais faite à cette idée. Il n'avait même pas eu conscience des efforts que cela lui avait demandé. Au début, lorsque tout était beau et nouveau, il lui avait été facile de s'adapter à sa vie. Puis cette routine immuable lui était devenue insupportable. Il avait sa part de responsabilité dans la dégradation de leur relation, il s'en doutait, mais en cumulant deux emplois, l'un au lycée, et l'autre sur l'exploitation, il était difficile de se ménager un peu de temps libre. Les animaux requéraient des soins quotidiens, et en dehors des heures d'enseignement, il avait toujours des préparations de cours et des corrections de copies qui occupaient ses soirées et ses week-ends.

Cette vie consacrée au travail faisait de lui un garçon bien austère, songeait-il. Seule une femme du coin, qui comprenait et acceptait l'isolement et son lot de contraintes, s'en accommoderait et se montrerait plus indépendante que Martha. Il lui fallait une femme qui prendrait plaisir à travailler au ranch et à y passer le reste de sa vie.

Jusqu'à présent, il n'avait pas eu la main heureuse. Et à en juger par l'attirance qu'il éprouvait pour Cassie Greaves, il ne devait s'en prendre qu'à lui-même. Il semblait immanquablement attiré par des femmes qui venaient de la ville. C'était peut-être sa façon de chercher quelqu'un de complémentaire, de différent. Mais jusqu'à présent, cela n'avait contribué qu'à exacerber sa solitude.

Il rinça son bol et sa cuillère avant de les placer dans le lave-vaisselle, qu'il avait installé à l'époque où Martha partageait sa vie. Maintenant qu'il était seul, il arrivait qu'une semaine s'écoule avant qu'il ne le mette en marche, mais l'objet s'avérait bien pratique lorsqu'il n'avait pas envie de faire la vaisselle. Il y avait des jours comme ça, qui paraissaient bien trop longs à son goût, en particulier durant la saison de football.

Une fois sorti de la douche, il resta nu, dans sa chambre frisquette, à contempler les champs illuminés par le rayon de lune. Il n'y avait plus de rideaux aux fenêtres. Martha avait retiré ceux qui les habillaient depuis que sa mère les avait cousus, pour les remplacer par des voilages qu'elle considérait plus gais. A peine était-elle partie qu'il les avait taillés en pièces, en même temps qu'il se débarrassait de tous ces objets qui lui faisaient penser à elle.

Une réaction assez puérile, somme toute, mais qu'il avait jugée nécessaire. Il n'avait pas besoin d'être assailli par ces souvenirs chaque fois qu'il pénétrait dans une pièce. Pas si ceux-ci incluaient Martha, du moins.

Il faisait de plus en plus froid dans la maison, mais il résista à la tentation de mettre le chauffage en marche. Une fois sous les couvertures, il serait au chaud pour la nuit. Et au petit matin il s'amuserait en observant le petit nuage formé par sa propre respiration et en enfilant hâtivement des vêtements qui semblaient avoir passé plusieurs heures au congélateur.

L'instinct de conservation, répétait-il à ses élèves. Il pratiquait en fait ce qu'il leur prêchait. Rien ne devait se perdre, leur expliquait-il. Il avait été éduqué de cette manière, et adhérait totalement à ces principes. Certains de ses élèves aussi d'ailleurs, même s'ils n'étaient plus si nombreux.

Il était satisfait de sa vie, dans l'ensemble, et considérait qu'il avait plutôt réussi, selon ses propres critères. Mais lors de nuits comme celle-ci, lorsque la lune était pleine et la maisonnée si silencieuse, il avait presque envie de hurler à la mort, conjurant la lune de lui envoyer une compagne. L'homme n'était pas un animal solitaire.

Il secoua la tête et se réfugia sous la pile de couvertures en patchwork, réalisées par plusieurs générations de femmes de sa famille, qui recouvraient son lit. *Demain, je mettrai du chauffage*, se promit-il lorsque sa peau toucha les draps glacés. Il redoutait déjà d'avoir à se lever.

Il frissonna quelques instants, jusqu'à ce que son cocon se réchauffe enfin. Fermant les yeux pour ne plus avoir à supporter la clarté de la lune, il se remit à penser à Cassie Greaves. Pour quelle raison cette nouvelle venue était-elle donc si attirante ?

Au fond de lui, il devait le savoir. Cependant, le simple fait de songer à elle sembla contribuer à réchauffer sa couche bien plus rapidement qu'à l'accoutumée.

Cassie se réveilla de meilleure humeur que lorsqu'elle s'était couchée. La scène à laquelle elle avait assisté la veille l'avait certes horrifiée, mais elle était persuadée qu'en sensibilisant leurs élèves à ces problèmes et en leur rappelant les sanctions auxquelles ils s'exposaient en cas de dérive, tout rentrerait dans l'ordre.

Et le fait d'infliger des heures de retenue à ceux qui lui

avaient tenu tête permettrait à James de ne pas se trouver sur la ligne de front. Les garçons incriminés sauraient que cette punition était consécutive à ce qu'ils avaient fait subir à leur camarade, sans toutefois pouvoir le tenir pour responsable de leur sanction. Du moins, elle l'espérait.

Lorsqu'elle entama son yaourt, à côté duquel se trouvait sa tasse de café encore brûlant, elle se dit que la campagne de sensibilisation suggérée par Lee était une excellente idée, même si elle n'en avait pas encore esquissé les grandes lignes, ce qu'elle ferait avec Lincoln. Son expérience lui soufflait qu'il était primordial de développer une certaine culture de respect de chacun, parmi les élèves mais aussi dans les familles. Le harcèlement devait être mal vu. Aussi la question n'était-elle pas de savoir si leur plan fonctionnerait, mais plutôt combien de temps serait nécessaire pour en voir les résultats.

D'après ce que relatait Lincoln, la communauté étudiante avait connu de grands changements depuis l'arrivée de nouveaux travailleurs attirés par l'ouverture de l'usine de semi-conducteurs. On lui avait déjà conté l'histoire de ce boom économique, qui n'avait cependant été que de courte durée. Si le site n'avait pas fermé ses portes lorsque la récession avait frappé la région, beaucoup d'employés avaient été licenciés. Et de nombreuses vies avaient été chamboulées, voire détruites.

Mais ce n'était pas la première fois qu'elle travaillait dans un établissement où un clivage entre les élèves était perceptible. Parfois, les dissensions étaient d'origine raciale, ou parce que certains venaient de tel ou tel quartier, ou qu'ils étaient fils de militaire. Parfois, cela dépendait de leur style vestimentaire ou des camarades qu'ils fréquentaient. Les adolescents ne manquaient pas de prétextes pour former des cliques et des groupes. Cela semblait d'ailleurs inhérent à la nature humaine.

Mais il restait possible de circonscrire ces tensions, et de les contrôler. La courtoisie, qui à son sens facilitait considérablement les relations humaines, s'apprenait, et pouvait prendre le pas sur des réactions plus impulsives.

Seul subsistait le problème de la motivation.

Elle espérait que Lincoln amènerait des idées qui inciteraient les élèves à s'investir dans leur projet, car elle ne se sentait pas encore assez proche d'eux pour savoir quels leviers utiliser, et il était un peu tard pour entamer un apprentissage qui aurait dû s'effectuer dès leurs premières années de scolarité.

Lincoln, encore lui. Elle devrait sûrement s'infliger des pénalités pour toute l'énergie qu'elle gâchait à penser à cet homme qui lui faisait clairement percevoir qu'il ne tenait absolument pas à la connaître. Il était manifestement prêt à collaborer avec elle dans le cadre du travail, mais pour tout le reste, il valait mieux ne pas se bercer d'illusions.

Cependant, elle ne cessait de s'observer dans le grand miroir de sa chambre à coucher, ce qui n'était pas dans ses habitudes, bien au contraire. Elle était ronde, c'est vrai, mais, si elle aurait préféré avoir la silhouette d'un mannequin ou d'une star de cinéma, cela ne semblait pas compatible avec son patrimoine génétique. Et puis, elle n'était pas si laide que ça. Elle avait même attiré les convoitises de plus d'un homme. Non, elle était certes plantureuse, mais pas repoussante. Même si elle s'interrogeait encore sur la pertinence de ce dernier adjectif.

Elle réprima un soupir, puis alla prendre un bain, avant d'enfiler un jean et une chemise à carreaux et de réunir ses cheveux en une queue-de-cheval. Elle se décida à sortir ses manuels. La veille, elle avait eu bien du mal à se concentrer, et elle devait maintenant rattraper le temps perdu, en élaborant de nouvelles stratégies pour enseigner de manière plus concrète, en permettant aussi aux élèves d'élaborer des projets dans lesquels ils devraient être acteurs.

Les idées semblaient fuser bien plus rapidement en début d'année scolaire, mais depuis quelques semaines, elle manquait d'inspiration. Elle parcourut les leçons qu'elle aurait à présenter la semaine suivante, à l'affût de grain à moudre pour ses classes. Malheureusement, elle savait que peu d'élèves appréciaient les maths par simple curiosité intellectuelle.

Penchée sur son écran d'ordinateur, elle était affairée à chercher des pistes d'exploitation originales pour ses prochains cours, lorsque le téléphone se mit à sonner. Elle décrocha, le cœur battant, s'attendant à entendre la voix de Lincoln.

Mais celle qui l'invectiva était plus grave.

— Ne te mêle plus de ce qui ne te regarde pas, ou tu vas le regretter !

Avant qu'elle ne soit sortie de sa stupeur, son interlocuteur avait raccroché. Elle appuya immédiatement sur le bouton d'identification des appels, mais le seul élément qu'elle en retira fut que le numéro était local. Evidemment !

Déstabilisée, elle s'assit, incapable de détacher son regard du combiné. *Ce ne sont que des mots*, se rassura-t-elle. *Une menace en l'air.* Mais elle ne parvenait pas à s'en convaincre. Des nœuds se formaient dans son estomac, et elle aurait aimé pouvoir rappeler immédiatement son agresseur pour lui exposer le fond de sa pensée. Laisser libre cours à sa colère lui aurait fait un bien fou.

Mais alors que celle-ci prenait le pas sur son angoisse, le téléphone sonna de nouveau. Sans même jeter un regard au numéro affiché, elle grogna dans l'appareil :

— Quoi encore !

Une seconde s'écoula avant que la voix de Lincoln ne résonne enfin dans le combiné :

— Cassie ?

Elle aurait voulu se cacher dans un trou de souris.

— Je suis désolée, bredouilla-t-elle alors, consciente du fait que sa voix était tremblotante. Je viens de recevoir un appel assez désagréable, et je craignais que cela ne se reproduise.

La ligne resta silencieuse un instant.

— De quelle nature ?

— On m'a conseillé de m'occuper de mes affaires, et de rien d'autre, sous peine de représailles. Rien de bien sérieux, mais cela m'a passablement énervée.

Il prit un instant avant de répondre :

— Est-ce que vous avez prévu de sortir ?

— Non, je préparais mes cours.

— Alors, je serai là dans quarante-cinq minutes.

L'instant d'après, il avait raccroché, la laissant se demander pour quelle raison il semblait soudain si empressé de la rejoindre. Certainement à cause de cet appel, qui, s'il était déstabilisant, ne nécessitait pas non plus de sortir l'artillerie lourde. Après tout, elle ne savait même pas exactement ce qu'on lui reprochait.

Puis elle prit conscience du fait que Lincoln était en chemin. Elle se rua dans la chambre pour changer de tenue, et en choisir une plus élégante que les vêtements informes qu'elle avait enfilés pour travailler. Elle n'en ferait pas des tonnes, mais choisirait un chemisier un peu plus seyant ainsi qu'un jean un peu plus neuf. Elle se brossa de nouveau les cheveux, et appliqua un soupçon de maquillage sur ses yeux et ses lèvres.

Puis elle prépara une cafetière, étant donné qu'elle avait, durant sa séance de préparation de cours, bu tout le contenu de celle qu'elle avait faite à son lever. N'était-ce pas un peu trop de caféine ? Elle se dit alors que les nœuds dans son estomac étaient sûrement autant provoqués par ce breuvage que par l'appel qu'elle avait reçu.

Elle ouvrit une fenêtre pour laisser entrer un peu d'air frais, puis tenta de se focaliser sur son planning. Impossible. Elle ne cessait de penser à Lincoln, qui ne tarderait pas à arriver. Elle l'imaginait déjà franchissant le seuil de sa maison, et se demandait s'il se montrerait capable de rester sur ses gardes, comme il semblait si déterminé à le faire, tandis qu'ils avanceraient dans leur projet.

Sapristi, raisonnait-on encore de cette manière à trente

ans ? Cet homme avait beau l'attirer, que savait-elle à son sujet ? Qu'il était si séduisant qu'il pourrait faire la une d'un magazine ? Qu'il était autant apprécié de ses élèves que de ses collègues ?

Cela ne signifiait rien. Elle s'obligea à se ressaisir, se rappelant qu'ils se rencontraient dans un but strictement professionnel, ce qu'elle avait déjà fait un nombre considérable de fois avec des collègues plus ou moins attirants. Pourquoi en faisait-elle toute une histoire ?

En dépit de ses efforts, elle ne pouvait s'empêcher de se montrer nerveuse. S'il arrivait enveloppé de son cocon de glace, elle ignorait comment elle réagirait. Il lui était arrivé de travailler avec des personnes un peu difficiles, mais il y avait une limite à tout.

Marmonnant intérieurement, elle restait à l'affût du bruit de la sonnette, incapable de se concentrer sur sa tâche. Au lieu de cela, son regard vagabondait aux quatre coins de son bureau, qui était à l'origine la seconde chambre de la maison, et elle se félicita de l'aménagement qu'elle en avait fait jusqu'à présent. Petit à petit, cette maison commençait à ressembler à un véritable foyer, exprimant son goût pour les couleurs vives et les accessoires faits main. Elle en avait apporté certains, et acheté d'autres en arrivant ici, où elle avait découvert une petite boutique sans prétention qui semblait confite dans le siècle passé.

Le carillon de la sonnette retentit finalement, et son cœur se mit à battre la chamade tandis qu'elle se dirigeait vers la porte d'entrée.

Sa mémoire ne l'avait pas trompée, n'avait pas exagéré d'un iota son air de guerrier nordique. Lincoln se tenait devant elle, vêtu de son sempiternel jean et d'une chemise chambray qui constituaient pratiquement un uniforme. Il portait en outre un chapeau de cow-boy qui avait connu des jours plus glorieux.

— Bien le bonjour ! lui lança-t-il à la manière d'un rancher.

Sa voix grave fit vibrer une corde sensible en elle. Elle en oublia un instant de l'inviter à entrer, puis se rendit compte qu'elle risquait de lui faire la même impression qu'un lapin aveuglé par la lumière de phares en pleine nuit.

— Entrez, je vous en prie, lui proposa-t-elle enfin. Vous savez, il n'y avait pas d'urgence, vous auriez dû prendre votre temps, mentit-elle.

— Certainement, mais nous avions convenu de nous voir, de toute façon.

A peine le seuil franchi, il observa avec attention son salon.

— Cette pièce est vraiment chaleureuse, dit-il.

— J'avoue que c'était le but recherché, admit-elle, surprise, en refermant la porte derrière lui. Vous prendrez un café ?

— Avec plaisir.

Il la suivit jusque dans la cuisine, et, aussi à l'aise que s'il se trouvait chez lui, il tira une chaise vers lui pour s'y asseoir. Elle remplit deux grandes tasses, et crut se rappeler, d'après ce qu'elle en avait observé à l'école, qu'il préférait son café noir, tout simplement.

— Nous pourrions nous installer à mon bureau, dans la pièce du fond.

— Nous sommes bien ici, je trouve.

Comme s'il ne souhaitait pas s'immiscer dans sa maison, ou dans sa vie. Un peu piquée par sa remarque, elle posa son café devant elle, avant de s'asseoir sur la chaise opposée.

— Eh bien, j'ai un peu réfléchi à cette campagne, commença-t-elle.

Il secoua la tête.

— Un instant, Cassie. D'abord, je voudrais que vous me parliez de cet appel que vous avez reçu.

Comme si ces paroles avaient actionné un interrupteur dans sa tête, elle entendit de nouveau la voix profonde qui l'avait agressée.

— Que dire ? Je vous ai déjà relaté ce qui s'est passé. Il avait l'air furieux, et se montrait menaçant, mais ce n'était rien d'autre qu'un coup de téléphone. Rien de plus simple que d'intimider quelqu'un sous le couvert de l'anonymat.

— C'est certes simple, mais pas anodin. Quelqu'un a une dent contre vous, et je doute que beaucoup de personnes soient au fait de ce qui s'est passé hier. A part les garçons incriminés, et leurs parents, probablement, si Lee a pris contact avec eux. Peut-être quelques proches aussi.

A son tour, elle secoua la tête.

— Il ne s'est rien passé. Personne n'a été exclu. Et si cela ne va pas plus loin, personne ne le sera. Les bourses universitaires ne seront pas dans la balance, ni le sacro-saint championnat inter-lycées. Le seul objectif de cet appel, à mon humble avis, était de me dissuader d'envenimer les choses en exigeant l'exclusion temporaire de ces malotrus.

Il posa sa tasse.

— Je partage votre avis, dans les grandes lignes, du moins. Ce qui me gêne le plus est la manière dont vous avez été traitée hier. Votre autorité a été bafouée, on vous a poussée, pas seulement frôlée, et aujourd'hui vous êtes victime de menaces. Par ailleurs, l'incident d'hier m'a paru extrêmement choquant pour des élèves de cet âge. Je ne prétends pas qu'ils ne dépassent jamais le stade des insultes et des crachats, mais au lycée ils évitent généralement d'user de violence physique, et ne se réunissent plus en bandes. Ajoutez à cela l'attitude qu'ils ont adoptée envers vous… Je suis passablement inquiet, je l'avoue.

Elle prit un instant de réflexion.

— Dans ce cas, je ne suis pas la personne idéale pour mettre en place cette campagne anti-harcèlement. Si je suis vue comme une étrangère qui se mêle de ce qui ne la regarde pas, notre travail risque de ne pas porter ses fruits.

— Vous ne serez pas seule en première ligne, lui rappela-t-il.

— Non, bien sûr.

Jusqu'à présent elle avait fait son possible pour éviter de le regarder droit dans les yeux, mais maintenant qu'elle avait croisé son regard, elle avait l'impression d'être sur le point de sombrer dans son immensité bleue. Et ce qui ressemblait fort à une décharge électrique la parcourut de la tête aux pieds.

Il détourna subitement le regard et focalisa de nouveau son attention sur sa tasse.

— J'ai passé une partie de la matinée à explorer le sujet, lança-t-il soudain. Hélas, je n'ai qu'une connexion bas débit au ranch, si bien qu'internet fonctionne comme si la Toile était engluée dans de la mélasse.

— Utilisons mon ordinateur, dans ce cas. En ville la bande passante est bien plus importante.

— Allons plutôt à l'école.

Elle avait le sentiment qu'il avait hâte de quitter sa maison pour se retrouver dans un environnement plus neutre. De nouveau elle en fut blessée, mais fit de son mieux pour ne rien laisser paraître. Inutile d'en faire un drame.

— Si cela vous semble préférable, pourquoi pas ? dit-elle prestement. Je vais chercher ma veste.

Cinq minutes plus tard, armés de tasses isothermes emplies de café, ils quittèrent la chaleur de la petite maison pour affronter la fraîcheur matinale. Des nuages blancs et cotonneux semblaient se courser au-dessus de leurs têtes, au milieu du ciel d'un bleu céruléen.

— Cette région est vraiment magnifique, s'extasia-t-elle.

— Ah bon ?

Elle se tourna vers lui.

— Lincoln, ne me faites pas croire que vous ne le remarquez plus.

— C'est encore plus époustouflant lorsque je suis au ranch.

Pour la première fois, il lui adressa un véritable sourire qui lui coupa presque le souffle.

Bien sûr, elle l'avait déjà vu sourire à l'école, mais jamais à son adresse. Envahie par une onde de chaleur, elle dut lutter pour rassembler ses idées.

— Qu'est-ce que vous élevez ? demanda-t-elle, tandis qu'il l'aidait à grimper dans son vieux pick-up, qui avait certainement été rouge vif, autrefois, avant que les outrages du temps et des retouches de peinture antirouille n'accomplissent leur œuvre.

— En fait, ce sont mes chiens qui s'en chargent, gloussa-t-il en prenant place au volant. Ils s'occupent merveilleusement bien des moutons et des chèvres. Je possède aussi quelques chevaux. Ce n'est pas grand-chose, mais en enseignant toute la semaine, je ne pourrais pas en gérer davantage.

— Pour quelle raison continuez-vous, dans ce cas ?

— En premier lieu, parce que j'aime ça. Mais aussi parce que cette propriété appartient à ma famille depuis plus d'un siècle, et que je refuse d'être celui qui aura laissé l'exploitation partir à vau-l'eau.

Elle le comprenait, tout en ayant du mal à imaginer ce qu'elle aurait fait à sa place.

— C'est donc aussi une question de loyauté envers vos ancêtres.

Son sourire, cette fois, fut presque imperceptible, et dirigé vers le pare-brise, occupé qu'il était à surveiller la route menant à leur établissement scolaire.

— Ils ont bâti ce lieu à la sueur de leur front, c'était leur place en ce bas monde, et maintenant, c'est la mienne. Un jour, j'aurai peut-être des enfants, et ils n'auront certainement que faire de cet héritage archaïque, mais pour ma part, mes racines sont profondément ancrées ici, jusqu'à ma mort.

— Ce doit être un sentiment assez rassurant.

— Certains jours.

Il marqua une pause avant de se lancer.

— Et toi ? Enfin, c'est plus simple si on se tutoie, non ?

— Oui, bien sûr. Pour ma part, je n'ai jamais connu ça, et j'ai un peu de mal à concevoir ce que tu ressens. Je vivais avec ma mère et nous déménagions souvent aussi. Je suis déjà contente d'avoir passé toutes mes années de lycée au même endroit.

— Et tu as repris le flambeau ? Tu es une nomade, toi aussi ?

— Qu'est-ce qui te fait penser ça ? Le fait que je me sois installée ici ?

— En partie, oui. Comment vivais-tu avant ?

— J'ai déménagé à plusieurs reprises, c'est vrai. Mais tu veux connaître la vérité ? Je prends de l'âge. Et je me rends compte que je n'ai pas ce que l'on appelle des amis de longue date. J'ai commencé à y songer, et je suis arrivée à la conclusion que ce mode de vie était assez morne.

— Tu cherches donc un endroit où poser définitivement tes valises ?

— Oui, si je m'y sens bien.

— Et pourquoi être venue ici ?

— Parce que, après une semaine passée dans cette ville, à me demander si j'allais accepter ce poste ou non, j'ai acquis la certitude que si j'y restais assez longtemps, j'y trouverais ma place, mais aussi des amis, et que j'y développerais mes propres racines. Les gens ne seraient plus des étrangers que l'on croise sur un grand boulevard. Je connaîtrais tout le monde, un peu, du moins. Et un jour, peut-être qu'à leurs yeux je ne serais plus une étrangère.

— C'est ainsi que tu t'es toujours sentie.

— Je n'ai jamais été rien d'autre.

Il garda le silence, et s'engagea dans le parking de l'école, en prenant la direction de la porte ouest. De là où elle se trouvait, elle distinguait le pan de toit qui venait d'être rénové et repeint, tout comme l'un des murs.

— On m'a dit qu'une partie du bâtiment a été soufflée par une tornade ?

— Oui, au printemps dernier, et elle a provoqué un énorme tohu-bohu. Elle n'a qu'effleuré les abords de la ville, mais elle faisait un demi-kilomètre de diamètre. En pleine campagne, on distingue encore son sillage et les dégâts qu'elle a causés. Heureusement, elle n'a tué personne, même s'il y a eu quelques blessés.

— Est-ce que ces phénomènes sont courants ?

— Non, loin de là. Mais celle de l'année dernière était à marquer dans les annales.

— Personne ne m'a dit qu'elle avait été si violente.

Il lui lança un regard amusé en éteignant le moteur.

— Ils ne voulaient pas que tu prennes tes jambes à ton cou, je pense.

— J'ai déjà vécu dans des zones soumises aux tornades. Et cela ne m'effraie pas outre mesure, même si j'aime autant les éviter.

— Ici, on n'en voit que très rarement.

Alors qu'ils quittaient le pick-up pour entrer dans l'école, elle entendit des cris provenant des terrains de jeu situés de l'autre côté du bâtiment.

— Il y a des entraînements aujourd'hui ?

— Oui, mais un peu plus tard. Je pense que ce sont quelques gamins qui jouent sur le terrain de basket-ball.

Il déverrouilla la porte et s'effaça pour la laisser passer devant lui. Elle ne cessait de se demander s'il avait choisi de la faire entrer de ce côté de l'école au cas où des joueurs de l'équipe seraient en train de s'entraîner, peut-être même ceux qu'elle avait pris en flagrant délit la veille. Elle était convaincue qu'il ne les craignait pas, mais il avait probablement voulu éviter de la mettre mal à l'aise. Cette attention était louable, à défaut d'être justifiée. Elle se plaisait à penser qu'elle était plus coriace qu'elle n'en avait l'air.

Ils progressèrent dans des couloirs pratiquement vides. De loin en loin, ils entendaient le polissoir qu'employaient les femmes de ménage, mais à part cela, les lieux semblaient déserts.

Il la mena jusqu'à son bureau, situé juste à côté du gymnase. L'endroit était assez exigu, même si une demi-douzaine d'étudiants aurait pu s'y tenir, et était équipé d'une cafetière et d'un four à micro-ondes.

— Cette pièce est vraiment très chaleureuse, le taquina-t-elle. On s'y sentirait presque comme à la maison.

— Etant donné leur âge et leur condition physique, mes petits gars sont tout le temps affamés. Ce four a déjà été maintes fois rentabilisé.

— Je n'en doute pas.

Il repoussa une pile de papiers sur un côté de son bureau, et tira une chaise afin qu'elle puisse s'installer devant l'écran de son ordinateur, puis il alluma l'appareil.

— Bien, commença-t-il. Tu as enseigné dans plusieurs types d'établissements, si je ne m'abuse. As-tu déjà mis en place ce genre de campagne ? Est-ce que tu connais un peu les causes et les conséquences de ce type de harcèlement ?

— Un peu, reconnut-elle. Dans une des écoles où je travaillais, un programme de sensibilisation était en place depuis plus d'une dizaine d'années. Les enfants étaient pris en charge dès la maternelle, et chaque année le thème était de nouveau traité en classe.

— Sur quoi était fondé ce programme ?

— A vrai dire, les enseignants et la direction en consti-tuaient la pierre angulaire. Les professeurs savaient qu'ils devaient prendre au sérieux toute parole, ou tout geste bles-sants ; ils prenaient aussi le temps d'écouter les plaintes des élèves, et réagissaient en conséquence, avec le soutien actif du personnel de direction. Si les adultes ne sont pas impliqués, une telle campagne est une perte de temps.

Il opina, et son regard bleu la frôla brièvement avant de retourner se poser sur l'écran. Elle se demanda, un peu moqueuse, s'il aurait aimé pouvoir plonger dans le moniteur pour ne plus avoir à supporter sa présence.

— Et les élèves ?

— Nous avons essayé d'instaurer un climat de respect de tout un chacun au sein de l'établissement. Tu sais aussi bien que moi que pour des adolescents, ce que pensent leurs amis a bien plus de poids que les principes défendus par les adultes. Aussi, en les incitant à s'autodiscipliner, et à rééduquer ceux qui seraient tentés de mal agir, nous sommes parvenus à de bons résultats.

— Mais c'est une entreprise périlleuse.

— Evidemment. Il s'agit de faire évoluer les mentalités. Un après-midi banalisé ne suffira pas à changer radicalement les choses, mais au moins, la graine du changement aura été plantée. Il faudra ensuite l'entourer de tous nos soins.

— Par quoi devrions-nous commencer ?

Elle aimait qu'il lui demande conseil. Même à cette époque où le mot d'ordre était à la parité et l'égalité entre hommes et femmes, elle avait constaté que de nombreux représentants de la gent masculine avaient encore tendance à s'approprier la direction de certains projets. Elle avait toujours attribué cela à un excès de testostérone, mais elle n'était pas certaine d'être dans le vrai. Après tout, Lincoln ne semblait pas souffrir de déficit hormonal, et sa virilité ne pouvait que difficilement être mise en question.

— L'idéal, annonça-t-elle lentement, serait d'obtenir le soutien des élèves qui font figure de modèles aux yeux des autres. Les leaders, en quelque sorte.

— Comme le sont certains de mes joueurs.

— Exactement. Ils pourraient donner le ton, montrer l'exemple, étant donné que ce sont les élèves les plus respectés par les autres.

— Nous devons aussi leur faire prendre conscience de l'impact que ces actes d'incivilité peuvent avoir sur leurs camarades. Ce n'est pas seulement humiliant sur le moment, non, les victimes risquent d'être marquées à vie. Les syndromes de stress post-traumatique sont légion. Est-ce que tu sais quel pourcentage de suicides est directement ou indirectement lié au harcèlement moral ? Une fois la graine plantée, nous les aiderons à la faire pousser, tu as raison.

Il la regarda alors droit dans les yeux.

— Est-ce que tu as personnellement subi ce genre de harcèlement ?

— Evidemment, comme la plupart des jeunes.

— Etait-ce très dur à vivre ?

— Assez, oui. On se moquait de moi à cause de mon poids.

— Que te reprochaient-ils ? Est-ce que tu avais des kilos en trop ?

— Pas beaucoup plus qu'aujourd'hui, répondit-elle, étonnée par sa question.

Il secoua la tête.

— C'est incroyable. Je pensais plutôt que la plupart des hommes te trouvaient sublime.

Elle en resta bouche bée, mais heureusement, il lui avait déjà tourné le dos.

— Je m'étais posé la question, reprit-il précipitamment, parce que, pour toi, le fait que ces gamins te bousculent n'apparaissait pas comme un geste d'intimidation. Cela semblait presque compréhensible, normal.

— Ce n'est pas ainsi que je l'ai ressenti, reconnut-elle. Cela n'avait rien d'anodin, je le conçois, mais je ne me suis pas sentie physiquement menacée.

Ses yeux bleus se posèrent de nouveau sur elle.

— Vraiment ? C'était pourtant le but recherché, si tu veux mon avis. Ils voulaient te faire comprendre qu'ils étaient plus grands et plus forts, et qu'ils ne craignaient pas de te malmener.

Elle se mordit la lèvre, et reconsidéra ce qui s'était passé.

— Tu as raison, je pense, sinon, pour quelle raison auraient-ils fait ça ? Ils ne m'ont pas effrayée ; ils m'ont seulement agacée davantage.

— Mais quelqu'un a délibérément tenté de te faire peur, ce matin.

Il fronça les sourcils et se cala au fond de son siège, comme s'il se donnait le temps de la réflexion.

— Je n'aime pas du tout ça, ajouta-t-il. Les actes d'intimidation en général, bien sûr, mais surtout cette espèce d'escalade, à en juger par ce que tu as vu, et ce que tu viens de subir. La situation est en train de dégénérer, et il faut y mettre le holà sans tarder.

— Ce n'est peut-être que le fait des quatre individus que j'ai surpris. Cela n'a rien d'une tendance, pour le moment.

Il esquissa un sourire, et son regard vagabonda sur elle, brièvement.

— Je te trouve optimiste. Ne serait-ce pas plutôt la partie émergée de l'iceberg ? Je doute fort que ce soit un acte isolé.

Elle posa son menton sur sa main.

— Tu as certainement raison.

— Et j'espère que non, repartit-il. Malheureusement, j'ai été le témoin de ce clivage grandissant dont j'ai parlé hier. Tout a commencé lorsque l'usine s'est implantée. Une espèce de frontière imaginaire s'est instaurée, et dans ces situations, combien de temps faut-il pour que ceux qui se trouvent de l'autre côté deviennent l'objet de votre mépris ?

— Je comprends ce que tu veux dire.

— Ce sont les bases de la dynamique sociale. Toute guerre a pour fondement le refus de la différence. Et notre école est un microcosme de la société. (Il secoua la tête.) Je ne suis pas en train d'énoncer de grandes théories philosophiques sur le devenir de l'humanité, tu sais. Mais nous devons faire front commun pour régler ce problème de discrimination, ou de stigmatisation, à notre humble niveau, sans offusquer ni blesser personne.

— Il serait présomptueux de croire réformer l'humanité en un jour, ou même un lycée en une semaine, rétorqua-t-elle en riant. Comment envisages-tu les choses ?

Il s'octroya la tâche de réunir les élèves susceptibles de constituer le groupe moteur de leur campagne, tandis qu'elle devrait élaborer des activités pédagogiques à exploiter lors d'un après-midi banalisé où tous les élèves seraient réunis pour réfléchir à ce sujet.

Quelque temps après, il se leva et s'étira, avant de lui dire :

— L'entraînement va bientôt commencer. Je vais te reconduire chez toi.

— Je préfère marcher, mais je te remercie de me l'avoir proposé.

— Dans ce cas, je t'accompagne.

Ses mots la figèrent sur place.

— Tu es réellement inquiet, n'est-ce pas ?

— Inquiet n'est pas le mot exact, mais je pense qu'il serait judicieux de te montrer prudente, au cas où ces tentatives d'intimidation se reproduiraient.

D'instinct elle fut tentée de se rebeller. Elle était une femme indépendante, parfaitement capable de prendre soin d'elle-même, et n'avait nul besoin d'un chevalier servant pour veiller sur elle. En revanche, cela lui permettrait de passer davantage de temps en sa compagnie, ce qui était loin de lui déplaire. Elle ferait donc mieux de leur épargner cette confrontation.

Elle attrapa sa veste, et marmonna :

— Je pensais m'être installée dans une petite ville sympathique et accueillante.

— C'est bien le cas. Mais comme partout ailleurs, tout le monde n'y est pas forcément gentil.

A l'extérieur, l'agréable fraîcheur de cette fin d'automne se faisait toujours sentir, et, en dépit du soleil qui lui paraissait encore éclatant, Cassie avait l'impression qu'il allait neiger. Il verrouilla la porte, et ils cheminèrent jusque chez elle, tenant leur tasse isotherme à la main. Lincoln ne semblait pas particulièrement pressé.

— Est-ce que tu te plais ici ? lui demanda-t-il enfin.

— Oui, j'aime vraiment cet endroit.

— Les boîtes de nuit ne te manquent pas trop, ni les cinémas multiplexes, ou les centres commerciaux ?

Elle s'esclaffa.

— Non, pas du tout. Je n'ai jamais été une adepte du shopping, et je préfère les petites boutiques où l'on peut dénicher des pièces originales.

— Ce n'est pas ce qui manque ici.

— Je l'ai remarqué. Je n'avais pas mis les pieds dans ce genre de grand bazar, tu sais, chez Freitag, depuis que j'étais enfant. J'aime entendre les planchers de bois craquer sous mes pieds. Et puis, lorsque tu as visité un centre commercial, tu les as tous vus. C'est ce que j'appelle l'homogénéisation de la consommation. Tu ne sais même plus dans quelle ville tu te trouves.

— J'ai ressenti la même impression. Mais il n'y a pas grand-chose à faire, ici.

— Tu trouves ?

Elle se tourna vers lui, se demandant ce que sa phrase signifiait vraiment.

— Plusieurs fois par mois, je passe une soirée avec des collègues, reprit-elle. Nous jouons aux cartes, ou nous allons au restaurant. Je n'ai jamais aimé les discothèques, en fait. Oui, je sais, ma vie n'est pas très palpitante.

— Mais elle correspond bien au mode de vie local.

— Et si je ressens un besoin irrépressible d'aller au musée ou au cinéma, eh bien je profite du week-end pour me rendre à Denver. Voyons, Lincoln, tu es prof toi aussi. Est-ce qu'on a tant de temps libre que ça ?

Il gloussa.

— C'est vrai. Et en ce qui me concerne, le ranch me tient plus qu'occupé.

— Ainsi que le football, lui rappela-t-elle. Quoi qu'il en soit, je suis heureuse ici. L'ambiance est très différente des endroits où j'ai vécu jusqu'à présent, mais je m'y sens à mon aise.

— Nous en reparlerons au mois de mars, d'accord ?

Si elle en riait encore lorsqu'ils atteignirent la porte de

sa maison, le sourire de Lincoln était plus crispé, et elle voyait presque distinctement le bouclier derrière lequel il se retranchait se remettre en place.

Qu'est-ce qui le poussait à se comporter de la sorte ?

Elle poussa un soupir en verrouillant sa porte, comme il le lui avait conseillé, et se dit qu'elle n'obtiendrait certainement jamais une réponse claire à cette question.

Lincoln Blair semblait déterminé à ne pas partager ses secrets avec elle.

Qu'il aille au diable, pensa-t-elle, en retournant à son planning hebdomadaire. Elle avait plus besoin d'une idée lumineuse pour motiver ses élèves que de lui.

3

Le vent se déchaîna tout le dimanche soir, et le lendemain, lorsqu'elle se réveilla, Cassie eut la surprise de découvrir un ciel gris ardoise, alors que la température semblait avoir remonté.

Les bourrasques avaient emporté les dernières feuilles, qui virevoltaient autour des passants sur le trottoir qui menait Cassie jusqu'à son école. N'ayant pas reçu d'autre appel menaçant, elle considérait que l'incident était clos. Cependant, au cours du week-end, elle avait reçu un e-mail de Lee, lui demandant, ainsi qu'à Lincoln, d'exposer leur projet de campagne à leurs collègues, après la classe, au cours de la réunion pédagogique hebdomadaire.

Etant la dernière arrivée dans l'équipe professorale, cela la mettait un peu mal à l'aise, et tout en marchant vers le lycée, elle se rendit compte que cette idée la rendait passablement nerveuse, un peu comme si c'était son premier jour de classe. Super ! Elle espérait que son aplomb reviendrait en cours de journée.

Lorsqu'elle arriva au portail, elle aperçut Lincoln, qui surveillait la descente des bus. Cette fois, il lui adressa un petit sourire, et lui tint même la porte ouverte.

— Tu sais, pour cet après-midi…, commença-t-elle.

Il acquiesça.

— Si tu crains de jouer les donneuses de leçons, je peux me charger de leur présenter les grandes lignes.

— C'est un peu ça. Je te remercie.

Il opina une nouvelle fois.

— Mais n'hésite pas à intervenir si tu as le sentiment que je passe à côté de quelque chose. J'ai réussi à rassembler quelques bons éléments pour notre groupe leader : j'ai convaincu quelques pom-pom girls, ainsi que certains de mes joueurs vedettes. A vrai dire, je n'ai pas fait d'annonce à la cantonade, je suis allé les voir individuellement, et personne ne s'est montré réticent.

Elle se tourna alors vers lui.

— C'est fabuleux !

Il lui sourit, à sa grande surprise.

— En dépit de ce qui s'est produit vendredi, la plupart de nos élèves sont des gens bien.

Elle lui sourit à son tour, et se dirigea vers sa salle de classe, en se disant que c'était un départ prometteur et qu'ils parviendraient certainement à endiguer ce problème de harcèlement avant qu'il ne prenne des proportions ingérables. James Carney et consorts n'auraient peut-être plus à subir davantage d'humiliations.

Elle déverrouilla la porte de sa salle et y entra. Immédiatement une odeur nauséabonde l'assaillit. Quand elle s'approcha de son bureau, elle dut retenir un cri d'horreur en voyant ce qui s'y trouvait. Reculant jusqu'à la porte, elle appuya sur le bouton de l'Interphone.

— Secrétariat du principal.

— Marian, il faudrait que Lee vienne tout de suite. Quelqu'un a placé un rat mort sur mon bureau. Je ne vais pas pouvoir accueillir mes élèves.

Elle entendit Marian s'adresser à quelqu'un.

— Cassie, il arrive immédiatement avec le concierge.

Quittant la pièce, elle ferma la porte à clé et monta la garde devant, en faisant de son mieux pour ne pas régurgiter son petit déjeuner. C'était absolument répugnant. La pauvre bête avait eu la gorge tranchée, son sous-main était couvert de sang, et à en juger par l'odeur, le cadavre traînait là depuis vendredi.

Le message était sans équivoque, et suffisant pour lui donner des haut-le-cœur. La nausée l'envahissait de plus en plus, et une sueur froide lui recouvrait le corps. Elle n'avait qu'une envie : fuir, pour ne plus jamais revenir.

Elle prenait de grandes inspirations pour se calmer, adossée contre le mur, en se conjurant de ne pas sombrer dans l'hystérie. Le message qu'on venait de lui faire parvenir était sournois et révoltant, mais rien de plus.

Si leur intention était de l'effrayer, cela ne fonctionnerait pas. Elle se l'était promis au moment même où elle avait été si tentée de prendre ses jambes à son cou. Mais comment pourrait-elle désormais s'asseoir à son bureau sans repenser à ce rat ?

Elle préférait ne pas imaginer quel type de personne était capable d'un tel geste. L'un des agresseurs de James ? Eh bien, si c'était le cas, James était effectivement dans un sacré pétrin.

Tout comme elle.

Plusieurs élèves se présentèrent devant elle avant Lee.

— Je suis désolée, leur annonça-t-elle, vous allez devoir patienter à la bibliothèque ou dans le réfectoire. Nous avons subi quelques dégâts qu'il va falloir nettoyer.

Etait-ce un tour de son imagination, ou l'un des garçons avait-il effectivement un sourire en coin ? Tout était possible, mais elle refusait de voir en chacun un harceleur potentiel. Elle était simplement plus susceptible qu'à l'accoutumée.

Lorsque le directeur arriva, flanqué du concierge, elle s'était déjà un peu ressaisie. Jusqu'à ce qu'elle aperçoive Lincoln, qui les suivait de près.

Lee la dévisagea avec attention.

— Est-ce si affreux que ça ?

— Suffisamment pour que je sois contrainte d'envoyer ma classe en permanence. Il faudrait que quelqu'un se charge d'aller faire l'appel. Mais ici, c'est un vrai cauchemar.

— Allons voir ça de plus près.

— Vous ne m'en voudrez pas si je ne vous accompagne pas, n'est-ce pas ?

Lincoln entra tout de même, et elle le vit sortir son téléphone portable pour prendre quelques clichés. Lee semblait au bord du malaise. Le concierge lui-même pâlit, alors qu'il avait dû en voir des vertes et des pas mûres au cours de sa carrière.

— Cela n'a plus rien d'une blague de mauvais goût, déclara Lincoln. Je pense qu'il serait bon d'alerter le shérif.

Lee acquiesça, et posa une main sur sa bouche avant de quitter la pièce.

— Ne touchez à rien, bredouilla-t-il. Gage ne tardera pas.

— Il faut bien que je fasse classe, lui rappela Cassie, essayant de se raccrocher à un semblant de routine et de normalité dans ce chaos.

Elle tentait de se focaliser sur la seule chose qu'elle pouvait faire.

— Je vais faire amener un tableau dans le réfectoire, lui promit Lee, qui se dirigeait d'un pas pressé vers son bureau. J'appelle immédiatement le shérif.

Le concierge, qui préférait se faire appeler Gus, alors que son vrai patronyme était Madson Carson, se tenait dans un coin, et secouait la tête.

— Où va-t-on, je vous le demande ! se lamentait-il. Qui a bien pu entrer dans cette salle ?

— Il est là depuis vendredi, affirma Lincoln. Sortons d'ici, et allons attendre Gage. Nous ne ferons rien de plus, à part risquer de contaminer la scène.

Une fois la porte de nouveau verrouillée, il emmena Cassie à l'écart, en lui soutenant légèrement le coude.

— Comment te sens-tu ?

— Ça va aller. Comment sont-ils donc entrés ?

— Rappelle-toi qu'il suffit de pousser n'importe quelle porte de secours pour quitter le bâtiment. Ton visiteur a certainement attendu que tout le monde soit parti pour passer à l'action et s'éclipser, ni vu, ni connu.

Il avait raison, dut-elle admettre. Les portes donnant sur l'extérieur étaient des issues de secours, et s'ouvraient d'une pichenette lorsque vous vous trouviez dans l'enceinte de l'établissement. Quant à sa classe... il n'était pas difficile de se procurer ce genre de clé, ni même de forcer sa serrure. Il n'y avait pas de coffre-fort à protéger...

Elle se pencha pour l'observer de plus près.

— On a crocheté la serrure, déclara-t-elle, en découvrant de légères déformations sur le pourtour métallique.

— C'est possible, soupira Lincoln. Bon sang, quelle mouche les a donc piqués ?

Elle n'avait pas de réponse claire à lui fournir.

— Sois réaliste, Lincoln, chaque troupeau a son mouton noir.

Le hall s'était maintenant rempli d'élèves, et le haut-parleur ne tarda pas à annoncer que les classes de Mlle Greaves se tiendraient ce jour dans la cafétéria.

— Ça me dérange de constater une escalade aussi rapide, lui confia Lincoln. L'incident s'est produit vendredi à midi. Lorsque j'ai ouvert la porte aux joueurs avant de partir pour le match, quelqu'un en a peut-être profité pour se faufiler à l'intérieur, mais cela signifie que la contre-attaque a eu lieu la même journée, alors que Lee venait de mettre les parents au courant.

— Combien de personnes étaient présentes vendredi soir ?

— Eh bien, à part les joueurs, il y avait quelques parents et amis, des professeurs, et les pom-pom girls. Il y a toujours foule, même lorsque nous partons jouer à l'extérieur.

— En gros, les suspects sont légion.

Il acquiesça, mais tout en faisant une grimace.

— Es-tu sûre que ça va aller ? Tu devrais prendre un jour de congé.

— Que je passerai à ressasser cette histoire ? Non merci. Et puis, quel conseil donne-t-on en général à une personne qui tombe de cheval ?

Sa moue se changea en sourire.

— Tu as un sacré cran. Mais si le shérif considère qu'il faut prendre cette menace au sérieux, il vaudrait peut-être mieux que tu ne restes pas seule.

Comme si elle avait le choix.

Lorsque le shérif arriva avec ses adjoints, Cassie fut soulagée que tous les élèves soient déjà en classe. Evidemment, ils apprendraient vite ce qui s'était passé, mais ils n'avaient nul besoin de venir s'agglutiner dans les parages, à l'affût de détails sanguinolents, ni d'interférer avec les policiers.

Le shérif, Gage Dalton, qu'elle avait déjà croisé deux ou trois fois, l'interrogea avec beaucoup de délicatesse et de bienveillance. Il commença par l'événement du matin, puis, inévitablement, lui demanda si elle savait ce qui avait incité son visiteur à agir de la sorte.

Elle se tourna vers Lee, qui poussa un soupir et secoua la tête.

— Nous ferions mieux de tout lui expliquer, même si nous souhaitions régler ce problème entre nous, dit-il.

— De quoi parlez-vous ? demanda Gage.

Elle relata donc au shérif l'incident de la semaine précédente, et Lincoln insista pour qu'elle mentionne l'appel téléphonique qu'elle avait reçu. Une fois qu'elle eut expliqué quel plan d'action ils comptaient mettre en place pour lutter contre le harcèlement, et que tout le monde se fut tu, le visage de Gage semblait s'être assombri.

— Eh bien, déclara-t-il en se tournant vers Lee, vous avez trouvé judicieux de jeter votre professeur en pâture aux lions ? (Puis il s'adressa à Lincoln :) Et toi aussi, Linc ?

Cassie s'interposa.

— Notre souci majeur était de protéger James Carney. Nous ne voulions pas qu'il devienne un bouc émissaire.

— C'est donc à vous qu'il fallait reprocher ces heures de

retenue ? Vous êtes devenue la cible volontaire de ce petit groupe ?

— Je n'aime pas ce que tu insinues, le coupa Lincoln assez sèchement. Je suis impliqué dans cette histoire, et aujourd'hui bien plus que vendredi. Cela dit, le petit Carney n'est pas le seul à avoir été victime de ces jeunes. Cassie, elle aussi, a été malmenée. Nous voulions régler le problème immédiatement, sans que Carney soit victime de représailles. Nous ne pouvons accepter que des élèves bafouent l'autorité d'un professeur en le bousculant, ou en l'ignorant. Sinon ce sera l'anarchie, et nous perdrons vite le contrôle de la situation.

Gage glissa son index dans le passant de sa ceinture, l'air renfrogné, et s'adossa au mur.

— Tu sais que je pourrais les emmener au poste pour ce qui s'est passé vendredi. Mais je comprends que vous ne voulez pas nuire à leur réputation, aussi, je ne le ferai pas. Cependant, étant donné que l'avertissement donné était empreint de menaces, il aurait fallu saisir le taureau par les cornes. En pensant détourner l'attention vers Mlle Greaves, est-ce que vous pensez vraiment avoir protégé Carney ? J'en doute. Ils savent ce que vous leur reprochez vraiment, et cela ne fait que leur donner une raison supplémentaire de s'en prendre à lui. L'autre souci, c'est que nous avons trop de suspects potentiels. Entre les agresseurs, leurs parents, et leurs amis… A moins de dégoter une preuve irréfutable en fouinant dans la salle de Cassie, nous risquons de ne pas aller très loin. Gardez donc à l'esprit que cette histoire est en train de tourner à l'aigre.

Lincoln accompagna Cassie jusqu'au réfectoire, et manifestement, elle n'était pas la seule à être mal à l'aise, songea-t-elle en l'observant à la dérobée.

— Nous nous sommes montrés stupides, marmonna-t-il.

— Je ne pense pas. Lee a pris la bonne décision en sanctionnant l'attitude irrespectueuse qu'ont adoptée ces élèves à mon encontre. Et aussi en choisissant de mettre James à l'abri.

Lincoln se tourna vers elle, l'air surpris.

— Tu persistes à le croire, après ce qui vient de t'arriver ?

Elle se mordit la lèvre, et hocha la tête en guise de réponse. Cette situation avait beau être extrêmement inconfortable, elle refusait de leur donner du grain à moudre contre James.

— Je suis capable de me défendre, déclara-t-elle d'un air bravache.

Il la saisit par le coude et l'entraîna dans un recoin désert du couloir, qui menait vers la salle de pause du personnel d'entretien.

— Ne prends pas ces menaces à la légère, Cassie. Le rat, ce matin… c'est un peu fort de café. Là, nous avons franchi un autre cap, tu ne crois pas ?

Lorsqu'elle leva les yeux vers lui, elle constata que son regard était à la fois rassurant et teinté d'inquiétude. Pour une fois, il ne cherchait pas à l'éviter, mais l'impact de cette attention faillit lui couper le souffle. Comment pouvait-il, d'un simple regard, produire un tel effet sur elle ?

Elle fit de son mieux pour rassembler ses idées, mais dut pour cela baisser les yeux.

— Je suis une adulte. Je suis mieux armée pour me préserver.

— Même lorsqu'on égorge un rat sur ton bureau, Cassie ? En es-tu si sûre ?

— La plupart des élèves sont aussi des chasseurs, et je suis persuadée que pour eux ce geste n'a pas la même portée que s'il avait été accompli par un petit citadin.

— Tu leur trouves des excuses, maintenant ?

— Ai-je tort ?

— Je l'ignore, reconnut-il malgré lui. Et c'est ce qui me chiffonne. Oui, je t'accorde que nombre d'entre eux chassent, mais ce n'est pas considéré comme un sport ici, et ça n'a pas pour but d'assouvir des penchants cruels. De nombreuses familles espèrent tirer un chevreuil ou un caribou afin de remplir leur congélateur pour l'hiver. On ne tue pas par plaisir.

— Et les rats sont des vermines qu'il faut exterminer, enchérit-elle, malgré son estomac qui recommençait à se convulser.

Il n'y avait peut-être pas moyen de dédramatiser la situation, et il était sûrement vain d'essayer. Mais elle refusait d'arpenter les couloirs de son lieu de travail en se demandant, chaque fois qu'elle croisait un lycéen, s'il risquait de s'en prendre à elle. D'ailleurs, elle appréciait la plupart de ses élèves.

— Cassie, reprit doucement Lincoln, ne sois pas têtue. Tu sais que c'était un acte ignoble, aussi bien envers toi qu'envers ce malheureux rongeur.

Elle sentit un peu de son aplomb s'évanouir et pressa ses paumes l'une contre l'autre.

— J'en ai conscience, admit-elle enfin. Mais je dois survivre à cette journée. Je vais aller prendre mes classes, et continuer à considérer mes élèves de la manière la plus objective possible, comme je l'ai fait jusqu'à présent. Je refuse de laisser cette histoire pourrir la relation que j'entretiens avec eux.

Il soupira, avant d'acquiescer.

— Montre-toi prudente, et ne baisse pas la garde. N'essaie pas d'agir comme si rien ne s'était passé tant que nous n'avons pas tiré tout cela au clair.

— Je ne suis pas du genre à prendre les choses à la légère, dit-elle un peu sèchement. Loin de là. Je préférerais pouvoir effacer cette image de mon esprit.

— C'est tout à fait légitime.

A sa grande surprise, il passa un bras autour de ses épaules et la serra contre lui.

— Accorde-moi une faveur. Accepte que je te raccompagne chez toi après la réunion de cet après-midi. Fais-le pour moi. Je me sentirais plus rassuré.

Pour un type qui jusqu'alors l'évitait comme la peste, il n'avait pas tardé à brûler les étapes. Il devait se sentir l'âme d'un chevalier servant, à n'en pas douter, songea-t-elle.

— D'accord, et puis, merci, finit-elle par ajouter.

Cela ne lui coûtait rien, et puis elle devait bien avouer qu'elle n'était pas aussi sûre d'elle qu'elle voulait bien le laisser croire.

Après avoir tant prié pour qu'il se montre moins distant, elle aurait tout de même préféré que le changement s'opère dans des conditions moins dramatiques.

Cette idée démoralisante en tête, elle longea le couloir pratiquement désert pour prendre en charge sa première classe, alors que la cloche n'allait pas tarder à sonner. Elle allait devoir adapter son plan de cours, et faire travailler les élèves d'arrache-pied le lendemain pour compenser le temps perdu.

Alors qu'elle s'approchait du groupe réuni dans le réfectoire, elle comprit, en voyant l'air des élèves, et les conversations qui se tenaient à voix basse, que le mot était déjà passé. Elle se demandait s'ils étaient au courant des détails, et s'ils allaient lui poser des questions. Vingt-deux paires d'yeux se posèrent sur elle, mais personne ne pipa mot.

— On dirait que c'est votre jour de chance, jeunes gens, dit-elle de sa voix la plus guillerette. Comme je n'ai pas le temps d'introduire la nouvelle leçon aujourd'hui, vous n'aurez pas de problème à résoudre en devoirs. Quant au projet hebdomadaire, il vous revient de me proposer différentes manières d'exploiter ce que nous avons couvert en mathématiques et en sciences la semaine dernière. J'aimerais que vous me présentiez vos idées demain.

Heureusement, ils semblèrent satisfaits d'avoir à élaborer leur propre projet. Et lorsqu'ils quittèrent la pièce, quelques minutes plus tard, certains échangeaient déjà quelques pistes de réflexion sur le sujet.

Le reste de la journée se passa sans encombre. On lui signala rapidement qu'elle pouvait réintégrer sa salle de classe. A vrai dire, elle aurait préféré éviter d'avoir à y remettre les pieds jusqu'au lendemain, mais, peu après qu'elle en eut été avertie, le haut-parleur annonçait déjà que ses cours auraient lieu dans la salle habituelle.

Zut ! pensa-t-elle, un peu réticente à l'idée d'y retourner. Elle rassembla ses affaires, puis se mit en route vers sa salle, suivie de près par ses élèves.

Gus l'attendait.

— Tout est en ordre, lui annonça-t-il. La salle est nettoyée. En revanche, j'ai dû jeter deux ou trois choses, mais l'école les remplacera dès que vous en ferez la demande. J'ai l'habitude de nettoyer des trucs peu ragoûtants, mais cette fois, j'étais vraiment furieux. J'espère que vous ne serez pas indisposée par le désodorisant, mais il fallait bien ça pour assainir l'atmosphère.

Instinctivement, elle huma l'air en entrant.

— Vous avez fait un excellent travail, Gus.

Il lui sourit, un peu mal à l'aise.

— Si vous avez besoin de quoi que ce soit, appelez-moi.

Encore un chevalier servant, pensa-t-elle.

— Honnêtement, je préférerais ne plus avoir besoin de ce genre de services.

Il éclata de rire et s'éloigna, alors que les élèves s'engouffraient dans la pièce.

Classe après classe, elle dut se rendre à l'évidence ; elle ne parvenait pas à retrouver son rythme de travail habituel, ni à enseigner au sommet de son art. Elle finit par exempter tout le monde de devoirs, car elle n'était pas persuadée d'avoir expliqué très clairement les nouveaux concepts abordés durant la journée. Ses élèves ne semblèrent pas s'en plaindre, et témoignèrent même un certain enthousiasme à l'idée d'élaborer leurs propres projets. Elle aussi avait hâte de les voir exposer leurs propositions. En fin de compte, le bilan de cette journée n'était pas si calamiteux.

La réunion pédagogique la mit tout de même mal à l'aise. Outre le fait qu'elle était déjà fatiguée après une journée relativement stressante, elle eut la mauvaise surprise de découvrir que plusieurs de ses collègues considéraient que le problème du harcèlement n'était pas assez important pour que l'on y consacre une partie des heures d'instruction.

Certains affirmaient que l'incident qui s'était produit avec James Carney était si marginal qu'il n'était pas significatif. D'autres avançaient l'argument que tous les enfants passaient par ce stade, à un moment ou à un autre, et que la maturité ferait son œuvre en temps voulu. Elle se consola en constatant qu'une majorité d'entre eux trouvait qu'il fallait réagir vite, et fermement.

Elle était soulagée que Lincoln se soit chargé de leur exposer leurs idées. En moins de dix minutes, elle avait compris que si elle s'y était risquée, personne ne l'aurait suivie. Elle était pour eux une étrangère qui ne connaissait rien de l'école ni de leur public étudiant, et elle aurait été stigmatisée parce qu'elle se serait montrée bien trop critique.

La présentation de Lincoln fut accueillie avec respect, à défaut de susciter l'enthousiasme.

— Ils refusent de croire ce qui se passe, lui dit-elle alors qu'il la raccompagnait chez elle. N'en ont-ils jamais été témoins ?

— C'est bien possible. Les élèves n'adoptent pas ce genre d'attitude en présence des enseignants. Du moins, généralement plus à cet âge. C'est la raison pour laquelle nous pensions que le problème n'était plus si courant après le collège. Tu as entendu ce que j'ai dit à Lee vendredi. Mais ce n'est pas parce qu'on n'en parle pas que cela ne se produit pas.

— Ça va de soi.

Elle poussa un soupir.

— Etait-ce un acte isolé ? Quoi qu'il en soit, je n'aime pas l'effet boule de neige qu'il a produit.

— Moi non plus. Et je suis désolé pour ce matin. Ça a dû te donner une très mauvaise image des gens du comté.

— En fait, non, répondit-elle en toute sincérité. Il y a bien eu un moment où j'ai été tentée de fuir, je l'admets.

Mais le plus dur était de ne pas devenir suspicieuse envers mes élèves. Je les aime beaucoup, et je ne pense pas que l'un d'eux soit impliqué dans tout ceci, mais j'avoue que pendant quelques heures je me suis montrée particulièrement attentive à leurs réactions.

Il éclata de rire.

— Je l'imagine aisément. Mais tu as surmonté ce stade ?

— Bien sûr. Ce malaise était temporaire. Tu sais, Lincoln, ça fait plusieurs années que j'enseigne. Des problèmes se présentent, des élèves se comportent de manière stupide, ou sournoise. Ça fait partie de l'apprentissage de la vie. Et je ne vais pas porter un jugement à l'emporte-pièce sur ce comté à cause de ce seul incident.

Elle sentait le poids de son regard, mais elle continua à regarder droit devant. Il sortait de sa réserve parce qu'il était inquiet pour elle, mais il ne faisait aucun doute qu'il n'avait aucune autre idée en tête, elle ne devait pas se laisser aller à imaginer autre chose.

— Tu ne vas donc pas démissionner et quitter la région ?

Avec un tressaillement, elle se tourna vers lui.

— Cela ne m'a pas traversé l'esprit. Tu penses que je devrais l'envisager ?

— Absolument pas. D'ailleurs, j'ai reçu de bons échos à propos de tes cours. Tes élèves ne semblent pas détester les maths, ce qui est presque miraculeux, à mon humble avis.

— Nous en reparlerons dans quelques mois.

— J'en suis persuadé.

Ils étaient arrivés devant chez elle. Elle avait prévu de l'inviter pour prendre un café ou un en-cas, mais le ton qu'il venait d'employer la fit hésiter. Elle lui fit face.

— Pour quelle raison ne cesses-tu de sous-entendre que je finirai par partir ? Quand t'ai-je donné cette impression ?

Il se figea sur place.

— La plupart des gens qui n'ont pas grandi ici n'y restent

pas longtemps. Pour être franc, même ceux qui sont originaires d'ici n'ont de cesse de partir.

Elle hocha la tête, tout en le dévisageant.

— Dans ce cas, seul le temps nous donnera raison, à l'un ou à l'autre.

— Exactement. N'oublie pas de verrouiller ta porte, et appelle le shérif si quelque chose te chiffonne. Je le connais suffisamment pour savoir qu'il préfère être dérangé pour rien, plutôt que les gens hésitent, et qu'il ne soit pas là à temps pour leur prêter assistance.

Elle acquiesça.

— Nous ferons fléchir ces réticences par rapport à la campagne, affirma-t-il. Ça prendra sûrement du temps, mais pas autant que tu le penses. A une ou deux exceptions près, les collègues ont tous le bien-être des élèves à l'esprit.

Elle lui sourit timidement, espérant que l'avenir lui donnerait raison.

— Est-ce que je peux t'offrir un café, ou une collation ?

— Non, merci, il faut que j'aille superviser l'entraînement. A demain.

Le bouclier avait repris sa place, et leur conversation un tour purement professionnel. Perplexe, elle ferma sa porte à clé et l'observa reprendre le chemin de l'école. Le vent venait de se lever, et les feuilles mortes tourbillonnaient sur les trottoirs.

Il semblait si seul, songea-t-elle, alors qu'il s'enfonçait dans l'après-midi grisâtre. Mais cette impression n'était probablement due qu'au fait qu'il tenait tant à maintenir cette distance entre eux.

Il se laissait approcher, et l'instant suivant se barricadait dans sa tour d'ivoire. Ce qui n'allait pas tarder à la rendre folle et n'en valait pourtant pas la peine, se répétait-elle. Il avait beau être l'homme le plus séduisant qu'elle ait rencontré, cette attirance était vaine si elle ne s'accompagnait pas de certaines autres qualités, dont il était peut-être doué, mais qu'il ne souhaitait manifestement pas lui faire partager.

Elle devait le chasser de ses pensées, ne plus laisser ses sens la mener par le bout du nez. C'était une perte de temps, alors que son énergie serait bien mieux employée à poursuivre d'autres buts, comme mener à bien cette campagne de sensibilisation, ou préparer les réunions parents-professeurs, qui étaient imminentes, ou encore prendre de l'avance sur ses préparations de cours.

Tout à coup, elle se rendit compte qu'elle n'avait pas vu James à l'école, aujourd'hui. Il avait manqué sa classe. Comment ne l'avait-elle pas remarqué ?

A cause d'un rat égorgé, savamment mis en scène sur son bureau, et du tohu-bohu créé par cet incident. La mine grave, elle brancha la clé USB contenant ses listes de classe sur son ordinateur, et fit apparaître à l'écran le nom et le numéro de téléphone des parents de James. Cela ne coûtait rien de vérifier s'il était simplement souffrant. Car pour le moment, elle refusait de considérer d'autres éventualités.

James décrocha dès la première sonnerie.

— Je vais bien, lui assura-t-il de manière presque agressive. Ce matin, je n'étais pas très en forme, voilà tout.

— Tu comptes venir en cours demain ?

— Certainement, oui. Tout va bien, mademoiselle Greaves, arrêtez de vous faire du mouron pour moi.

Mais à peine Cassie avait-elle raccroché, que l'angoisse qu'elle éprouvait pour lui atteignit un niveau inégalé jusqu'alors.

L'entraînement avait occupé l'esprit de Lincoln jusqu'à ce qu'il verrouille l'accès au gymnase, vers 18 heures. Il devait aller s'occuper de ses bêtes, mais dès l'instant où il cessait de penser à son équipe, c'est Cassie qui monopolisait son attention. Et ce n'était pas bon signe, pour un certain nombre de raisons.

Il monta dans son pick-up, bien décidé à rentrer directement chez lui, mais son véhicule semblait doué d'une vie propre, puisque, sans qu'il sache comment cela s'était produit, il s'était retrouvé stationné devant le domicile de Cassie.

Nom de nom, se réprimanda-t-il, en pianotant du bout des doigts sur le volant. Poussant un grand soupir, il abandonna la partie. Lorsqu'il appuya sur la sonnette, il fut rassuré de constater qu'elle jetait un coup d'œil rapide par la fenêtre du salon avant d'ouvrir. Alors que de telles mesures n'étaient d'habitude jamais nécessaires dans les environs, un minimum de prudence lui semblait aujourd'hui de bon aloi, après les actes d'incivilité dont elle avait été victime.

— Lincoln ! s'écria-t-elle, surprise, en ouvrant la porte. Quelque chose ne va pas ?

— Non, non, pas du tout, répondit-il sachant d'avance qu'il risquait de se couvrir de ridicule. Mais je viens d'avoir une idée un peu folle : je me demandais si tu accepterais de m'accompagner à mon ranch. Tu pourrais m'aider à nourrir les animaux, et avoir un aperçu du mode de vie local. A moins que tu ne sois trop occupée.

L'expression ahurie de Cassie se dissipa bientôt pour en afficher une autre, trahissant manifestement son plaisir.

— Ça me plairait beaucoup.

— Je te ramènerai chez toi un peu plus tard, précisa-t-il, comme pour la rassurer.

Si elle découvrait à quoi ressemblait son quotidien, elle cesserait peut-être enfin de battre des cils en le voyant, ce qui ne manquait pas de provoquer en lui des sensations qu'il aurait voulu faire taire. Il essayait de se convaincre que c'était la réaction naturelle d'un homme qui n'avait pas approché une femme depuis bien longtemps, mais il ne parvenait pas à s'en convaincre.

Elle allait recevoir une douche froide, et il s'amusait d'imaginer le dénouement de son stratagème, tout en se demandant s'il allait effectivement parvenir à ses fins, ou s'il faisait complètement fausse route.

En fait, il savait que cela ne suffirait pas. Il avait fallu un an à Martha pour être totalement lassée de ce mode de vie. Mais Cassie semblait bien plus franche qu'elle lorsqu'il s'agissait d'exprimer ce qu'elle ressentait.

Parfois, il songeait à son ancienne fiancée, et se demandait si, dès le départ, elle avait caressé l'espoir de lui faire vendre sa propriété, dans le but d'adopter un mode de vie plus confortable, ou du moins, celui auquel elle semblait aspirer.

Cette pensée le faisait presque rire. Comme s'il était possible de vendre ce ranch minuscule par les temps qui couraient ! Aucun citadin aisé ne viendrait s'enterrer ici, à moins d'avoir l'intention de faire de ce lieu une résidence secondaire où il viendrait faire du cheval en été et chasser en automne.

Il avait vu des propriétés équivalentes changer de mains, mais à l'époque actuelle, elles étaient généralement achetées par lots, dans le but d'implanter des fermes d'élevage intensif, ou de bâtir des lotissements résidentiels. Ce qui avait relativement peu de chances de se produire là où il se trouvait, d'autant qu'aucun de ses voisins ne semblait désireux de vendre son lot. La plupart d'entre eux étaient du même acabit que lui, avec des racines profondément ancrées dans le comté de Conrad.

Quoi qu'il en soit, il n'était pas prêt à renoncer à son mode de vie, et il ne se départirait jamais de son héritage familial.

Cassie ne prit la parole que lorsqu'ils quittèrent la ville.

— Les journées semblent bien plus courtes ici que lorsque je vivais dans le Sud.

— Je n'en doute pas.

Elle avait délibérément choisi un sujet de conversation neutre.

— Mais je l'avais oublié, insista-t-elle. On s'habitue si vite au changement de latitude que l'on finit par ne plus en avoir conscience. Et au printemps prochain, je ne m'en apercevrai certainement plus.

— Mais ce n'est pas aussi flagrant que dans certains comtés situés plus au nord. Il faut que je te raconte une anecdote à ce sujet ; un été, je rendais visite à un ami qui habitait là-haut, au Canada, et je ne comprenais pas pour quelle raison je me levais si tard tous les matins. En fait, lorsque je me réveillais, la moitié de la journée était déjà passée. Mon ami s'en est amusé, et m'a suggéré de regarder à quelle heure je me couchais. Effectivement, j'organisais mes journées en fonction du soleil, sans me rendre compte que celui-ci ne disparaissait que très brièvement. Si bien que je me glissais dans mon sac de couchage à 2 heures du matin…

Elle éclata de rire.

— Je ne suis pas sûre que j'aimerais vivre près du cercle arctique. Les journées interminables sont une chose, mais je ne pense pas que je supporterais les nuits sans fin.

— Même ceux qui grandissent là-bas ne s'y font pas toujours.

Le silence les entoura de nouveau, Cassie semblant se satisfaire d'admirer les paysages qui défilaient dans la pénombre grandissante.

— Tu m'as dit que tu élevais des chèvres et des moutons, c'est ça ?

— Oui, et je possède aussi quelques chevaux. J'aime enseigner, tout comme j'aime coacher les équipes sportives. Et travailler au ranch. En fin de compte, j'ai de la chance, parce que ma propriété est de taille réduite, si bien que je n'ai pas à m'y consacrer à temps plein. Autrefois, ça aurait certainement été différent. Mais aujourd'hui, la donne n'est plus la même pour les petits fermiers.

— C'est triste.

Il haussa les épaules.

— Ainsi va le monde. Mais en contrepartie, je mène une vie moins monotone.

Il jeta un regard dans sa direction et remarqua qu'elle avait pivoté sur la banquette pour le regarder.

— Mais… si tu avais la possibilité d'y travailler à plein temps ?

— Je ne sais pas trop. Il faudrait que j'achète de nouvelles terres, ou que j'en loue pour faire paître mes bêtes. C'est ce que font mes voisins. Bien sûr, je pourrais aussi réclamer l'utilisation de terres du domaine public. Cependant, à moins d'avoir les reins vraiment solides, un rien peut te mettre dans une situation délicate. Il est donc préférable de ne pas mettre tous ses œufs dans le même panier.

— Beaucoup de personnes l'ignorent, mais jusqu'à il y a peu, la Floride était le deuxième producteur de bétail du pays.

— Tu as donc vu beaucoup de fermes ?

— Certaines étaient immenses. Puis nous avons subi cette terrible sécheresse. Tu dois t'en souvenir. Les éleveurs devaient importer leur fourrage, et je n'avais jamais vu de bêtes aussi faméliques. Leurs os affleuraient sous la peau. Les points d'eau étaient si rares que les alligators migraient à la recherche de nouveaux habitats. Beaucoup succombaient avant d'y parvenir. Quoi qu'il en soit, après cet épisode, de nombreux fermiers ont dû se résoudre à céder une partie de leurs biens, et les lots vendus se sont transformés en centres commerciaux ou en quartiers résidentiels. J'ai eu le sentiment que cette catastrophe naturelle avait sonné le glas de plus d'un de ces ranchs surdimensionnés.

Il secoua la tête.

— Il y a certains avantages à rester petit. J'ai au moins l'assurance de rester à flot, même par ces temps difficiles. Alors que les gros producteurs sont sans arrêt sur le fil du rasoir.

— Le pire, je crois, était d'assister à l'agonie d'un mode de vie traditionnel. J'imagine combien cela a dû être douloureux pour ces familles. Mais certaines ont au moins eu la chance de s'en sortir.

Il ressentit de la compassion pour ces fermiers. Comment

aurait-il pu en être autrement ? Mais il voulait que leur conversation garde un ton léger.

— Est-ce que j'ai bien entendu, tout à l'heure ? Tu étais triste pour ces malheureux alligators ?

Elle émit un rire franc et cristallin.

— Absolument. Il est tout à fait possible de vivre en harmonie avec eux ; après tout, ils étaient là bien avant nous. Et il faut traiter la nature avec respect.

— J'en déduis que tu es aussi pour la défense des loups ?

— A priori oui, et toi ?

— Moi aussi, car ils maintiennent un certain équilibre dans leur écosystème. Bien sûr, il m'arrive de temps à autre de perdre un agneau ou un chevreau, mais les coyotes provoquaient les mêmes dégâts avant que les loups ne soient réintroduits.

— Comment protèges-tu tes troupeaux ?

— Grâce à mes chiens. Ces grosses boules de poils sont fantastiques. En plus, les ours les détestent, les loups évitent de s'y frotter, et les coyotes les fuient comme la peste. Mais lorsqu'ils n'ont pas à surveiller les bêtes, je leur fiche la paix, et je les laisse redevenir de simples cabots. Prépare-toi à être assaillie par ma horde, qui va te lécher jusqu'à ce que tu implores grâce.

Elle rit de nouveau.

— Ça me plaît bien.

Ce n'était pas le cas de Martha. Pour elle, un chien devait tenir sur ses genoux, sentir le parfum et porter un petit nœud. Elle n'avait jamais vraiment apprécié ses infâmes chiens sales et poussiéreux.

En tout cas, il ne tarderait pas à observer la réaction de Cassie face à eux.

Il faisait nuit noire lorsqu'ils atteignirent le ranch. Les nuages qui avaient envahi le ciel masquant toute clarté, il suggéra à Cassie de rester à l'intérieur du véhicule pendant qu'il allait actionner l'éclairage extérieur. Aussitôt, moutons et chèvres se précipitèrent en direction de la clôture, sachant qu'ils allaient être nourris, et les chiens, qui attendaient en remuant la queue depuis qu'ils avaient vu le pick-up s'engager dans l'allée, se mirent à aboyer comme des fous. Ils attendaient leur friandise, une espèce de biscuit au goût de dinde et de bacon, en guise de récompense pour avoir effectué des heures supplémentaires.

Les chevaux se montraient plus flegmatiques, s'approchant de la barrière d'un pas indolent. Bien sûr, ils avaient sûrement passé la journée à se dépenser, contrairement aux chèvres et aux moutons.

Tandis qu'il observait les animaux qui s'attroupaient, il entendit Cassie, dans son dos, qui se rapprochait de lui en foulant l'herbe maintenant sèche.

— Tu as bien plus de pensionnaires que je ne le pensais, lança-t-elle. Est-ce que les chèvres sont gentilles ?

— Une chèvre s'installerait dans ton salon, si tu la laissais faire. Elles sont bien plus affectueuses que les moutons, si tu veux mon avis.

— C'est super ! Et comment puis-je t'aider ?

Question que Martha n'avait jamais posée, pas même lors de sa première visite. D'ailleurs, en y repensant, il ne se souvenait pas qu'elle lui ait jamais proposé son aide.

Cassie, en revanche, se retroussa les manches avec enthousiasme, et lorsqu'il lui demanda de nourrir les chiens, les six garnements se montrèrent si impétueux qu'ils la firent tomber. Les croquettes volèrent dans tous les sens. La voyant sur son séant, un peu hébétée, Lincoln se précipita vers elle, mais elle éclata de rire et ne s'offusqua pas d'avoir été bousculée et léchée à qui mieux mieux.

Au contraire, elle enfonça ses doigts dans les fourrures épaisses et flatta chaque animal qui se trouvait à sa portée. Semblant apprécier le traitement qu'elle leur prodiguait, aucun d'eux n'alla faire la fête à son maître qui arrivait au pas de course.

— On dirait que c'est le début d'une grande histoire d'amour, susurra-t-il, appuyé contre la clôture.

Elle lui adressa un sourire un peu penaud.

— J'ai renversé leur nourriture. Que vont-ils manger ? Dois-je les resservir ?

— Ne t'inquiète pas, ils se débrouilleront. A ton avis, à quoi leur sert leur truffe ?

Il sortit un sac de friandises de sa poche et le lui lança. Elle l'attrapa de justesse.

— Un chacun, pas plus.

Les chiens avaient déjà compris. Ils s'agglutinèrent de nouveau autour d'elle, et son rire transperça la nuit. Lui-même ne pouvait réprimer le sourire qui se dessinait sur ses lèvres. Il ne s'attendait pas à ça. Vraiment pas.

Elle dut batailler ferme pour se relever, avant même de parvenir à ouvrir le petit sac. De loin, Lincoln lui rappela le code de bonne conduite que les chiens devaient suivre pour recevoir leur biscuit.

— Ordonne-leur de s'asseoir avant de le leur donner. Tends la main, paume vers le bas, et dis-leur fermement : Assis !

Elle suivit ses instructions et immédiatement, les six molosses s'assirent en face d'elle. Ils se chamaillaient gentiment, mais en veillant à ne pas se lever.

Elle ne put s'empêcher d'en rire.

— Ne les laisse pas te les arracher des mains. Et s'ils essaient, dis-leur non sèchement.

Les aboiements avaient fait place à des gémissements impatients, mais il n'y eut aucun écart de comportement.

— Ce sont de bons chiens, déclara-t-il. Ce sont eux qui se chargent du travail ingrat.

— Mais je suis sûre qu'ils y prennent beaucoup de plaisir.

Elle les flatta quelques instants, semblant un peu réticente à se séparer d'eux, mais lorsque Lincoln se dirigea vers l'enclos pour s'occuper des chèvres et des moutons, elle lui emboîta le pas. Elle lui prêta main-forte sans jamais se plaindre de l'odeur des animaux, semblant même apprécier leur présence, et elle parut ensuite ravie lorsqu'ils firent entrer les trois chevaux à l'écurie.

— Ils sont si beaux, laissa-t-elle échapper, pendant qu'il inspectait leurs sabots, tandis qu'elle leur apportait une ration d'avoine. Tu les montes régulièrement ?

— Aussi souvent que possible. Mais un peu moins en automne, à cause du football.

— J'ai monté un cheval une fois seulement, lorsque j'étais petite, et je me suis contentée de quelques tours de manège, ma monture tenue en bride par un instructeur.

— Nous allons remédier à ce problème...

Dès que les mots franchirent ses lèvres, il regretta de les avoir prononcés. Où avait-il donc la tête ? Il l'avait invitée ici pour l'effaroucher, non ? Et il lui avait proposé de l'emmener en balade à cheval parce qu'elle avait mis à mal tous les préjugés qu'il concevait à son encontre ? A un moment, il fut tenté de se taper la tête contre l'un des montants de bois, afin que son cerveau se remette à fonctionner correctement.

Trop tard. Mais comme il était très pris par les entraînements et les matchs, et qu'ils devaient aussi consacrer du temps à cette campagne de sensibilisation, il pouvait très bien prétendre qu'il n'avait pas le temps de l'emmener avant le printemps. Et à ce moment-là, elle serait probablement lassée de ce trou perdu, et n'aurait de cesse de trouver un marchand de bagels sans avoir à parcourir des kilomètres.

Les nuits commençaient à se rafraîchir, aussi harnachait-il chaque cheval dans une couverture, car dans leur box, ils ne pouvaient pas remuer pour se réchauffer. Lorsque les températures baissaient davantage, il faisait souffler de l'air chaud dans l'écurie, mais, comme à son habitude, il l'évitait autant que possible.

Il aurait dû raccompagner Cassie immédiatement chez elle, mais il ne voulait pas se montrer grossier, même pour se préserver. Au lieu de cela, il lui offrit une boisson chaude et un en-cas. Après tout, autant lui montrer le reste de la propriété, en particulier le corps de ferme qui avait connu des jours meilleurs, et le mobilier qui était passé d'une génération à la suivante. Il y avait une différence entre garder une maison en bon état et la décorer avec goût, et si le bricolage n'avait aucun secret pour lui, la décoration intérieure n'avait pas grand intérêt à ses yeux. De plus, il n'avait pas vraiment d'argent pour le superflu. De toute façon, sa maison lui convenait bien ainsi. A ses yeux, ce qui comptait vraiment était l'aspect pratique.

La cuisine ressemblait à celle que l'on trouvait dans la plupart des exploitations agricoles, c'est-à-dire assez grande pour y nourrir tous les employés qui y travaillaient. Certes, l'époque où les ouvriers fourmillaient était révolue, mais il avait choisi de conserver la longue table de service, ainsi que la pièce située à l'entrée, où tout le monde retirait ses bottes boueuses.

S'il laissait son esprit vagabonder, il percevait presque les rumeurs de ces temps meilleurs venir bruisser à son oreille. Enfin, lorsqu'il parlait de temps meilleurs, il pensait à ceux qu'avait connus le ranch. Pour sa part, il n'avait pas de raison de se plaindre.

Cassie se tint un moment sur le seuil, l'air étonné.

— Est-ce que cette maison a été bâtie pour accueillir un régiment ?

Il ne put s'empêcher de rire, et lui fit signe de s'attabler.

— Autrefois, les familles nombreuses étaient la norme. Et puis il fallait bien nourrir les employés.

Elle s'assit, et se mit à l'observer tandis qu'il leur préparait un chocolat chaud, et une assiette de biscuits.

— Qu'est-ce qui a changé, Lincoln ?

— Les mentalités. Après la Seconde Guerre mondiale, tout le monde est parti, à l'exception de mon grand-père. Le GI Bill y a contribué, bien sûr. Nous possédons encore un millier d'acres, mais il n'est guère rentable de les exploiter en ce moment. Cette propriété est à mes yeux un chef-d'œuvre en péril.

Un sourire se lisait encore sur ses traits lorsqu'il se tourna vers elle et déposa l'assiette sur la table, mais il y avait tout de même une note triste dans son regard.

— Est-ce que cela te cause de la peine ?

— Non, je le vis assez bien. Je fais tourner l'exploitation, en prenant garde à la maintenir dans des proportions qui restent gérables. Je vends la laine de mes moutons, quelques agneaux…

Il versa le chocolat chaud dans deux grandes tasses et, la voyant pensive et silencieuse, il s'assit sans un mot, sirotant son breuvage puis grignotant un biscuit.

— C'est étrange, reprit-elle au bout d'un moment. Certains secteurs d'activité se développent à toute vitesse, mais j'ai l'impression que cela se fait au détriment d'autres.

— Les temps changent, ainsi que les besoins, je suppose. Les valeurs ne sont plus les mêmes.

— J'en ai conscience, mais je ne suis pas sûre que cette évolution soit réellement un progrès.

— Disons que cela profite à la nature, par ici. A vrai dire, je suis même plutôt satisfait de la voir reprendre ses droits.

— Tu t'es créé ton petit sanctuaire écologique, c'est ça ?

— Oui, en quelque sorte.

Le chauffage venait de passer de son programme diurne, à celui de fin de journée, bien plus agréable, à vingt degrés, et, alors que la pièce se réchauffait, il commençait à percevoir l'odeur de Cassie, subtil mélange d'effluves de lessive, de shampooing, et de femme, ce dernier prenant le pas sur les autres. Or, s'il restait très léger, Lincoln savait qu'il ne devait pas tarder à la ramener chez elle.

D'ailleurs, lorsqu'elle saisit sa veste, son parfum vint l'envelopper et provoqua en lui un désir si intense que son jean lui parut tout à coup bien serré. Mauvais signe. Avait-il sombré dans la folie ? Avait-il vraiment cru qu'en l'amenant ici, pour qu'elle découvre les réalités de son quotidien, elle aurait été incitée à dresser un mur de protection entre eux ?

En tout cas, ce n'était pas l'impression qu'elle lui donnait. Elle avait semblé apprécier sa soirée. Peut-être était-ce à mettre sur le compte de la nouveauté, mais il était clair que cela ne l'avait pas refroidie, comme il l'avait escompté.

Le comble, c'est qu'il serait désormais assailli par le souvenir de Cassie, assise dans sa cuisine, telle une personnification de la tentation.

Quel idiot il faisait !

Il était cependant inutile de nier qu'il aimait sa présence. Comme il aimait avoir quelqu'un assis en face de lui, percevoir l'odeur suave d'une femme, et ne plus être seul.

Alors qu'il savait parfaitement que c'est ainsi qu'il finirait. Seul. Elle ne resterait jamais. Jamais. Pas plus qu'elle ne s'installerait sur Mars.

En la regardant finir sa tasse, il s'aperçut que Cassie arborait un air indéfinissable, mais qui ne semblait pas exempt de tristesse. Et si, depuis qu'elle avait été embauchée au lycée, il avait pris grand soin de ne pas la dévisager, il le faisait de plus en plus souvent, à présent. Bon sang, il s'était mis dans un sacré pétrin !

— Je pense sans arrêt à ce rat, lui avoua-t-elle.

Si sa phrase lui avait fait l'effet d'une douche froide, cela lui permit au moins de recommencer à respirer normalement et de se détendre.

— C'était assez impressionnant, il faut le reconnaître.

— Ce sont des manies de tueurs en série.

— Ou de gamins stupides qui ont l'habitude de chasser ou d'exterminer les animaux nuisibles.

Les yeux verts de Cassie lui parurent soudain dénués d'expression.

— N'essaies-tu pas simplement de me rassurer ?

— N'importe quel jeune qui a grandi dans une ferme a un jour ou l'autre donné la mort. On tire sur les coyotes, on tue les rats, on dépèce des chevreuils et des élans, et parfois du bétail que l'on a soi-même élevé depuis la naissance. Ça fait partie de la vie, et ça n'a rien d'amusant.

— J'ai un peu de mal à me faire à cette idée, je l'avoue.

— C'est normal, mais tu l'as déjà dit, tu viens d'un milieu complètement différent. Alors que ça n'a rien d'inhabituel pour bon nombre d'élèves. Ces pratiques sont nécessaires pour protéger leurs biens, tout comme pour assurer la subsistance de leur famille. Et même s'ils n'y ont pris aucun plaisir pervers, ils ont deviné que cela te glacerait le sang.

— Parce que je suis une étrangère.

— Parce que tu n'es pas une fille de la campagne. Les citadins trouvent ça répugnant, et cela fait d'eux la cible de blagues au goût douteux. Egorger un rat ? Ce n'est rien. Ils en tuent régulièrement, pour les empêcher de manger les récoltes ou de nicher dans les granges. Si ça se trouve, les gars du shérif découvriront qu'il avait été pris dans un piège. Autant dire que l'achever était un geste de compassion, car il avait probablement le cou ou le dos brisé.

Elle tressaillit, ce qui était un peu le but qu'il cherchait à atteindre, même s'il détestait lui imposer cela.

— J'ai saisi le message, lança-t-elle alors, en tentant de se ressaisir. Il m'est déjà arrivé de piéger des souris, chez moi, à plusieurs reprises.

— Le principe est le même. Lorsqu'on est chanceux, elles meurent sur le coup, mais ce n'est pas garanti. Et généralement, les gens sont réticents à utiliser du poison.

— Ça m'étonne. J'ai entendu dire qu'on s'en servait même pour se débarrasser des coyotes.

— C'est autorisé, mais assez dangereux. Car les chiens ou les chats risquent de l'ingérer. Surtout celui préconisé pour la dératisation. C'est pour cette raison que beaucoup d'entre nous préfèrent les pièges ou s'offrent les services de leur chat.

— J'ai encore des choses à apprendre.

Il lui adressa un sourire qui se voulait rassurant.

— Comme tout un chacun. Ecoute, je ne défends pas celui qui a mis ce rat sur ton bureau. L'objectif était manifestement de te bouleverser et de t'effrayer, mais je ne pense vraiment pas qu'il s'agisse d'une menace très sérieuse. Ce n'est rien d'autre qu'un abruti qui a pensé que ce serait drôle.

Depuis cet incident, elle avait les nerfs à fleur de peau. Pourquoi ses pensées ne cessaient-elles de se bousculer dans sa tête ? Elle se sentait bien plus téméraire lorsqu'elle était au lycée, alors que maintenant, la perspective de passer la nuit toute seule dans sa maison n'était pas faite pour la rassurer. Elle éprouvait plus de mal à paraître détachée.

— L'humour des adolescents est parfois difficile à cerner.

Elle savait ce qu'il sous-entendait : plus c'est dégoûtant, et plus c'est marrant. Ils étaient parvenus à l'écœurer complètement.

— Il était sûrement inutile d'alerter le shérif, marmonna-t-elle.

— Pourquoi ? Ce n'était qu'une mauvaise blague, mais ça relève tout de même du vandalisme, et le but était clairement de t'intimider, une fois encore. Le fait que le shérif s'en mêle devrait les inciter à réfléchir. Il arrive un moment où les choses qu'on pardonnait à des enfants ne sont plus acceptables, ni même légales.

Il marqua une pause, en se rendant compte que leur conversation semblait ne mener à rien. En fait, il n'était plus sûr d'avoir l'esprit très clair, déstabilisé par son maudit parfum et l'idée qu'il ne savait pas très bien quelle était la teneur de ce qui se passait entre eux.

— Je vais être honnête avec toi, dit-il lentement. J'ignore ce qui se trame, et en particulier ce qui bouillonne à l'école, et que je n'arrive pas à définir. Cela me met mal à l'aise. Il est clair que quelque chose nous échappe, et pourtant, j'essaie de rester optimiste, car je connais ces jeunes. Enfin, je le pense, et je refuse d'échafauder des scénarios glauques à leur sujet. En revanche, il ne faut pas minimiser ce qui s'est passé. Tu as été victime de trois agressions, et James a lui aussi été pris à partie. Je ne me voile pas la face, mais je ne veux pas non plus me laisser gagner par la panique. D'autant que l'esprit d'un type de seize ans est souvent impénétrable.

Elle le surprit en se mettant à rire.

— C'est vrai. Mais ce n'est pas beaucoup plus limpide chez les filles.

De toute façon, quel que soit leur âge, l'esprit des filles restait insondable, songea-t-il plus tard, tandis qu'il la raccompagnait chez elle. Il avait renoncé à les comprendre.

— Merci pour ces merveilleux moments, lui dit-elle alors qu'il l'escortait jusqu'à sa porte. Je me suis vraiment bien amusée.

— Moi aussi, avoua-t-il plus sincèrement qu'il ne l'aurait souhaité.

Il dut se faire violence pour ne pas lui suggérer de recommencer prochainement.

— Et merci d'avoir pris la peine de me rassurer, ajouta-t-elle en déverrouillant sa porte. Tu as raison. Nous savons pertinemment que les adolescents agissent parfois de manière impulsive. Ils croient avoir une idée de génie, et tiennent coûte que coûte à la soumettre à des expérimentations.

— Oui, mais il est aussi de notre devoir de mettre le holà. Nous allons nous y atteler.

Elle lui souriait encore lorsqu'il lui souhaita bonne nuit, et qu'elle referma sa porte.

Il retourna à son véhicule, jouant avec son trousseau de clés, et repensant à tous ces événements récents, de l'humiliation de James, en passant par ce pauvre rat, et enfin à la soirée qu'ils venaient de passer ensemble. Les pensées fourmillaient encore sous son crâne quand il arriva chez lui.

Quelque chose ne tournait pas rond. Il avait grandi ici et fréquenté ce lycée. S'il avait quitté la région lors de ses années d'université, cela faisait plus de dix ans qu'il était revenu enseigner dans cet établissement.

Son instinct lui hurlait que quelque chose se tramait. Mais quoi ? S'il refusait d'effrayer Cassie, il ne pouvait cependant pas trouver la paix de l'esprit.

L'équilibre qui régnait jusqu'à présent semblait avoir basculé, et le premier indice à trahir ce déséquilibre était le fait qu'un professeur ait pu être la cible d'actes ignominieux qui ne devaient pas être écartés d'un revers de la main.

La mésaventure de James Carney le préoccupait, bien sûr, même si ce genre d'incidents ressemblait plus à ce à quoi ils avaient été confrontés jusqu'à présent.

A défaut d'être moralement acceptable, cela restait dans les limites de ce qui semblait normal pour des jeunes du coin.

4

L'appréhension de Cassie se dissipa au bout de quelques jours. Rien d'inhabituel ne se produisit, James était de retour en classe et semblait, quoiqu'un peu susceptible, assez en forme. Mais lorsqu'elle essaya d'entamer une conversation avec lui au moment où il quittait sa classe, il lui lança un regard furieux et se précipita vers la sortie. Tout n'allait pas pour le mieux, se dit-elle ; et cela la perturbait.

D'un point de vue plus positif, ses élèves avaient présenté des idées de projets assez intéressantes. Elle avait pris le risque de combiner son cours de physique avec celui de mathématiques, et prenait plaisir à observer leur curiosité s'éveiller semaine après semaine. Cette victoire qui, elle l'espérait, se prolongerait dans le temps, lui redonnait du baume au cœur.

De plus, elle n'avait plus le sentiment de se trouver dans l'œil du cyclone ; celui ou ceux qui étaient furieux contre elle semblaient calmés. Les retenues étaient planifiées pour jeudi après-midi, et Lee avait insisté pour les superviser. Il ne voulait plus qu'elle soit impliquée directement dans cette histoire.

En revanche, elle avait tenu à seconder Lincoln lors d'une réunion durant laquelle il devait rencontrer les élèves qui formeraient l'avant-garde de leur campagne anti-harcèlement.

Sans surprise, ces lycéens, qui étaient parmi les plus respectés par leurs camarades, étaient tous beaux. A cet âge, l'apparence physique avait son importance, mais, tandis qu'elle les écoutait converser avec Lincoln, alors qu'elle restait en retrait, elle fut impressionnée par leur bienveillance et la vivacité avec laquelle ils saisissaient tous les aspects du problème.

Elle avait beau garder à l'esprit que Lincoln les avait choisis, et avait certainement écarté d'autres leaders, elle trouvait ce groupe formidable.

— Le harcèlement, c'est quelque chose de courant, déclara une petite blonde prénommée Marcy. Mais ce qu'ils ont fait à James Carney, c'est complètement différent. D'ailleurs, qu'est-ce qui cloche chez lui ? C'est juste un intello.

Cette phrase suffit à Cassie pour comprendre que le récit de la mésaventure de James avait fait le tour du lycée. Les élèves en parlaient, et il fallait absolument que ces conversations soient aiguillées dans un but constructif.

Lincoln prit la parole :

— Rien ne cloche chez James. Il vaudrait mieux se poser cette question à propos de ceux qui l'ont traité de la sorte. Est-ce que les autres élèves doivent accepter que l'incivilité soit tolérée ? Les enseignants peuvent sanctionner ceux qu'ils prennent sur le fait, mais cela ne nous mènera pas très loin.

— Oui, éructa Bob, un deuxième ligne de l'équipe de football. La plupart du temps, ça se passe à l'extérieur de l'école. Et c'est vraiment relou.

— Eh bien, comment faire comprendre à tout le monde que c'est relou ?, enchérit Lincoln en reprenant leur vocabulaire branché.

— Il faut se faire entendre, en parler haut et fort, et à tout le monde, fut la première réponse qui fusa, venant de l'une des filles.

— Et nos amis doivent relayer l'information.

— Il faut aussi remettre de l'ordre. Peut-être en formant un groupe d'élèves qui sont prêts à intervenir s'ils sont témoins d'une tentative d'intimidation.

— Un peu comme s'ils étaient des surveillants, suggéra quelqu'un.

— Ouais, balançons-les ! s'écria un autre garçon.

A ce moment, Cassie sentit qu'elle devait intervenir.

— Nous devons être prudents, et ne pas devenir à notre tour des intimidateurs.

Le garçon la scruta d'un air perplexe.

— Ça devient compliqué.

— Je ne te le fais pas dire.

Au moins, le débat était lancé, et ces élèves étaient de toute évidence prêts à s'investir dans leur projet.

Lorsque le groupe quitta la pièce, Lincoln annonça à Cassie qu'il allait se préparer pour superviser l'entraînement.

— Est-ce que tu rentres à pied ?

— Non, je suis venue en voiture, car je dois aller faire des courses.

— Dans ce cas, passe une bonne soirée.

Déstabilisée par sa remarque, elle rassembla ses affaires et gagna le parking. Elle n'était pas blessée, mais trouvait étrange qu'il se soit de nouveau recroquevillé dans sa coquille, après s'être montré si ouvert, quoique brièvement, lundi soir.

Il restait courtois, mais distant.

Comment comprendre un tel homme ? se demanda-t-elle, tandis qu'elle quittait le parking. Elle s'était bien amusée lorsqu'elle était allée chez lui. Elle avait pris plaisir à s'occuper des animaux et avait bien sûr apprécié sa compagnie. Avait-elle commis un impair ?

Elle ne le saurait jamais. Si quelque chose chiffonnait Lincoln, c'était son problème, après tout. Ce qui aurait dû la réjouir, car généralement, elle se considérait comme responsable du fait que les hommes se désintéressaient rapidement d'elle.

L'aversion qu'il semblait éprouver à son encontre était presque un compliment, après tout, puisqu'elle signifiait qu'elle avait un impact sur lui, ce qui était plus flatteur que de le laisser indifférent ou d'être invisible à ses yeux. Même si au fond d'elle, elle aurait préféré lui inspirer d'autres sentiments aussi puissants.

Malheureusement, elle ne s'était pas seulement amusée lundi soir. Il avait en effet réussi à la captiver, non plus grâce à son physique attirant, mais par ce qu'il était vraiment : un homme aux multiples intérêts et talents, et qui semblait avoir un grand cœur.

Or, d'habitude, lorsque ce genre d'homme croisait son chemin, il était déjà marié et père de famille.

Elle avait beau tenter de se ressaisir et de focaliser ses pensées sur son travail, la campagne de sensibilisation et l'aménagement de son nouveau cocon, Lincoln faisait toujours interférence. Dans ces moments, tous ses soucis s'envolaient. Elle se laissait emporter dans une espèce de rêverie d'adolescente, dans laquelle il était follement épris d'elle.

Elle était trop vieille pour ce genre de sottises. Ces plans tirés sur la comète correspondaient mieux aux jeunes qu'ils venaient de rencontrer qu'à une femme qui avait déjà connu moult déboires au cours de ses relations précédentes. Aussi, pour quelle raison cherchait-elle à obtenir l'impossible ?

Elle venait de quitter son véhicule et se dirigeait vers la supérette lorsqu'une femme à l'air furieux s'approcha d'elle.

— Eh ! Vous ! éructa celle-ci, ôtant une main de la poignée de son chariot pour pointer un index rageur dans sa direction.

Ebahie, Cassie marqua une pause.

— C'est votre faute si mon fils est en retenue aujourd'hui. C'est un gars gentil, il ne vous a jamais poussée. Alors faites bien attention ; si vous continuez à mentir à son sujet, vous ne ferez pas long feu dans ce comté.

Cassie en resta pantoise. Que répondre à cela ? Lee l'avait prévenue qu'il ne mentionnerait pas ce qui s'était passé avec James ; avait-il en contrepartie affirmé que ces garçons l'avaient poussée ? Leur geste n'avait pas été aussi menaçant, même si le fait qu'ils l'aient frôlée lui avait donné l'impression qu'il s'agissait d'un avertissement déguisé. Elle pensait que Lee se contenterait de dire qu'ils avaient contesté son autorité.

— Madame…

Comment pouvait-elle se défendre ? Avant qu'elle ne parvienne à trouver ses mots, son interlocutrice passait son chemin en grommelant.

Eh bien, n'était-ce pas charmant ? pensa-t-elle, complètement démoralisée, alors qu'elle atteignait la porte du magasin.

Elle n'avait pas l'intention de la poursuivre à travers le parking, souhaitant éviter une altercation en public, car cette femme avait clairement choisi son camp. Elle se demanda si ses collègues seraient en mesure de l'identifier si elle la leur décrivait. Mais tenait-elle vraiment à savoir de qui il s'agissait ?

Bon sang ! Elle laissa échapper un soupir et alla chercher un chariot qu'elle dégagea avec un peu plus de vigueur que nécessaire, puis essaya de retrouver son aplomb, et une expression plus plaisante, avant de s'engager dans la première allée.

Pourtant, à peine avait-elle franchi le seuil qu'elle avait perçu un malaise. Un peu de la même manière que les oreilles réagissent aux changements d'altitude lors d'un voyage en avion. Dès l'entrée, elle avait remarqué que le magasin était moins bruyant qu'à l'ordinaire. Des gens la dévisageaient, mais leur expression n'était pas particulièrement avenante, contrairement à d'habitude.

La dame du parking avait dû annoncer son arrivée. Elle ne put s'empêcher de se sentir mal, et faillit quitter les lieux. Puis elle se dit que ce n'était qu'un mauvais moment à passer, et que les choses se tasseraient, si les harceleurs ne récidivaient pas, bien sûr. Ce n'était rien de plus que quelques heures de retenue, pas de quoi en faire un drame.

Elle s'arrêta un instant pour regarder un article en tête de gondole, même s'il était totalement dépourvu d'intérêt, tentant d'ignorer que sa nuque la chatouillait. Elle sentait presque ces paires d'yeux fixées sur son dos.

Puis, comme si quelqu'un avait appuyé sur un interrupteur, tout sembla revenir à la normale. Les chariots recommencèrent à couiner dans les allées, un bébé se mit à pleurer, les conversations reprirent, tout comme le bruit que faisaient les employées en réapprovisionnant leurs rayons.

Avait-elle imaginé cette demi-minute de silence désapprobateur ? Etait-ce vraiment si long ? Agrippant la poignée de son chariot, elle se mit en quête des articles dont elle aurait besoin pour préparer son dîner. L'essentiel était déjà à la maison, mais elle préférait utiliser des légumes frais, autant que possible, et de toute façon, il lui fallait du lait.

Quelques femmes la gratifièrent d'un sourire ou d'un salut de la tête en passant, mais ils semblaient un peu forcés. Son imagination lui jouait des tours, à n'en pas douter. Elle ne s'était tout de même pas mis tout le comté à dos à cause d'une simple retenue ? Si ?

Puis elle se rappela que la femme l'avait traitée de menteuse. Ceci expliquait peut-être la réaction de ces gens, songeat-elle un peu amèrement. S'ils croyaient ces sornettes, elle comprenait leur réaction.

Elle passait en revue des poivrons, à la recherche de ceux qui seraient les plus mûrs et croquants, lorsqu'une petite voix attira son attention.

— Mademoiselle ?

Elle se tourna et se retrouva face à une dame minuscule, qui pouvait avoir entre soixante-quinze et quatre-vingts ans, et qui la dévisageait de ses yeux d'un bleu délavé.

— Ne vous inquiétez pas, ma jolie, la rassura la vieille dame. Tout le monde connaît le petit Hastings, et une fois que les gens seront calmés, ils prendront un peu de recul. Et ils comprendront qu'il vous avait effectivement poussée.

— Mais ce n'est pas exactement...

Cassie voulait rétablir la vérité, mais la dame l'interrompit.

— Vous avez pris la défense de mon petit-fils, James, poursuivit-elle. Et cela aussi, les gens le découvriront. Vous pouvez compter là-dessus.

Cassie poussa un soupir.

— Cela risque de lui causer des soucis, osa-t-elle.

— Il a toujours été un souffre-douleur, dès sa première année d'école. Il en va ainsi pour certains enfants. Je n'ai jamais compris pourquoi. Parfois, ces enfants me font penser à des requins : une goutte de sang dans l'eau suffit à les mener vers leur proie. Et depuis peu, j'ai l'impression que les choses ont empiré.

Cassie lui fit face. Elle avait complètement oublié ses poivrons.

— Je suis prête à l'aider, mais j'ignore comment m'y prendre.

— C'est délicat, n'est-ce pas ? Cela fait des années que nous essayons. Mais nous avons l'impression que c'est un pansement sur une jambe de bois. Ma fille et son mari ont quitté la région pendant dix ans ; James n'a donc pas grandi ici. Mais comme il a été victime de quolibets partout où il est passé, on ne peut pas mettre ça sur le compte de la mentalité des jeunes du comté, sachez-le.

En quoi son intervention était-elle censée l'aider à comprendre ce qui se passait ? Elle enseignait depuis suffisamment longtemps pour savoir que le harcèlement faisait malheureusement partie du quotidien d'une majorité d'élèves. On savait que les victimes étaient marquées à vie, même par des événements bénins, et lorsque ceux-ci se répétaient, certaines développaient un syndrome de choc post-traumatique. Cela déclenchait chez elles des crises d'angoisse ou de violence, et en menait certaines au suicide. Bref, on ne pouvait se permettre d'attendre « que jeunesse se passe ».

Elle n'était pas naïve non plus. On ne parviendrait jamais à éradiquer de tels incidents, ce qui ne signifiait pas qu'il fallait rester inactif.

Pour couronner le tout, le sort du championnat de basket-ball était en jeu. En se remémorant la conversation qu'elle avait eue avec Lee la semaine précédente, elle sentit la colère la gagner de nouveau, parce qu'il n'avait pas souhaité appliquer la sanction prévue par le règlement intérieur du lycée.

Son raisonnement était sensé, il s'était contenté d'un rappel à l'ordre un peu ferme, mais à présent, elle était convaincue que cela n'aurait aucun effet, et surtout, que cela n'aiderait pas James.

Certes, sa grand-mère lui avait confié qu'il bénéficiait au moins du support de sa famille. Et si elle semblait considérer le harcèlement dont il était victime avec fatalisme, au moins le problème n'était pas tu ou ignoré. C'était donc un pas dans la bonne direction.

Elle finit ses emplettes et se dirigea vers la caisse, où elle fut accueillie par le sourire figé d'une employée à qui elle avait régulièrement affaire.

— Vous essayez de changer notre ville ? lui lança la caissière. Vous devriez y vivre un temps avant de vous prendre pour le shérif.

Cette fois, la coupe était pleine.

— Je ne cherche pas à imposer ma loi. J'aime vraiment cet endroit, mais n'apprenez-vous pas à vos enfants à respecter leurs enseignants ? répliqua-t-elle.

La femme sembla si décontenancée que dans d'autres circonstances, la scène aurait pu paraître amusante. Elle baissa les yeux vers son scanneur et s'empressa de faire défiler les articles sur le lecteur.

— Bien sûr que nous leur inculquons les bonnes manières, déclara-t-elle finalement à mi-voix.

— C'est bien ce que je pensais. Mais parfois, ils ont besoin d'un rappel à l'ordre. N'est-ce pas notre lot à tous ?

A ces mots, l'employée leva les yeux vers elle, et son sourire sembla s'élargir.

— Effectivement. Et puis, ce ne sont que quelques heures de colle.

— Oui. Et je ne suis pas une menteuse.

Ainsi, les choses étaient claires. Se sentant rassérénée,

elle quitta le magasin et regagna son véhicule. Elle espérait que sa dernière phrase ferait elle aussi le tour de la ville.

Elle avait entendu dire que ces petites villes étaient le terreau de prédilection des commérages, mais ce qu'elle y observait était bien pis que ce qu'elle avait vu jusqu'à présent. En moins d'une semaine, toute la communauté avait eu vent de l'incident, et chacun avait choisi son camp.

Etant donné qu'elle venait de s'installer dans le comté, son petit doigt lui disait que la majorité n'avait pas dû se ranger de son côté. La vie n'avait rien d'un long fleuve tranquille…

Cuisiner pour une personne s'était toujours apparenté à un pensum, jusqu'à ce qu'elle se décide à adopter une nouvelle stratégie : elle cuisinerait en grandes quantités, et congèlerait les portions supplémentaires, ou les réfrigérerait pour les repas suivants. Si bien que lorsqu'on frappa à sa porte et qu'elle trouva Lincoln sur son perron, elle avait assez de nourriture pour en nourrir trois comme lui.

— Entre, je t'en prie, lui proposa-t-elle, se moquant un peu de savoir s'il était dans sa phase d'évitement, car sa mésaventure à la supérette l'avait galvanisée. Enfin, si tu as le temps. Je m'apprêtais à passer à table, aussi tu peux te joindre à moi.

Il hésita. Elle faillit soupirer d'impatience. Etait-ce une décision si difficile à prendre ? Puis elle se rappela qu'elle ne savait pas exactement ce qui le taraudait.

— Tu dois avoir faim, insista-t-elle. L'entraînement vient de s'achever, non ?

Il opina de la tête.

— J'avais quelque chose à te dire.

— Discutons-en à l'intérieur, dans ce cas. Mes pâtes à la primavera ne seront pas très alléchantes si elles ne sont pas *al dente*.

Il la suivit dans la cuisine, alors qu'elle se demandait

quand allait cesser son petit manège. Pour quelle raison ne cessait-il de souffler le chaud et le froid ?

Au moment où, d'un signe, elle lui enjoignit de s'asseoir, le minuteur se mit à sonner.

— Un instant, lui dit-elle en éteignant la plaque de cuisson.

Elle souleva la passoire jusqu'alors plongée dans l'eau bouillante, puis la remua lentement pour égoutter son contenu, et versa les pâtes dans un plat de service.

— C'est une quantité impressionnante ! s'étonna-t-il.

— Je prépare plusieurs repas à la fois. Malheureusement, ce plat ne supporte pas vraiment la congélation. Si tu ne me prêtes pas main-forte, je risque d'en manger pendant les trois jours à venir.

— Ça sent vraiment très bon, concéda-t-il enfin.

Lincoln ayant donné son accord à mots couverts, elle sortit deux bols du placard de cuisine et les plaça sur la table, accompagnés de couverts.

— Qu'y a-t-il de si urgent qui ne puisse attendre demain matin ?

Elle versa les autres ingrédients sur les pâtes et entreprit de mélanger le tout. Le fait de lui tourner le dos facilitait la manipulation. Au moins, il ne la distrayait pas.

— On parle de toi.

— Et des heures de retenue ! J'en ai eu quelques échos au magasin.

— Je suis désolé.

Elle râpa du parmesan au-dessus du plat qu'elle apporta ensuite à table.

— A toi l'honneur ! lui dit-elle en lui tendant la pince à pâtes.

L'arôme lui avait de toute évidence plu, car il se servit une généreuse portion.

— Je ne prépare jamais rien de si élaboré pour moi seul.

— Moi non plus, avant.

S'étant assise, elle lui tendit une serviette en papier et se servit une petite ration.

— Une femme m'a prise à partie sur le parking. Ce n'était pas très agréable à vivre. Elle m'a traitée de menteuse. D'après elle, j'aurais accusé son fils de m'avoir poussée.

— Zut !

Lorsqu'elle leva enfin les yeux de son assiette, elle remarqua qu'il n'avait pas encore touché à ses pâtes, ni même pris sa fourchette en main. Et quand elle croisa ses yeux d'un bleu si magnifique, elle y lut une réelle inquiétude.

Elle se rappela alors combien c'était dangereux de plonger dans son regard. Chaque fois, l'effet était le même : le désir affluait avec la force d'une marée qui balayait toute autre pensée de son esprit.

Elle ne pouvait songer à autre chose qu'à ses larges épaules qui se dessinaient sous le tissu de sa chemise western, et ses doigts la picotaient, désireux qu'ils étaient de le toucher.

Il était bien plus prudent de se focaliser sur son bol.

— S'est-elle montrée très agressive ? demanda Lincoln.

— Assez, oui. Et ce n'était pas mieux dans le magasin. La caissière a remué le couteau dans la plaie, et, si je suis embarrassée en y repensant, je dois t'avouer que je lui ai cloué le bec.

— Tu as bien fait.

— C'est de cela que tu voulais me parler ?

— En partie, oui. Ce qu'il faut en retenir, c'est que tout le monde est au courant, mais que le récit qui est colporté n'est pas très juste. Enfin, les commérages déforment souvent la réalité, c'est bien connu.

— Et dans ce cas précis, ce n'est pas à mon avantage.

Elle osa croiser son regard et remarqua que ses traits semblaient tendus.

— En effet. Ce qui n'est pas étonnant, étant donné qu'on ne te connaît pas. On n'a pas manqué de me le signaler, aujourd'hui ; tu es vue comme l'étrangère qui vient imposer sa loi.

— Qu'as-tu entendu exactement, et de la bouche de qui ?

— De certains de mes joueurs. J'ai surpris l'une de leurs conversations, et je m'y suis mêlé. (Il secoua la tête.) Je ne comprends pas comment quelques heures de retenue ont pu provoquer un tel remue-ménage, mais j'ai l'impression que Lee aurait pu la jouer plus finement… Les gens veulent cette coupe. J'ai bien conscience que pour toi, cela ne revêt aucune espèce d'importance…

— Non, voyons ! J'ai vécu dans des zones plus citadines, et travaillé dans des établissements plus importants, et pourtant le championnat n'y était pas pris à la légère. Ça tournait même parfois à l'aigre.

— Les habitants aiment cet endroit, ils sont heureux d'y vivre, mais de temps en temps ils ont besoin d'éprouver une certaine fierté à résider ici. Notre équipe de football remporte peu de tournois, mais lorsque la chance nous sourit, les basketteurs, eux, accomplissent des exploits qui permettent à certains de porter avec fierté les couleurs de la ville de Conrad.

— Je comprends ce que tu veux dire.

Elle avala une autre bouchée, et attendit, espérant que son estomac n'allait pas recommencer à faire des siennes. Elle avait retrouvé son assurance après avoir exposé sa vérité à la caissière, mais à présent elle sentait les doigts glacés de l'inquiétude — ou étaient-ce ceux de la peur ? — se refermer sur elle.

— D'après toi, de quelle manière Lee aurait-il dû gérer ce problème ?

— Il fallait relater aux parents tout ce qui s'était produit, et leur expliquer que cette fois, il se montrait indulgent. Au lieu de cela, il a attiré leur attention vers toi. Et maintenant, la rumeur circule que tu aurais menti, en affirmant que les élèves t'auraient poussée.

— Ce ne sont pas mes propos.

— Je le sais. Mais manifestement, c'est ce qui est ressorti

du message de Lee. Du moins, c'est ainsi que les gens semblent l'avoir perçu. Il aurait dû se contenter de dire que les élèves avaient défié ton autorité, alors que les instructions que tu leur avais données étaient tout à fait légitimes. Ou alors, il aurait pu leur dresser un tableau exhaustif de la situation. Parce que maintenant, personne ne détient la vérité, mais les spéculations vont bon train : tu as menti, tu n'as pas menti, ces élèves n'auraient jamais commis de tels actes… Ensuite, la rumeur a commencé à circuler que James avait été pris à partie. Dieu seul sait qui l'a lancée. Résultat des courses : tu deviens l'empêcheuse de tourner en rond, et les gens se demandent pourquoi nous avons fait une montagne d'une altercation un peu musclée entre adolescents.

Ayant soudain perdu son appétit, elle posa sa fourchette.

— C'est cette perception que nous devons changer, dit-elle.

— Evidemment. Ce qui me gêne, c'est que pour l'instant, tout le monde tire des conclusions qui sont fausses. On trouve bien plus aisé de te blâmer pour un prétendu mensonge, plutôt que d'accepter que ces ados aient pu commettre une bêtise. Et maintenant, les parents montent au créneau.

Sa bouche était si sèche à présent qu'elle éprouvait de la difficulté à déglutir.

— Déjà ? Il ne leur a fallu que quelques heures de retenue ?

— Ils ne te connaissent pas, alors ils ne te font pas confiance.

— Mais presque tous les élèves récoltent tôt ou tard des heures de colle !

— Certains, oui, mais pas ces quatre-là. S'ils étaient coutumiers de ce genre de sanctions, cela n'aurait pas créé un tel remue-ménage.

— Mon Dieu !

Elle n'avait jamais été une grande buveuse. Les vins qu'elle achetait, toujours de bonne qualité, lui servaient principalement pour cuisiner, mais elle se leva précipitamment et saisit deux verres à pied, dans lesquels elle versa une rasade de pinot grigio.

— J'espère que tu aimes le vin !

— Avec un tel repas, ça s'impose !

Elle jeta un regard à leurs verres, se demandant s'il y avait erreur. Sa mère avait affronté chacun des problèmes qui s'étaient présentés à elle en buvant plus que de raison, et c'était une habitude qu'elle ne souhaitait surtout pas prendre. Mais ce soir... elle poussa un soupir, et en sirota une gorgée avant de reposer son verre à côté de son bol.

— Cette histoire m'a coupé l'appétit, lui confia-t-elle, tiraillée entre le désespoir et l'agacement. Dis-moi de ne pas m'en faire.

— J'aimerais pouvoir le faire. Mais si je n'étais pas préoccupé à ton sujet, je ne serais pas passé.

— Bon sang ! marmonna-t-elle. Je devrais peut-être tirer ma révérence, tout simplement. Demander à Lee de rompre mon contrat, et aller chercher un poste ailleurs.

— Es-tu si effrayée ?

Aussitôt, elle s'arc-bouta.

— Non ! répliqua-t-elle en lui lançant un regard noir. Je ne suis pas venue semer la zizanie, mais d'après ce que tu m'annonces, c'est ce qui est en train de se passer.

— La pression va retomber, ne t'en fais pas. Je tenais seulement à te tenir au courant : tu risques d'entendre des paroles désagréables.

— Je suis prête à leur tenir tête. En revanche, j'ignore comment je réagirais face à un autre rat mort.

Durant une minute ou deux, il garda le silence. Dans son regard, elle vit passer un éclat particulier, comme si ses pensées s'étaient soudain focalisées sur quelque chose de triste.

— Si tu as l'intention de prendre tes jambes à ton cou, déclara-t-il finalement, fais-le immédiatement.

Surprise au point qu'elle perdit le fil de ses propres pensées, elle écarquilla les yeux.

— De quoi parles-tu ? J'ai dit ça parce que j'étais énervée.

Est-ce que tu peux t'engager à ce qu'on ne me mette plus de rats morts sous le nez ?

— Je ne peux pas te le promettre. D'ailleurs, je n'avais pas prévu le premier. Et pour moi, ce n'était qu'un gamin qui te faisait une mauvaise blague.

— Mais aujourd'hui, tu n'es plus si catégorique.

Il leva une main.

— Je ne suis plus certain de rien. Je n'avais jamais vu les gens s'enflammer de la sorte. Qu'est-ce qui leur prend ? Ils savent que le harcèlement est un fléau. Tous. Mais ils préfèrent ne pas y prêter attention, parce que pour eux, ce sont des histoires d'adolescents. C'est incompréhensible ; à croire qu'ils ont tous absorbé une potion abêtissante.

Elle leva son verre, puis changea d'avis ; elle le reposa, puis le poussa loin d'elle. Cela ne résoudrait pas ses problèmes. Elle quitta la table et se mit à faire les cent pas dans la cuisine, essayant de remettre de l'ordre dans ses idées.

Il avait raison, tout cela était insensé. Mais elle doutait fort que toute la population ait sombré dans la démence. Quel était donc le problème ?

— Quelqu'un, dit-elle au bout de quelques minutes, ment à propos de ce qui s'est passé. Et exagère considérablement les faits.

— C'est la conclusion à laquelle j'étais arrivé.

— Tu n'as rien entendu, de la part de tes joueurs, qui pourrait nous mettre sur une piste ?

— Rien du tout. A part que les gens en parlaient.

— C'est effectivement le cas. Mais si c'est tout ce qu'ils font, cela se calmera vite. Les heures de retenue étaient planifiées pour aujourd'hui. S'il n'y en a plus d'autres, tout devrait rentrer dans l'ordre rapidement.

— Je l'espère.

Elle marqua une pause et se tourna vers lui.

— Pardon ?

Il haussa les épaules.

— Si quelqu'un cherche à t'intimider, il fera en sorte de provoquer un autre incident.

— Tu sais, je garde généralement mon sang-froid.

Elle s'appuya contre le comptoir, et s'enveloppa de ses bras comme pour se protéger. Si les impolitesses dont elle avait été victime l'avaient agacée, à présent elle fulminait.

— J'essayais simplement de faire ce qui me paraissait juste, Lincoln. Je n'avais nulle intention de me mettre la moitié de la ville à dos ou de faire peser une menace sur le championnat.

— Je le sais.

Ses yeux la piquaient lorsqu'elle les posa sur lui.

— C'est moi qui suis dans l'œil du cyclone, maintenant. J'espère au moins l'avoir détourné de James.

Lincoln était touché par la compassion qu'elle éprouvait envers son élève, mais il était indéniable que c'était elle la victime, à présent.

Quelqu'un prenait plaisir à faire enfler cette polémique, et il ne comprenait pas dans quel but. Il était bien placé pour savoir qu'un parent a parfois du mal à accepter certaines vérités lorsqu'elles concernent son enfant, mais les conséquences semblaient disproportionnées. Ensuite, le fait que le harcèlement dont était victime James ait été rendu public l'amenait à se demander quelle était la teneur de cette tempête qui couvait au sein de la communauté.

Cassie se tenait immobile, l'air bouleversée et complètement perdue… Elle devrait faire face au grain qui approchait, ou quitter la ville. Elle avait d'ailleurs mentionné cette éventualité, une phrase qui lui avait suggéré de redoubler de prudence vis-à-vis d'elle et des sentiments qu'elle lui inspirait.

Il savait que son geste était idiot, mais il se leva tout de même pour la serrer dans ses bras. A l'instant où il l'attira contre lui, il comprit qu'il était certainement en train de commettre la plus grosse erreur de sa vie.

Ces courbes lascives qu'il avait tant cherché à ignorer étaient encore plus agréables qu'il ne l'avait imaginé. Féminines et accueillantes, elles semblèrent l'envelopper. Elle sentait si bon ! Après une brève hésitation, elle se laissa aller contre lui et posa sa tête dans le creux de son épaule.

— Ne t'inquiète pas, je suis là, la rassura-t-il, d'une voix rendue rauque par le désir qui le submergeait.

Il faisait de son mieux pour que son entrejambe reste à bonne distance d'elle, craignant que son corps ne le trahisse. Bon sang, sa seule intention avait été de la réconforter, et si elle se rendait compte de son érection, elle risquait de mal interpréter son soudain empressement.

Mais ce malentendu pouvait avoir des contreparties délicieuses, lui répétait une petite voix qu'il refusait d'écouter. Etre abandonné par une femme qui ne supportait pas la vie ici était amplement suffisant. Il ne comptait pas renouveler l'expérience.

En revanche, il souhaitait offrir à Cassie tout le réconfort qu'il pouvait. Il n'avait jamais été du genre à ignorer la détresse de quelqu'un ; cependant, il aurait préféré que son corps se montre plus domptable. Hors de question qu'elle croie qu'il s'agissait d'une supercherie ; il en serait mortifié.

Il voulait cette femme depuis l'instant où il avait posé les yeux sur elle. Dès ce premier jour, elle avait hanté ses pensées et certains de ses rêves. S'il avait eu l'assurance que quelques galipettes dans le foin l'auraient calmé... Mais rien n'était moins sûr. Elle se pencha davantage contre lui, comme pour trouver un abri entre ses bras. Puis lentement, elle glissa ses bras autour de ses hanches étroites.

Il avait presque oublié combien c'était bon ! La chaleur de son étreinte le rassérénait, tout en accentuant le bouillonnement qu'il ressentait, et, encore plus dangereusement, semblait combler ses vides émotionnels.

La vie lui jouait parfois des tours pendables, lui faisant désirer ce qu'il ne pouvait obtenir, comme une femme en qui il pouvait avoir confiance, ou tout un tas de choses qu'il n'aurait jamais.

Lui ayant prouvé qu'il serait à ses côtés pour affronter cette épreuve, un type plus intelligent aurait compris qu'il était temps de reprendre ses distances. Or, le désir qui enflait en lui le rendait faible, lui faisant oublier toute notion de danger.

Il était persuadé qu'il le paierait tôt ou tard, mais cela ne suffit pas à l'arrêter. Avant qu'il ait pleinement conscience de son geste, il lui avait renversé la tête en arrière et l'embrassait.

Lorsqu'il passa sa langue sur les lèvres, d'une douceur soyeuse, de Cassie, il y reconnut le goût du vin qu'ils venaient de déguster. A sa grande surprise, elle entrouvrit la bouche, et il y plongea comme pour étancher une soif inextinguible. Elle était chaude, pratiquement brûlante. Les pulsations qui lui parcouraient le corps étaient si fortes qu'il les sentait bourdonner à ses oreilles telles des vagues l'emportant loin de la sécurité de la terre ferme.

Ses seins, ronds et fermes, se pressaient contre sa poitrine ; il mourait d'envie de laisser ses mains vagabonder sur ses courbes, afin de les découvrir l'une après l'autre. Il se serait volontiers laissé engloutir en elle. A cet instant, elle se colla à lui, sa hanche venant se plaquer contre son bas-ventre. Il fut parcouru d'une décharge électrique, tandis que Cassie, surprise, réprimait un cri de surprise et s'écartait de lui, rompant ce contact qu'elle devait trouver trop intime. Cependant, lorsqu'il ouvrit soudainement les yeux et rencontra les siens, il y perçut la même excitation.

L'étonnement qu'elle avait manifesté l'avait ramené à quai, là où ils seraient sains et saufs. Ce baiser n'aurait jamais dû se produire ; inutile de passer en revue, pour la énième fois, les raisons qui justifiaient qu'il reste loin d'elle.

Il s'écarta doucement, ne voulant pas lui donner l'impression qu'il la rejetait. Pourtant l'éclair de douleur qu'il perçut dans ses yeux verts lui prouva que c'était bien ce qu'elle ressentait.

Quel imbécile ! En cherchant à leur épargner à tous deux les souffrances d'une histoire sans avenir, il l'avait blessée.

Les mots lui manquaient ; et il se garderait bien d'avancer l'argument du coup de folie passagère, ou de lui avouer que, craignant qu'elle ne reste ici que temporairement, il ne voulait plus subir les affres d'une rupture semblable à celle qu'il avait déjà connue. De même qu'il ne pouvait se contenter de faire semblant de rien, et de lui parler de la pluie et du beau temps.

Heureusement, elle vint à sa rescousse. D'un sourire mal assuré, d'une main passée dans sa magnifique chevelure, d'un éclat soudain dans son regard.

— Waouh, s'exclama-t-elle. Tu sais, on vient de se rencontrer.

Il se sentit libéré d'un poids, en comprenant que sa remarque était censée détendre l'atmosphère sur le point de devenir étouffante.

La seconde suivante, elle s'attablait comme si elle s'apprêtait à poursuivre son repas.

— Ne t'en fais pas, lui dit-elle calmement. Ce n'était qu'un baiser, et je n'attends rien de toi.

Cette réaction, se dit-il en finissant son repas tiédissant, exprimait plus qu'un rejet. Que signifiait ce « je n'attends rien de toi » ?

Il finit par se convaincre qu'il valait mieux ne pas chercher à le savoir.

5

A son réveil, Cassie était en bien petite forme. Pas étonnant, après avoir passé la moitié de la nuit les yeux ouverts, tiraillée entre le souvenir d'un baiser incroyable et l'embarras provoqué par le fait que les gens parlaient d'elle et la soupçonnaient d'avoir menti au sujet d'un élève.

Le pire était qu'elle était incapable de dire ce qui la chamboulait le plus. Vers 2 heures du matin, elle avait tranché ; c'était le baiser. Quel dommage que cet homme cherche à tout prix à fuir sa présence… mais au moins, maintenant, elle savait quelles sensations provoquait en elle son corps tendu par le désir, ce qui ne faisait qu'accroître son excitation dès qu'il se trouvait dans les environs. Bon sang, ça s'apparentait un peu à l'ouverture de la boîte de Pandore.

Le matin venu, ses yeux encore ensommeillés se refermaient au-dessus de sa tasse de café, et elle n'avait aucune envie d'aller à l'école. Elle essayait tant bien que mal de dénouer ce nœud émotionnel qui se resserrait d'heure en heure. Oui, elle voulait Lincoln. Mais ce n'était pas réciproque. Son baiser l'avait surprise, alors qu'il avait pris toutes les peines du monde à mettre un maximum de distance entre eux. Malheureusement, ce n'était pas la première fois qu'un homme semblait attiré par elle puis la rejetait comme si elle avait une maladie honteuse.

L'histoire de sa vie, en quelque sorte. Elle avait le chic pour faire tourner la tête aux hommes, mais ils ne tardaient jamais à prendre leurs jambes à leur cou. De prime abord, ils la trouvaient sexy, puis leur intérêt se dissipait, d'un claquement de doigts. Aussi n'aurait-elle pas dû être étonnée que Lincoln ait la même réaction que chaque autre type lui ayant fait des avances. Ses amies elles-mêmes ne parvenaient pas à mettre le doigt sur la raison pour laquelle, immuablement, les hommes la fuyaient peu après lui avoir déclaré leur flamme.

Elle aurait dû y être habituée, depuis le temps.

Et puis, il y avait cette affaire rocambolesque, à l'école. Une semaine plus tôt elle rayonnait de joie, si heureuse de vivre et d'enseigner dans cette région, alors qu'aujourd'hui, elle appréhendait les heures à venir. La veille, elle avait été prise à partie par un parent, avait été froidement accueillie par des gens qu'elle ne connaissait pas, et à présent elle se demandait comment allaient se dérouler ses classes. Combien d'élèves auraient été incités, par un parent ou un ami, à lui mener la vie dure ?

Il n'y avait qu'une manière de le savoir. Sans plus ergoter, elle rinça son assiette puis saisit son sac et sa veste avant de se mettre en route.

Le jour qui venait de se lever s'annonçait magnifique, en dépit du fait que depuis une semaine les températures avaient considérablement chuté. D'ordinaire, l'air frais l'aurait revigorée, mais ce matin ses pieds semblaient peser une tonne.

Le manque de sommeil, songea-t-elle, sans en être totalement convaincue. Soudain, une idée lui fit hâter le pas : il fallait que Lee lui relate précisément ce qu'il avait dit aux parents. S'il leur avait affirmé qu'elle avait été poussée, il lui incombait de rétablir la vérité. Si ce n'était pas le cas, elle saurait que le problème venait d'ailleurs. Elle ignorait en quoi ça l'aiderait, mais elle voulait au moins écarter la première éventualité.

Gus, elle en était certaine, l'attendrait devant sa salle de classe, comme il le faisait chaque matin. Sentinelle dévouée à sa mission, il allait jusqu'à vérifier l'état de la pièce avant qu'elle y entre. Car, contrairement à certains, il ne semblait pas accorder une confiance aveugle à la bienveillance légendaire de ses comparses.

Elle chassa tant bien que mal cette pensée cynique de son esprit ; il s'agissait d'une personne, ou d'une poignée d'entre elles, rien de plus. Si les gens avaient entendu des mensonges circuler à son sujet, leur désapprobation était légitime. Entre voisins, on se serre les coudes, n'est-ce pas ? Et tôt ou tard, une fois que la tempête serait calmée, elle espérait à son tour bénéficier du soutien de ces gens, lorsqu'elle en éprouverait le besoin.

Lincoln n'était pas dehors. Il ne devait pas être affecté à la surveillance des rampes de bus cette semaine, car c'était Carl Malone, un collègue enseignant l'anglais, qui se tenait devant la porte. Il la salua chaleureusement, et elle en conclut qu'il n'avait probablement pas encore eu vent des rumeurs qui circulaient à son sujet.

Pour la première fois, elle se demanda combien de ses collègues risquaient de lui tourner le dos, quand bien même sa situation avait été exposée lors de la réunion pédagogique.

Lorsqu'elle atteignit le bureau du principal, son moral était déjà en berne, et le fait d'apercevoir Lincoln en conversation avec Lee ne la réjouit guère.

Le souvenir de leur baiser venait l'assaillir, accompagné d'une onde de chaleur franchement gênante entre ses jambes. Elle ne supportait plus les sensations qu'il éveillait en elle. Lee, qui l'avait aperçue à travers la porte vitrée, lui fit signe de les rejoindre. Elle contourna donc l'imposant comptoir de la réception et pénétra dans le bureau de son supérieur.

— Quelque chose me dit que nous avons eu la même idée, lui lança Lincoln, à peine eut-elle franchi le seuil. Je demandais à Lee ce qu'il avait dit aux parents.

Lee, calé au fond de son fauteuil, paraissait ennuyé, et sur la défensive.

— Je n'ai jamais affirmé que ces élèves vous avaient

poussée, avança-t-il un peu sèchement. Et j'ignore qui a initié cette rumeur.

— Mais comment leur avez-vous annoncé ce qui s'était produit ? insista-t-elle.

— En leur expliquant que vous leur aviez demandé de vous accompagner à mon bureau, pour une raison tout à fait légitime, et qu'ils avaient refusé d'obtempérer. Je n'ai pas prononcé un mot de plus, sinon que nous ne pouvions tolérer que nos élèves défient l'autorité de nos enseignants.

— Tu en es sûr ? enchérit Lincoln.

— Je ne suis pas idiot. Je savais qu'il ne fallait pas s'appesantir sur les détails ; pour preuve, c'est ce qui crée des dissensions aujourd'hui.

Le regard de Cassie passa de l'un à l'autre.

— Dans ce cas, qui a déformé vos propos ?

— Un des élèves incriminés, ou un de ses amis, marmonna Lee. C'est un mensonge, pur et simple, destiné à mettre le feu aux poudres.

— Je persiste à croire que tu aurais dû être franc avec les parents, et leur exposer ce qui s'était passé, y compris l'agression dans les toilettes.

— Il fallait épargner des représailles à James Carney !

— Tu préfères que la réputation de l'une de tes enseignantes soit ternie ? Il faut que tu rappelles ces parents et que tu leur dises ce dont Cassie a été témoin.

— Non, intervint celle-ci, surprise de sa propre réaction. Hors de question. Concernant les élèves, l'affaire est classée. Ils ont effectué leurs heures de retenue. Et si Lee contacte les parents avec cette nouvelle version des faits, cela ne fera que les énerver davantage, et ils risquent de mettre ma parole en doute. Laissez James en dehors de tout cela.

Lincoln se tourna vers elle.

— Est-ce vraiment ce que tu souhaites ? A mon avis, nous avons mal géré cette crise, et il est nécessaire de clarifier les choses.

— Evidemment, reconnut Cassie. Mais hérisser les gens en leur disant qu'ils ont avalé des couleuvres n'arrangera rien, déclara-t-elle en secouant la tête. Je tenais à connaître les propos échangés entre Lee et les parents, mais de toute évidence, ce n'est pas lui qui est à l'origine de cette rumeur. Les parents pensent que j'ai menti, mais nous ne pouvons rien y faire.

— En général, je préfère prendre le taureau par les cornes, insista Lincoln. Mais tu as raison, le mal est déjà fait. A présent, nous devons focaliser nos efforts sur la mise en place de cette campagne, et en faire adopter les principes par les élèves.

— Vous avez un plan d'action précis ? demanda Lee, un peu méfiant.

— Nous essayons d'impliquer les élèves au maximum, commença Lincoln. Nous voulons que les élèves les plus en vue diffusent le message que le harcèlement, ce n'est pas « cool ».

— Je vois, marmonna Lee en se caressant le menton. Vous pensez que ça va fonctionner ?

— Dans d'autres écoles, les résultats étaient bons, repartit Cassie. Hélas, c'est plus efficace lorsque ces principes sont inculqués plus tôt, car il faut du temps pour qu'une telle idée fasse son chemin.

— Et la mentalité qui est en train de se faire jour ici ne me plaît pas du tout. Nous dresserons un bilan dans quelques semaines, et si de nouveaux incidents se produisent, je sévirai.

Une fois sortie du bureau, Cassie se dirigea sans tarder vers sa salle, convaincue que Gus s'y trouvait encore en faction, tel un garde du palais.

— Il semble décidé à montrer les crocs, ironisa Lincoln. Mais est-ce vraiment la solution ?

— Cela dépendra du nombre d'élèves qui refusent de rentrer dans le rang, j'imagine.

— A cet âge, ils seront sûrement légion. Cassie…

Elle se tourna vers lui et sentit où il allait en venir.

— Oublie tout ça, Lincoln. Ce sont des choses qui arrivent.
Je te laisse, j'ai des photocopies à faire.

Si ces mots lui coûtaient, elle savait que c'était la voix de
la raison qui s'exprimait. Elle s'éloigna rapidement de lui,
marchant à grandes enjambées vers sa classe. Aller plus
loin avec lui ne ferait que la rendre malheureuse. Il tenait à
garder une certaine distance, et que ce soit sa faute ou non,
cela n'augurait rien de bon ; il était temps de mettre un terme
à ses tergiversations.

— La voie est libre, claironna fièrement Gus lorsqu'elle
apparut.

Il alla jusqu'à ouvrir la porte et lui faire signe d'entrer.

— Merci beaucoup, Gus. J'apprécie votre dévouement.

— C'est bien naturel. Vous savez, j'en vois plus que je
n'en dis, et je sais que c'est vous qui avez raison.

Elle comptait au moins un supporter, finalement, à défaut
d'une équipe de pom-pom girls. Cette pensée lui fit esquisser
son premier sourire de la journée, qui, en dépit de ses craintes,
ne s'avéra pas exécrable. Alors qu'elle s'attendait à des provo-
cations de la part de ses élèves, ceux-ci se comportèrent
normalement. James Carney avait toujours l'air taciturne,
assis au fond de la classe, mais cela n'avait rien d'inhabituel.
Elle espérait seulement qu'un jour il se sentirait plus à son
aise. En attendant, elle prenait garde à ne jamais le mettre
dans une situation qui pourrait lui valoir des railleries de la
part de ses camarades.

Certes, il était déplaisant que des gens la considèrent comme
une menteuse, mais elle préférait que leur attention soit foca-
lisée sur elle. Elle tiendrait bon… enfin, à condition qu'on
lui épargne les rats égorgés. Ce souvenir la fit pratiquement
tressaillir, puis elle se rappela que rien d'autre ne s'était
produit. Les choses commençaient à se tasser, du moins
en ce qui concernait la personne qui avait tué le rongeur et

qui l'avait appelée. Et si la confrontation qui avait eu lieu dans le parking était encore fraîche dans son esprit, elle s'en remettrait tout de même.

Car c'étaient ces menaces implicites, prononcées par des inconnus, qui la mettaient le plus mal à l'aise. Or, elles avaient pris fin.

Si bien qu'en fin de journée, elle voyait les mois à venir d'un œil beaucoup plus optimiste… à condition de faire abstraction de Lincoln. Le souvenir de leur baiser la hantait, surgissant à n'importe quel moment devant ses yeux, alors qu'elle ne souhaitait que l'oublier.

Après tout, ce n'était qu'un baiser. Peut-être le plus agréable de sa vie, le plus émoustillant — pour quelle raison, d'ailleurs ? — mais rien de plus. Il n'avait pas l'intention d'aller plus loin. Ses espérances étaient vaines.

Pourtant, elle avait bien eu conscience de la réponse de son corps, et cette pensée lui réchauffait le cœur. Il avait eu envie d'elle, ne serait-ce que physiquement. Ce qui ne signifiait peut-être pas grand-chose chez la plupart des hommes, sans doute, mais qui rassurait son ego, à défaut de lui apporter la paix de l'esprit.

Peu après la sonnerie de fin de cours, Lincoln apparut dans l'encadrement de sa salle, alors qu'elle rassemblait ses effets.

— Allons manger un morceau, lui suggéra-t-il.

Elle le fixa, indécise.

— Pourquoi ?

— Et pourquoi pas ? rétorqua-t-il en haussant les épaules, ce qui ne manqua pas de lui rappeler la force de ces bras qui l'avaient enveloppée la veille. Je t'emmène chez Maude. Ainsi, tout le monde te verra en ma compagnie. Et certains pourraient être tentés de réviser leur jugement à ton encontre.

Il était de nouveau lancé dans une mission de sauvetage, maugréa-t-elle intérieurement. Mais tandis qu'elle fermait son sac et le plaçait en bandoulière sur son épaule, elle ne put s'empêcher d'admettre qu'elle aurait préféré qu'il l'invite dans un dessein tout autre.

Convaincue qu'il était inutile de protester, et reconnaissant qu'elle avait en effet envie de profiter de sa présence, elle le suivit jusqu'à son pick-up. Il y avait foule de sujets de conversation neutres qu'ils pouvaient aborder, tels que son ranch et ses animaux. En fait, à peu près tout sauf l'école et le harcèlement moral, ou le désir qui les animait.

Il garda le silence durant tout le court trajet les menant chez Maude. Elle avait d'emblée trouvé charmant que les gens fassent unanimement référence à ce restaurant en mentionnant sa propriétaire plutôt que son nom commercial. A ses yeux, cela montrait à quel point les liens étaient forts entre les habitants, et avait grandement contribué à sa décision d'accepter ce poste au lycée.

L'idée qu'elle ne soit qu'une étrangère pour eux ne l'avait pas effleurée, à l'époque, et, une fois que Maude fut venue prendre leur commande, de manière aussi fruste qu'à l'accoutumée, elle dit à Lincoln :

— La seule chose que je n'ai pas prise en compte lorsque je suis tombée amoureuse de cette région…

Il écarquilla ses yeux bleus, ce qui ne fit que les mettre en valeur, songea-t-elle.

— Quoi ?

— Ça t'étonne ? A ton avis, pour quelle autre raison me serais-je installée ici ?

Elle hésita, puis finit par lui avouer la vérité.

— Au fond de moi, j'ai toujours recherché un endroit comme celui-ci. Une petite ville entourée de grands espaces, et où les habitants sont accueillants. Un lieu où j'apprendrais à connaître mes voisins. C'est un peu utopique, je le conçois, mais c'est ainsi que je me suis représenté les choses. Et je n'avais jamais vécu dans un lieu comme celui-ci, même si c'était mon souhait le plus profond.

Il acquiesça.

— Excuse-moi de t'avoir interrompue. Que disais-tu avant ça ?

— Que le seul obstacle dont je n'avais pas conscience était qu'à leurs yeux, je resterais une étrangère. Durant un long moment. Je n'avais jamais été confrontée à ce problème, ajouta-t-elle en haussant les épaules. J'ai appris quelque chose, cependant : les enfants dont les familles se sont installées ici à cause de l'usine restent des étrangers, d'après ce que tu avançais la semaine dernière. Or, depuis combien d'années sont-ils ici ?

Il esquissa une grimace.

— Les adultes s'intègrent plus facilement, je pense.

— En es-tu sûr ?

Un sourire presque imperceptible étira les commissures de ses lèvres.

— Eh bien, lorsque tu verras ce que Maude t'apporte, tu comprendras le message.

— Je n'ai rien commandé.

— Pour Maude, ça n'a guère d'importance.

A peine avait-il fini sa phrase que la restauratrice déposait une part de tarte devant chacun d'eux, puis s'éloignait de son pas pesant, sans un mot.

— De la tarte ? Mais pourquoi ? Qu'est-ce que ça signifie ?

— J'ignore ce que Maude a entendu, mais elle tient à ce que tu saches qu'elle n'y souscrit pas. Elle vient de t'accueillir de la même manière que ses habitués. Ce qui signifie que parfois, c'est elle qui décidera ce que tu mangeras.

— Waouh…

Elle jeta un coup d'œil à son assiette, et se sentit réconfortée.

— J'en suis honorée, balbutia-t-elle.

— Tu peux l'être. Certains fréquentent ces lieux depuis des années, mais n'ont jamais été gratifiés d'une part de tarte gratuite.

Elle leva les yeux vers lui et ne put s'empêcher de s'esclaffer.

— Les choses s'arrangent donc pour moi ?

— Ici, oui. Maude vient d'exprimer publiquement son opinion, et, crois-en mon expérience, si quelqu'un s'aventure à te critiquer entre ces murs, il risque d'avoir du mal à avaler son steak.

Cassie, cette fois, éclata de rire.

— Mais pour quelle raison son opinion serait-elle différente de celle des autres ?

— Pour commencer, les autres, ce n'est pas tout le monde. Quelques personnes parlent à ton sujet. Cela me dérange, et je tenais à ce que tu sois mise au courant, mais ne crois pas que ces racontars ont convaincu beaucoup de gens. Rappelle-moi qui t'a prise à partie sur le parking ?

— Je n'en sais rien, dit-elle peu désireuse de revenir sur cet épisode. Je ne l'avais jamais rencontrée. Peut-on parler d'autre chose, si ça ne te dérange pas ?

— Bien sûr, répondit-il d'un ton détendu. Alors, quoi de neuf, à part ça ?

Mille pensées se bousculaient dans sa tête, mais aucune qu'elle puisse mentionner face à lui, en fait. Allait-elle lui demander pourquoi il s'était brusquement écarté, après ce baiser, l'autre soir ? Pas vraiment. Pendant qu'elle se triturait les méninges à la recherche d'un sujet de conversation anodin, elle masqua son silence en goûtant la pâtisserie qu'on lui avait offerte.

— Waouh ! s'écria-t-elle. Cette tarte est succulente !

— C'est la spécialité de Maude. Aussi, crois-moi, si elle te l'a offerte, ce n'est pas par hasard.

Cassie chercha du regard la patronne, qui se trouvait quelques tables plus loin.

— Votre tarte est délicieuse ! la complimenta-t-elle. Merci beaucoup !

Elle supposa que la grimace dont la gratifia Maude était une espèce de sourire.

— Elle n'a pas l'air très commode, je me trompe ? demanda-t-elle discrètement à Lincoln.

— Ça dépend des jours. Mais je n'aimerais pas être sur sa liste noire.

Elle savoura une autre bouchée, sachant qu'elle ne l'apprécierait plus autant s'il mentionnait de nouveau les incivilités dont elle avait été victime.

— Est-ce que tu songes parfois à agrandir ton troupeau ?

Il lui sourit.

— Souvent, oui. J'aime mes bêtes, mais je dois aussi veiller à ne pas me surcharger de travail. Parfois, lorsque les naissances s'enchaînent, je ne sais plus où donner de la tête.

— Tu ne comptes donc pas élever de lapins ?

— Non merci, très peu pour moi, dit-il avec une pointe d'humour, en roulant les yeux.

— Je n'aurais jamais songé à élever des chèvres. Je comprends l'utilité des moutons, mais les chèvres…

— J'en vends énormément, pourtant. Elles produisent du lait, et aussi de la laine. Les miennes sont des chèvres angoras, et leur poil ressemble beaucoup à du mohair.

— Vraiment ? insista-t-elle, un sourire à l'appui. Et leur viande ?

— Aussi. Certains groupes ethniques en sont très friands. Je n'ai donc aucun problème à les rentabiliser, je finis même souvent avec un petit bénéfice en poche. Mais est-ce que je pourrais en vivre ? (Il secoua la tête.) Mes deux bras ne suffiraient pas.

— J'ai trouvé leur compagnie bien agréable, l'autre soir. Mais si quelques-unes te suffisent, je le comprends parfaitement. En fait, elles me plaisent bien plus que les moutons.

— C'est vrai qu'elles sont assez drôles, enfin, à mes yeux. Elles sont aussi très intelligentes, et pleines d'énergie. Heureusement que les chiens sont là pour les canaliser.

Le restaurant commençait à se remplir. Cassie jetait des regards autour d'elle, à l'affût de visages connus, mais elle ne tarda pas à remarquer que certaines personnes prenaient soin de l'éviter. Elle repoussa son assiette.

— Ne les laisse pas te faire mordre la poussière. Résiste encore en peu.

— A quoi bon ?

— Tu es avec moi. Et je suis le mieux placé pour savoir si ces ragots sont fondés ou non. Ne lâche pas prise, Cassie.

— Certainement pas, repartit-elle fermement. Mais j'ai perdu l'appétit.

— Tu as intérêt à emporter cette part de tarte.

— Sinon, cela vexerait Maude, n'est-ce pas ?

— Assurément.

Il était difficile de ne pas le regarder dans les yeux alors qu'elle était assise face à lui, et il ne semblait guère plus judicieux de garder les yeux baissés sur sa tasse ; les gens pourraient croire qu'elle était sur la défensive. Elle se trouvait prise entre le marteau et l'enclume : soit promener son regard dans la salle, et scruter avec aplomb ceux qui la dévisageaient, soit abandonner la partie, et se contenter de dévorer Lincoln des yeux. La décision fut vite prise. Se raccrochant à la première idée qui lui traversa la tête, elle lui demanda :

— As-tu des origines celtes ?

— Pourquoi cette question ?

— Parce que je me la suis posée la première fois que je t'ai vu, à cause de tes yeux bleus et tes cheveux noirs.

Sans mentionner sa plastique parfaite, d'après ce qu'elle en avait aperçu ; elle omit de lui préciser qu'il ressemblait à un guerrier. Elle n'avait pas à partager avec lui ses fantasmes purement féminins.

— Probablement, confirma-t-il. Ma mère disait à qui voulait l'entendre qu'elle était une black Irish, c'est-à-dire que l'un de ses ancêtres avait des origines irlandaises et ibériques.

— Tu as de la chance de savoir d'où tu viens.

Elle sentit que ses joues rosissaient mais assez discrètement, Dieu merci.

— Je ne connais pas vraiment ma famille, poursuivit-elle.

Mon père est parti lorsque j'avais trois ans, et je ne l'ai jamais revu. Quant à ma mère, elle a sombré dans l'alcool.

— Cela n'a pas dû être facile.

Elle confirma d'un hochement de tête.

— Il y a quand même eu de bons moments. Et si je ne devais retenir qu'une seule chose à propos de ma mère, c'est qu'elle m'aimait. Envers et contre tout.

— J'en déduis qu'elle n'est plus de ce monde ?

— Oui, elle est décédée il y a deux ans d'une cirrhose.

— Je suis désolé.

— C'est inutile. Cette dépendance est affreuse, et je l'ai vue passer sa vie à la combattre. Elle a lutté jusqu'à son dernier souffle, mais parfois, j'avais l'impression qu'elle tentait d'escalader un glacier avec des baskets aux pieds.

— Plutôt étrange, comme image, dit-il doucement.

— C'est ainsi que je percevais les choses. Elle avait beau y consacrer toute son énergie, elle n'atteignait jamais un semblant d'équilibre. Voilà pourquoi je bois plus que modérément. L'alcool me fait peur.

— C'est légitime. Je m'estime heureux de n'avoir jamais eu à y songer. J'aime boire une bière ou deux le week-end, ou un verre de vin lors d'un bon repas, mais ça me suffit. Une fois, à l'université, il m'est arrivé de boire plus que de raison, et j'en ai tant souffert le lendemain que cela m'a à tout jamais fait passer l'envie de recommencer.

Elle ne put s'empêcher de sourire.

— J'ai entendu dire que ces lendemains de fête étaient abominables.

— J'étais avec mes amis, et nous avons éclusé une quantité impressionnante de vin. Et effectivement, le matin suivant… très peu pour moi, merci bien. Il m'a fallu des années pour accepter d'y goûter de nouveau.

— Par principe, je n'aime pas les produits qui me font tourner la tête. J'aime garder le contrôle de mes actes.

— Dans ce cas, je devrais t'emmener danser dans un bar country, repartit-il avec un clin d'œil.

Elle sentit son cœur s'emballer. L'emmener danser ? Ce devait être une plaisanterie, il n'y avait pas d'autre explication.

— Pourquoi ? Parce que je ne viderais pas le bar ?

— Non, parce que j'aurai l'assurance que tu ne m'écraseras pas les pieds, la taquina-t-il.

Il sembla hésiter un instant, puis reprit :

— Mon ancienne… fiancée ne buvait jamais, jusqu'à ce que je l'invite à cette soirée, dans un bar à la sortie de la ville. Au bout de quelques minutes, elle a affirmé que la danse en ligne lui donnait soif. A partir de ce soir-là, il m'est arrivé plus d'une fois d'avoir à littéralement la hisser dans le camion pour la ramener à la maison.

Cassie grimaça. Visiblement cette anecdote le faisait encore souffrir, songea-t-elle.

— Je suis désolée pour toi. Ça ne devait pas être très plaisant.

— Je lui trouvais systématiquement des excuses. Je me disais qu'elle avait besoin, de temps à autre, de se laisser aller, comme tout un chacun. Mais aujourd'hui, avec le recul, je ne suis plus si sûr d'avoir eu la bonne réaction.

Le visage de Lincoln s'assombrit, et elle baissa les yeux, pour lui laisser un moment d'introspection. Il était clair que cette douleur était encore à fleur de peau, aussi insister serait maladroit de sa part. Mais s'il tenait à lui en dire davantage, elle serait prête à l'écouter.

Elle fut surprise de la question qui fusa quelques secondes plus tard.

— J'adore danser. Et toi ?

— Euh, je ne suis pas très douée pour ça.

En fait, surtout parce qu'elle manquait de pratique.

— Ça s'apprend, tu sais. On pourrait sortir ce soir, enfin, si tu n'es pas allergique à la musique country. Et je te promets que nous nous éclipserons avant que les clients ne soient trop imbibés et deviennent bagarreurs.

Elle faillit écarquiller les yeux. La veille, il l'avait embrassée, puis s'était éloigné d'elle comme s'il pensait qu'il s'agissait d'une erreur, et maintenant il voulait l'emmener danser ? Etait-ce un rendez-vous galant ?

Non, ce n'était pas possible. Il cherchait peut-être simplement à se détendre après une semaine éprouvante.

— Je ne sais pas trop, répondit-elle.

— Allez, on va bien s'amuser. Et c'est l'une des traditions de ce comté que tu ne découvriras pas par toi-même, si tu as un minimum de sens commun.

— Pourquoi ça ?

— Parce que beaucoup de gens y oublient leurs bonnes manières. Mais comme je te l'ai promis, nous partirons avant que l'atmosphère ne devienne trop pesante.

Elle saisit le message. Sa curiosité était piquée, et, si elle ne se serait jamais aventurée dans ce genre d'établissement sans escorte, elle se doutait aussi que l'ambiance qui y régnait devait être différente de celle des bars et night-clubs qu'elle avait pu fréquenter là où elle habitait avant et valait sûrement la peine d'être vécue.

La curiosité l'emporta donc sur la prudence. Elle ignorait dans quel dessein il l'avait invitée, et elle craignait de mettre le pied dans un monde où elle ne serait pas à son aise de prime abord, mais elle n'avait jamais reculé devant une situation à la prise de risques calculée. Sinon, elle n'aurait jamais accepté ce poste.

— Très bien, concéda-t-elle. Mais je suis une piètre danseuse.

— Comme beaucoup de gens. Tu ne seras pas seule, ne t'inquiète pas.

— Tu n'as pas d'entraînement ce soir ?

Il secoua la tête.

— Nous avons un match demain. Et dans ce cas, je préfère

que les gars se reposent la veille. Je passerai te prendre à
7 h 30.

Arrivée chez elle, et après avoir été avisée par Lincoln de
porter un jean et des chaussures confortables, elle se mit à
tourner comme un lion en cage, feignant de se tenir occupée.
Quel tour étrange prenait cette relation ! S'agissait-il d'un
rendez-vous galant, ou d'une nouvelle tentative pour l'arracher
aux griffes des commérages locaux ?

Elle aurait aimé en avoir le cœur net.

Lincoln aussi.

Quelle mouche l'avait donc piqué ? Le soir précédent il
avait déjà failli succomber à la tentation que représentait cette
femme, et maintenant il lui proposait de l'emmener danser ?

Il était en train de perdre la tête.

Affairé dans ses pâturages tout en écoutant d'une oreille
distraite les coyotes qui hurlaient au loin, il reconnut qu'il
était en mauvaise posture. Preuve s'il en était qu'un homme
raisonnable répétait parfois les mêmes erreurs, et ne retenait
pas forcément la leçon, même si celle-ci avait été cuisante.

Et le fait qu'elle se soit montrée réticente n'augurait rien
de bon. S'il était persuadé qu'elle ne se sentait pas à l'aise
sur une piste de danse, il se doutait aussi qu'elle ne tenait pas
particulièrement à s'y donner en spectacle avec lui.

Tout se passerait bien, se rassura-t-il. Il ne faisait que se
comporter en bon voisin, en lui montrant les environs, et
en particulier les lieux typiques qu'elle ne découvrirait pas
seule, comme son ranch ou le bar country. Il espérait presque
que l'ambiance qui y régnait lui donnerait envie de fuir ;
entre la foule qui s'y pressait, la fumée, et les hommes qui
parlaient fort et racontaient des blagues grivoises… il était
persuadé qu'elle était femme à préférer d'autres types de
divertissements. Elle avait d'ailleurs mentionné des musées

et des théâtres, ce qui ne faisait pas très couleur locale, il fallait l'avouer.

En l'emmenant danser là-bas, il l'exposait à une nouvelle douche froide. A vrai dire, il n'avait rien contre cet endroit. Il concevait parfaitement qu'après une semaine de labeur, les gens avaient envie de se détendre autour de quelques bières ou en dansant sur des chansons aux accents nasillards.

Il savait d'avance que les rumeurs iraient bon train. Tout le monde connaissait Martha, et elle ne s'était pas privée d'expliquer pour quelles raisons elle avait rompu leurs fiançailles. Il imaginait déjà ce que penseraient ses pairs en le voyant, une fois encore, avec une étrangère, et dimanche matin les grenouilles de bénitier viendraient lui suggérer de fréquenter plutôt des femmes du comté. Il s'en amusait déjà, même si ces charmantes mamies avaient certainement raison.

Peu importe, pensa-t-il une fois qu'il eut pris sa douche et se fut changé. Il s'assit quelques instants sous le porche, à l'arrière du corps de ferme, ses pieds bottés calés sur la rambarde, et contempla le crépuscule qui envahissait le ciel.

Il était presque l'heure, et, s'il ignorait ce qui le poussait à continuer dans cette voie incertaine, il avait l'impression de s'embarquer dans une véritable aventure.

Après tout, le ranch ne le laisserait jamais tomber, et la réciproque était valable, pensa-t-il avec une pointe d'humour. La pierre angulaire de sa vie était immuable, à moins qu'il ne commette une grosse bourde financière, bien évidemment. Que demander de plus à la vie ?

Il ignorait ce que le sort lui réservait, mais tant que ce lieu restait sien, il était prêt à affronter tout le reste.

La paix l'envahit, mêlée à de l'impatience. Cette soirée serait divertissante, à défaut d'autre chose. Il aurait une opportunité de voir Cassie évoluer dans le milieu où elle cherchait à se faire une place, et elle en découvrirait des aspects dont elle ne se serait jamais doutée. Il n'en faudrait peut-être pas davantage pour la faire chuter du piédestal sur lequel il l'avait placée.

A moins que…

Il fit bruyamment retomber ses pieds au sol, puis se leva et sortit son trousseau de clés de la poche de son jean. L'heure était venue de montrer à sa belle comment on s'amusait ici.

Le Resto de Dusty ne ressemblait pas vraiment à un restaurant. Le grand bâtiment en rondins était flanqué d'enseignes au néon aux couleurs criardes, énumérant des marques de bière et annonçant le concert live du samedi soir. Sur le parking gravillonné étaient alignés une douzaine de pick-up ainsi que quelques voitures.

— Il n'y a pas encore grand monde, commenta Lincoln au moment où il se garait à côté d'un camion encore plus vieux que le sien. Ça te permettra de te faire les pieds.

L'expression la fit sourire, même si elle n'était pas certaine d'en saisir le sens.

— Me faire les pieds ? Comme lorsqu'on dit : se faire la main ?

— Oui, confirma-t-il, et j'aurais dû ajouter : te faire les oreilles, parce que le volume augmente avec la foule. Tout le monde braille, si bien que Dusty monte le son, et là, les clients parlent encore plus fort. Une espèce de cercle vicieux, à mon avis, mais je n'ai jamais réussi à lui faire entendre raison.

Cassie gloussa.

— Dois-je m'armer de mes boules Quies ?

— D'ici une heure ou deux, probablement. Pour l'instant, ça devrait aller, et je ne te retiendrai pas jusqu'au point où cela deviendra insupportable.

La retenir ? Intéressante tournure de phrase, songea-t-elle alors qu'il l'aidait à descendre du véhicule. Avait-il l'impression de lui avoir forcé la main, ou était-ce une autre expression du cru ?

Cesse de tout analyser, se réprimanda-t-elle, *et profite simplement du moment !*

Elle entendait déjà la musique alors qu'ils n'avaient pas atteint la porte. Le crissement des graviers sous ses pieds lui fit regretter d'avoir arrêté son choix sur ses chaussures de footing. A en juger par la tenue de Lincoln, elle risquait d'être la seule personne à ne pas posséder une paire de bottes dignes de ce nom.

Cela ne l'empêcherait pas de s'amuser. Elle allait passer la soirée dans un bar country du fin fond du Wyoming, au bras d'un cow-boy. A cette simple idée, certaines de ses anciennes amies auraient fait une crise cardiaque.

Lincoln ne se départait de ses tenues western que pour endosser le survêtement de son équipe. Ce soir, cependant, son chapeau élimé avait cédé sa place à un autre, immaculé, et les pointes de ses bottes semblaient impeccablement cirées. Il s'était mis sur son trente et un ! Cela l'intrigua, d'autant qu'il lui avait suggéré de choisir une tenue confortable plutôt qu'élégante. Heureusement, elle n'avait pas su résister à l'envie d'enfiler son nouveau jean, ainsi qu'un chemisier satiné d'un vert seyant.

A mesure qu'ils s'approchaient du bâtiment, elle sentait les vibrations de la basse s'amplifier, et elle se demanda si le son ne serait pas déjà trop fort à l'intérieur.

Une porte en planches s'ouvrit sur un gars costaud portant un T-shirt rouge, sur lequel apparaissait le logo du restaurant.

— Ça fait un bail, Linc, marmonna-t-il, alors que son regard, manifestement admiratif, s'attardait sur Cassie.

— Cassie, je te présente Glenn. Il fait de son mieux pour maintenir un semblant d'ordre.

Glenn la gratifia d'un clin d'œil.

— Oui, et ce n'est pas toujours facile. Enchanté, Cassie, ça me fait toujours plaisir d'accueillir de nouveaux clients.

Ils franchirent une seconde porte, et immédiatement la musique la frappa de plein fouet. Rien d'assourdissant, elle le reconnaissait, mais le volume était tout de même très élevé. Quelques couples se dirigeaient déjà vers l'immense piste de danse, tandis que d'autres étaient attablés sur un côté. Elle aperçut aussi quelques tabourets devant le bar, qui s'étendait sur deux pans de mur. Par une large ouverture à sa droite, elle distingua plusieurs tables de billard.

— Cet établissement est bien équipé, dit-elle à Lincoln.

— Suffisamment pour ne pas s'y ennuyer ; allons choisir une table.

Elle fut soulagée qu'il ne l'entraîne pas directement sur la piste de danse. Peu de gens s'y trouvaient, aussi se serait-elle probablement sentie embarrassée. Mais bien sûr, une fois qu'il y aurait foule, elle se ferait remarquer à cause de sa maladresse.

Puis elle se demanda d'où venait sa gêne car, en définitive, comme elle le rappelait souvent à ses élèves, il leur avait fallu apprendre chaque chose qu'ils maîtrisaient, et les erreurs faisaient partie du processus d'apprentissage.

Lincoln leur commanda des sodas ainsi qu'une assiette d'amuse-bouches.

— Tu aurais dû prendre une bière, lui dit Cassie.

— Je préfère être sobre lorsque je prends le volant.

— Et moi, je préfère le rester tant que je ne maîtrise pas les pas de danse basiques.

Il éclata de rire, et ses yeux se plissèrent.

— Une petite bière t'aiderait sûrement à te détendre. Et puis, nous commencerons par le Cotton-Eyed Joe. C'est une danse facile, et très amusante. Et elle le devient encore plus lorsqu'il y a beaucoup de danseurs sur la piste.

— J'ai un peu peur, admit-elle.

Il posa délicatement sa main sur la sienne, et immédia-tement, elle sentit des étincelles pétiller dans tout son corps.

— Ce n'est pas difficile, je t'assure. Observe-les un moment, et tu commenceras à t'imprégner du rythme. Ensuite, je te montrerai les pas.

Leurs sodas arrivèrent dans de grands verres en plastique, accompagnés par leurs hors-d'œuvre, eux-mêmes servis dans des paniers en plastique recouverts d'une feuille de papier. Ici, on ne faisait pas de chichis, ce qui était loin de la déranger. D'ailleurs, une présentation trop apprêtée aurait paru complètement déplacée dans ce type d'endroit.

— J'aurais dû te prévenir de choisir des chaussures à semelle lisse, dit-il. C'est plus confortable pour danser.

— Dans ce cas, je ferais peut-être mieux de ne pas m'aventurer sur la piste.

Ses grands yeux bleus lui souriaient.

— N'espère pas t'en tirer à si bon compte.

Le bar commençait à faire salle comble, et elle eut la surprise de remarquer que, contrairement aux quelques night-clubs qu'il lui avait été donné de fréquenter, et où le public était majoritairement jeune, ici des clients de tous âges se côtoyaient. Un autre bon point.

Voyant la piste se remplir, elle saisit son courage à deux mains, ou plutôt, Lincoln lui en saisit une et l'entraîna dans cette direction. Impossible de s'échapper.

— Allons, c'est vraiment facile, l'encouragea-t-il. (Il la garda à la périphérie de la piste, et lui fit une démonstration.) Regarde : on tape du talon, puis jambe tendue vers l'avant, et trois pas comptés sur le côté.

Elle l'observait avec attention tandis qu'il répétait l'enchaînement à plusieurs reprises. Mais même si les autres danseurs semblaient focalisés sur la musique ou leur partenaire, elle avait l'impression de sentir des yeux posés sur elle.

— A toi, maintenant.

Instinctivement, elle se mordit la lèvre inférieure en essayant de l'imiter. La musique l'aidait en l'accompagnant de son rythme. Elle fit quelques faux pas, mais il ne lui fallut guère de temps pour suivre le mouvement du groupe de manière assez naturelle.

D'ailleurs, Lincoln ne tarda pas à lui montrer l'enchaînement suivant.

— Ça coule presque de source, si l'on suit la musique, concéda-t-elle.

— Absolument, confirma-t-il, avant de passer un bras autour de sa taille. Allons-y, c'est un morceau qui se danse côte à côte.

Elle avait déjà eu l'occasion de le remarquer. Se sentant désormais plus en confiance, elle le laissa la guider. Et en dépit de quelques pas ratés, ils parvinrent à suivre tout le morceau. Puis un autre suivit, et elle oublia vite ses pieds, l'esprit obnubilé par cet homme dont le bras lui enveloppait la taille.

Elle se sentait si bien qu'elle fut presque tentée de fermer les yeux. Le contact de son corps serré contre le sien, se mouvant à l'unisson au rythme de la mélodie, rendait l'expérience encore plus délectable.

Elle tressaillit légèrement lorsqu'une main enserra son bras libre. Lorsqu'elle tourna la tête, elle aperçut un autre couple, et l'homme qui dansait près d'elle lui sourit.

Avant qu'elle s'en rende compte, elle avait rejoint une ligne qui pivotait autour de la piste. Puis il y eut un changement, et la ligne avança vers le centre de la piste, puis recula.

Elle avait conscience de son propre rire, même s'il était couvert par le bruit de la musique. Elle releva la tête puis repoussa ses cheveux, tout en souriant à Lincoln.

Elle ignorait combien de temps ils avaient dansé. Les chansons s'enchaînaient, mais elle ne les avait pas comptées. Elle s'amusait trop pour ça. Finalement, alors qu'elle sentait l'épuisement la gagner, Lincoln les libéra de la ligne et la guida jusqu'à leur table.

Il lui présenta sa chaise, en s'exclamant :

— Tu as ça dans le sang !

— Je me suis amusée comme une folle !

Leurs boissons les attendaient, et elle vida la moitié de son verre en quelques gorgées. Lincoln saisit une chaise qu'il fit passer de l'autre côté de la table, de manière à s'asseoir près d'elle, et non en face.

— Où sont donc ces fiers-à-bras qui t'inquiétaient tant ?, le taquina-t-elle.

— Ils arriveront plus tard. Tu le remarqueras vite : le public va changer, et la bière couler à flots. Il sera temps de tirer notre révérence.

A ce moment, sans prononcer un mot, un homme particulièrement imposant tira une chaise et vint s'installer à leur table. Déstabilisée, Cassie le dévisagea, tout en se demandant s'il s'agissait d'une autre coutume locale dont elle n'avait pas encore eu connaissance. Elle avait l'impression que son visage lui était familier, sans toutefois pouvoir le remettre dans un contexte.

— Comment ça va, Dave ? Quoi de neuf ? demanda Lincoln.

Cassie se détendit en comprenant que Lincoln le connaissait, mais cela ne dura guère.

— Alors, c'est elle la prof qui cherche des noises au petit Hastings ?

Elle sentit Lincoln se contracter, et son propre malaise se réveilla. Bientôt, son estomac lui parut aussi barbouillé qu'à l'instant précédant celui où elle avait mis un pied sur la piste de danse.

— Je crois que tu fais erreur, Dave, le corrigea Lincoln.

Aux oreilles de Cassie, sa voix semblait avoir pris un accent métallique.

— Ah bon, c'est pas elle ? Pourtant, c'est ce que tout le monde raconte.

— Elle n'a rien fait à Hastings. Il s'est mis tout seul dans le pétrin.

— Coach, éructa littéralement Dave, je te rappelle qu'on a un championnat à gagner !

Son visage était rubicond, et elle se demandait s'il n'avait pas bu plus que de raison, et jusqu'où cette discussion risquait de les mener.

— Je suis au courant, pour le championnat, ironisa Lincoln. Mais les joueurs savent que s'ils veulent représenter l'école, ils n'ont pas le droit de violer les règles qui la régissent. Rien n'a changé depuis ton époque, Dave.

L'expression de ce dernier s'assombrit.

— Ouais, mais il n'y avait pas cette tolérance zéro. Les enfants sont des enfants, et ils font des bêtises.

— Je te l'accorde, mais c'est à nous qu'il revient de les remettre dans le droit chemin.

— En sabordant le championnat ? De mon temps, personne n'aurait pris un tel risque.

— Ils avaient tort.

Dave repoussa son siège et pointa son index dans la direction de Cassie.

— Attention, jeune dame. Si Hastings n'est pas autorisé à jouer et qu'on perd le championnat, les gens du comté vous tiendront pour responsable de la défaite. Surtout que rien ne prouve qu'il a malmené le petit Carney ou qu'il vous a poussée. De toute façon, tous les gamins se font chahuter un jour ou l'autre, j'en sais quelque chose.

Il tourna les talons et s'éloigna avant que quiconque puisse riposter.

Cassie approcha son verre, pour occuper ses mains, mais elle remarqua que celles-ci tremblaient. Immédiatement, Lincoln lui saisit un poignet, qu'il serra doucement pour la rassurer.

— Respire lentement, et profondément, lui conseilla-t-il, alors que sa voix, noyée par la musique, était à peine perceptible. Nous partirons dans quelques minutes. Mais nous devons lui montrer que ce n'est pas lui qui nous chasse.

— Je ne quitterai pas les lieux, rétorqua Cassie, tout en

maudissant le trémolo qu'elle distinguait dans sa voix. Je n'aime pas être montrée du doigt.

Lincoln eut un sourire.

— Je n'en doute pas. Mais Dave annonce l'arrivée de cette nouvelle vague de clients. Il ne faudra pas nous attarder trop longtemps.

C'était la seconde fois qu'on la prenait à partie de la sorte. Mais l'épisode de ce soir était d'une autre teneur ; cela lui rappela ce qu'on lui avait expliqué au sujet des cafards : « Si tu en vois un, il y en a probablement des milliers cachés dans le mur. » En d'autres termes, il s'agissait de la partie visible de l'iceberg. Et si l'analogie précédente lui donnait la nausée, c'était aussi parce qu'elle avait acquis la conviction qu'elle aurait été traitée différemment si elle avait vécu ici toute sa vie. Etait-il donc impossible de s'intégrer dans cette communauté ? Peut-être serait-elle toujours considérée comme une étrangère…

Elle s'efforça de se ressaisir, s'avisant qu'elle était en train de dramatiser la situation. Certes, elle avait été attaquée par deux personnes qui la prenaient pour une menteuse, mais Maude lui avait tout de même offert une part de tarte.

Elle plongea son regard dans celui de Lincoln.

— Accorde-moi une dernière danse avant de partir, tu veux bien ?

— Tu tiens à leur faire passer un message, pas vrai ? répondit-il avec un demi-sourire.

— Et comment !

En dépit de la tension qui envahissait son dos, elle avait décidé que même s'il devenait impossible d'enseigner dans ce comté, et quelle que soit l'issue de cette affaire, elle ne laisserait personne croire qu'on l'avait poussée de force vers la sortie. Hors de question.

Une foule de plus en plus compacte avait envahi la piste de danse, et elle remarqua que les danseurs n'étaient plus ceux qui s'y tenaient avant ; les nouveaux venus étaient plus jeunes, et pour certains d'entre eux la nuit ne faisait que commencer.

Elle remarqua également autre chose : on la bousculait. Pas fort, ni violemment, mais cela ne faisait plus de doute. Lincoln, qui se trouvait sur sa gauche, ne semblait pas remarquer le nombre de danseurs qui se découvraient soudain deux pieds gauches, du moins lorsqu'ils arrivaient près d'elle. On la frôlait comme l'avaient fait les élèves, la semaine précédente, pas assez fort pour la faire trébucher, mais elle ne pouvait ignorer l'avertissement qui lui était donné.

Elle se tourna vers son partenaire.

— Lincoln ?

Elle avait pratiquement dû crier pour se faire entendre, aussi se pencha-t-il vers elle.

— On n'arrête pas de me pousser.

Sa mine s'assombrit.

— Tiens bon quelques minutes de plus.

Elle acquiesça, avant de comprendre pour quelle raison il voulait qu'elle se montre patiente. Comme pour escorter vers la sortie la foule du début de soirée, la musique changea, les rythmes entraînants laissant la place à une mélodie à la fois lente et empreinte de mélancolie. Les lignes se défirent, et les partenaires se placèrent face à face, s'enlaçant tendrement.

Lincoln l'attira vers lui, et passa un bras autour de sa taille, tandis qu'il tenait son autre main à hauteur d'épaule, avant de la faire lentement tourner sur la piste.

Le moment aurait dû être magique, si elle n'avait pas été si déstabilisée. Elle éprouvait de la colère envers ces gens qui tentaient de lui gâcher la soirée, et fit de son mieux pour ne penser qu'à Lincoln qui la tenait entre ses bras, sa tête inclinée vers la sienne.

Lorsqu'elle rencontra son regard, elle y aperçut un feu aux reflets bleutés. En dépit des coups bas dont il venait d'être témoin, ce qu'elle y lisait était sans équivoque. Elle ne pouvait manquer de saisir le message qu'il lui adressait.

Elle sentit son cœur s'affoler, mais décida de s'abandonner au bonheur de l'instant, en espérant qu'il ne finisse jamais. Elle essaya de se persuader qu'elle se trompait, mais durant les quatre minutes suivantes, plus rien n'eut vraiment d'importance.

Et lorsqu'ils quittèrent la piste pour aller chercher leurs affaires, il ne lui tenait plus le bras, mais la main.

6

Une fois sur le parking, elle s'arrêta net, sans se soucier du flot de personnes qui allaient et venaient autour d'eux.

— Il neige ? demanda-t-elle en levant la tête vers les lampadaires autour desquels elle était sûre de distinguer quelques flocons.

— Oui, confirma-t-il. Mais elle ne tiendra pas, ne t'en fais pas.

— C'est génial ! s'exclama-t-elle, oubliant sa colère. Mais j'espère que tu te trompes…

Il ne put s'empêcher de glousser à ces paroles. Il déverrouilla ensuite la portière, et aida Cassie à monter dans la cabine du véhicule.

— Pourquoi te montres-tu si impatiente ? Ce n'est que le début de l'hiver.

— Je suis pressée d'aller skier, lui expliqua-t-elle. Je possède tout l'équipement ; il ne me manque que la neige.

— Le climat est de moins en moins aride, et les années passées nous avons eu plus de neige qu'à l'accoutumée. Si tu as de la chance, tu n'auras pas besoin d'aller en montagne pour skier. Mon ranch est l'endroit idéal, lorsque le manteau neigeux est assez épais.

— Il n'y a pas de pistes aménagées pour le public ?

— Pas dans les environs.

Il ferma la portière, puis fit le tour du pick-up pour aller s'installer au volant.

— Tu as déjà skié hors des sentiers balisés ?

Il mit le moteur en marche et quitta le parking au ralenti,

en surveillant du coin de l'œil les piétons ainsi que les autres véhicules.

— Oui, bien sûr, mais c'était il y a longtemps.

— Tu sais, je n'y avais jamais songé. Mais lorsque la saison de football sera finie, tu pourras venir skier au ranch, s'il neige assez.

Que lui arrivait-il, une fois encore ? Après s'être éloigné d'elle, il créait de nouveau une certaine promiscuité entre eux. Avait-il pitié d'elle ? Cette perspective gâcha son plaisir, et la força à réfléchir à ce qui venait de se passer.

— Ces gens me poussaient, reprit-elle. Un peu comme les élèves, la semaine passée. Enfin, de manière un peu plus insistante.

— Mais pas assez fort pour que tu sois en droit de protester. Cela devait ressembler à un simple faux pas.

— Exactement.

Il s'engagea sur l'autoroute et prit la direction du centre-ville.

— Je n'aime vraiment pas ça.

— Moi non plus, mais que pouvons-nous y faire ? Sincèrement, Lincoln, je m'inquiète pour James. Personne n'aurait dû apprendre qu'il avait été victime de harcèlement. Cela signifie que quelqu'un a établi un lien entre ma plainte et lui. Je n'ose imaginer ce qu'il peut endurer.

— Je n'ai rien remarqué d'anormal au lycée.

— Moi non plus. Mais il a refusé de me parler au téléphone. Il m'a même demandé de ne pas m'en mêler. J'ai bien essayé, mais...

Elle se mordit la lèvre, et son regard se perdit au loin.

— Imagines-tu combien il doit se sentir seul ? reprit-elle. Sa grand-mère m'a confié qu'il a été un souffre-douleur partout où il a vécu. Jusqu'où va-t-il le supporter ?

— Je l'ignore.

— Les statistiques ne sont pas en sa faveur. Tu te rends compte, il a été maltraité dans chaque établissement qu'il a fréquenté. Après ça, comment ne pas croire que quelque chose cloche chez soi ?

— C'est ce que tu ressens parfois, n'est-ce pas ?

Décontenancée, elle répliqua :

— De quoi parles-tu ?

— Parfois j'ai l'impression que tu te sens inférieure aux autres. As-tu été beaucoup malmenée par tes camarades ?

Submergée par un flot de souvenirs douloureux, elle ne répondit pas immédiatement. Avait-elle été malmenée ? Le harcèlement était protéiforme. Parfois, c'était simplement le fait de se sentir exclue d'un groupe. Parce qu'elle était ronde, en plus d'être bonne élève, ce qui l'avait poussée à croire qu'elle n'était pas comme les autres jeunes de son âge. Mais n'était-ce pas l'angoisse normale de tout adolescent ? Parvenir à se fondre dans le moule ?

— Un peu, admit-elle enfin. C'est difficile à évaluer objectivement.

— Je le sais.

— Comment ? Toi aussi tu es passé par là ?

— Ça m'est arrivé quelquefois, à l'entrée au collège. Tu sais, les garçons sont durs à cet âge. Mais dans l'ensemble, je n'ai pas à me plaindre. Et le fait que tu ne saches pas évaluer ta propre douleur... cela me laisse perplexe. Connais-tu le poids de ton fardeau, Cassie ?

Certainement pas, pensa-t-elle misérablement. Comment le pourrait-elle, d'ailleurs ? Elle avait toujours eu un petit cercle d'amis, même durant cette période délicate. Elle s'estimait donc plus chanceuse que d'autres. En revanche, elle avait aussi souvent été mise sur la touche ; les garçons ne l'invitaient pas à sortir, et les filles en vue l'ignoraient tout bonnement. Sans compter ce que les autres lui disaient, à cause de son poids.

— Un jour, commença-t-elle, un peu hésitante, j'étais dans le bus qui ramenait mon équipe de basket-ball d'un match à l'extérieur. Dans une côte, le bus a ralenti, et le moteur s'est mis à peiner. L'un des joueurs s'est écrié : « Ce bus est surchargé, il faut lâcher du lest ! Faites marcher Cassie ! »

— Quelle méchanceté ! Ça s'est produit souvent ?

— De telles humiliations ? De temps à autre.

— Je suis désolé.

Elle faillit rétorquer : « Ça arrive à tout le monde. » Si ce n'était pas fondamentalement faux, cela ne justifiait pas de tels actes.

— Etrangement, je me disais que si j'étais amusante, on finirait par m'apprécier en dépit de mon physique. Mais évidemment, ce n'était pas la stratégie la plus efficace, et lorsque je l'ai compris, le choc a été assez brutal.

— Tu sais, j'ai passé un très bon moment en ta compagnie, ce soir, dit-il au bout de quelques secondes. Bien sûr, j'ignore à quoi tu ressemblais au lycée, mais je peux te dire qu'à présent tu es resplendissante, et que j'étais flatté d'être à tes côtés. Oublie ces types qui avaient du purin dans les yeux.

Sa gorge se serra et ses yeux la picotèrent comme si des larmes s'apprêtaient à couler. Honnêtement, aucun autre homme ne lui avait adressé de tels compliments.

— Ne te sens pas obligé de me rassurer, Lincoln.

— Ce n'était pas mon intention.

Il semblait assailli par mille pensées à la fois. « Ne t'inquiète pas, tu changeras vite d'avis à mon sujet, comme les autres », faillit-elle lui dire avant de se reprendre.

Elle ne souhaitait pas s'engager sur ce terrain, pour diverses raisons. Une soirée de danse échevelée ne signifiait pas le début d'une relation, et elle ne voulait pas créer de malentendu. Elle se contenta donc d'un simple « Merci ».

Lorsqu'il se gara derrière sa voiture dans l'allée de garage, quelques flocons de neige étincelèrent devant ses phares. C'était si beau !

Lincoln bouillait déjà intérieurement, même s'il faisait de son mieux pour ne rien laisser paraître. D'abord, Dave

Banks qui venait les interpeller, puis Cassie qui se faisait pousser sur la piste de danse, ensuite ces révélations, qui n'avaient pas manqué de le chambouler. Il était furieux. Mais lorsqu'il vit l'état de la voiture de la jeune femme, il sut qu'il n'en faudrait guère plus pour qu'il voie rouge.

Tapotant sa veste du plat de la main, il finit par trouver son téléphone portable, il appela immédiatement le bureau du shérif. Quatre pneus crevés et un pare-brise arrière barbouillé du mot MENTEUSE… Hors de question de fermer les yeux là-dessus. Et il était grand temps que les policiers locaux s'activent sérieusement.

Cassie murmura quelque chose. Il ne voulait pas la regarder en face, craignant trop de voir l'angoisse ou la peur qui devaient se lire sur son visage, même si cela paraissait bien naturel. Il chercha sa main à l'aveuglette, et la serra fermement.

— Lincoln, j'ai peur. Ce soir…

Sa voix se brisa et elle ne parvint pas à achever sa phrase.

Il ne lui en voulait pas. Après avoir été poussée, même légèrement, et victime d'un nouvel acte de vandalisme, n'importe qui s'affolerait.

— Je t'ai déjà dit que tu n'étais pas seule. J'étais sincère, Cassie.

Elle ne comprenait pas vraiment de quoi il parlait, mais elle n'insista pas. Au lieu de cela, elle posa une question qui déclencha en lui toutes les alarmes mises en place après le passage dévastateur de Martha.

— Qu'est-ce qui ne tourne pas rond, dans ce coin ? Les gens s'échauffent, et ils se mettent à mentir pour protéger leurs enfants. Et les élèves mentent pour couvrir leurs méfaits. Puis on me bouscule sur cette piste de danse. Cette fois, il s'agissait d'adultes, Lincoln. Et maintenant, ça…

Elle marquait un point.

— Combien de personnes t'ont-elles poussée ? Quatre, peut-être cinq. Pas plus, et elles se montraient précautionneuses. Pour les autres, je suis persuadé qu'il s'agissait d'accidents.

Il resta pensif durant quelques instants.

— Tu sais, reprit-il, même après l'obtention de leur diplôme, certaines personnes semblent ne jamais vraiment quitter le lycée. Il s'agissait peut-être d'amis de nos élèves.

— Je vois ce que tu veux dire.

— Je suis convaincu que la grande majorité des gens du coin ne cautionnerait pas de tels actes. Quatre-vingt-dix-neuf pour cent d'entre eux, à mon avis. Je suis désolé que tu aies eu affaire aux autres.

— Oui, ils s'étaient tous donné rendez-vous au même endroit.

Elle poussa un soupir, puis fit pivoter sa main, de manière à prendre celle de Lincoln dans la sienne.

— Bon, d'accord, ils ne sont pas si nombreux, et la plupart des gens que j'ai rencontrés étaient charmants. Mais si ces incidents se multiplient, je songerai sérieusement à mettre un terme à mon contrat et je laisserai les locaux régler leurs problèmes comme bon leur semble.

Sa remarque lui fit l'effet d'un uppercut. *Nous y voilà*, se dit-il.

— Tu as envie de partir ? demanda-t-il, l'air de rien.

— En fait, non. Mais je commence à avoir peur, et je me demande un peu dans quel genre d'endroit je suis tombée.

Ce fut un soulagement de voir le véhicule du shérif se garer le long du trottoir. Des flocons de neige continuaient à tomber ici et là, tel un signe avant-coureur de la tempête qui se préparait.

Il aurait été si simple de boucler ses valises et d'aller annoncer à Lee lundi matin qu'elle ne se sentait plus en sécurité ici. Elle était convaincue que cette excuse suffirait à faire annuler son contrat de travail.

Mais si le désir de fuir lui avait à plusieurs reprises trotté dans la tête, d'autres souvenirs surgissaient inévitablement,

lui rappelant combien les habitants s'étaient montrés sympa-
thiques envers elle. Comment ils l'avaient accueillie.

La part de tarte offerte par Maude n'était qu'un geste parmi
d'autres, qui lui avaient réchauffé le cœur depuis qu'elle était
arrivée dans la région.

Elle se souvenait aussi des voisins qui l'avaient aidée à
décharger son camion de déménagement, prompts à installer
les meubles lourds exactement où elle le souhaitait. Et aussi
le petit monsieur qui habitait deux portes plus loin, qui avait
tondu son carré de gazon en attendant qu'elle embauche
un jeune du quartier pour s'en occuper. Enfin, les dames
qui étaient venues lui apporter des repas chauds ainsi que
quelques gourmandises afin qu'elle n'ait pas le souci de se
faire à manger pendant qu'elle emménageait.

Elle ferma les yeux, laissant défiler tous ces visages, dont
certains appartenaient à ses collègues. Au fond, elle savait
que Lincoln avait raison : ses détracteurs n'étaient pas si
nombreux. Et si les gens se demandaient ce qui se passait
vraiment, ceux qui adoptaient des positions extrêmes se
comptaient sur les doigts d'une main.

Cela ne la rassurait pas pour autant.

L'adjoint du shérif, qui venait de les rejoindre, était un bel
homme d'une cinquantaine d'années. Lincoln le présenta à
Cassie sous le nom de Virgil Beauregard, mais lui se contentait de l'appeler Beau. Il fit le tour du véhicule, armé d'une
lampe torche, secouant la tête, et s'accroupit pour inspecter
l'état des pneus.

— Je commence à reprendre les expressions de l'ancien
shérif, commenta-t-il en se relevant : « Ce comté s'en va à
vau-l'eau. » Vous pensez que c'est lié à ces heures de colle ?

— Probablement, confirma Lincoln, qui dépeignit les
incidents précédents à Beau, dont l'expression s'assombrissait
de minute en minute.

— Ça paraît disproportionné, comme réaction, insista ce

dernier. Comme si une heure de retenue empêchait le gamin de jouer au basket-ball.

— En fait, cela risque de se produire, s'il récidive.

— J'en connais qui vont aller en colle au pénitencier s'ils ne se calment pas.

Il sortit un bloc-notes et en noircit quelques lignes.

— En tout cas, votre malfrat a découvert qu'il est plus difficile qu'il n'y paraît de crever un pneu. A moins qu'il y ait des trous que je n'aurais pas remarqués, il s'est contenté de dégonfler les trois autres pneus après avoir percé le premier. Je vais appeler quelques-uns de mes gars, et nous allons interroger les voisins. L'un d'eux a peut-être vu quelque chose. Commettre ce genre d'entourloupe en début de soirée, c'est un peu fort de café… Allez vous mettre au chaud à l'intérieur.

Il était encore tôt, mais il faisait déjà sombre, se répétait Cassie. Elle pénétra la première dans la maison, qui, elle ne le remarquait que maintenant, se trouvait dans une zone d'ombre entre deux lampadaires n'éclairant que faiblement la rue.

— Café ? demanda-t-elle, alors que, machinalement, elle avait déjà entrepris de verser de l'eau dans la cafetière.

Elle avait acquis la certitude qu'avec ou sans caféine, elle risquait de ne pas fermer l'œil de la nuit.

— Oui, merci.

Derrière elle, elle entendit le grincement de la chaise sur laquelle Lincoln prenait place.

— Je te trouve drôlement calme.

— Comment suis-je censée réagir ? Devrais-je exploser de rage ? Cela n'y changerait rien.

— Non, mais ta colère serait légitime.

Elle appuya sur l'interrupteur de l'appareil et rejoignit Lincoln, en s'asseyant de l'autre côté de la table.

— Pour le moment je suis terrifiée, mais mon angoisse cédera peut-être la place à la fureur, je l'ignore. Après tout, il n'y a rien d'irréparable dans ce qu'ils ont fait.

— A part le fait que tu vives la peur au ventre.

Effectivement, pensa-t-elle. Elle appuya son front contre l'une de ses mains, tout en traçant de l'autre des cercles sur la table.

— Si seulement je savais jusqu'où ils comptent aller, et combien de temps cela va durer. Tu penses qu'ils pourraient se montrer violents ?

— Il y a une semaine, mon « non » aurait été catégorique. Mais là, je n'y comprends plus rien. Ce n'est pas comme si Ben Hastings avait perdu sa place dans l'équipe. Evidemment, s'il est de nouveau sanctionné, et qu'il est exclu de l'établissement, la situation sera différente. Mais il n'a qu'à bien se tenir.

Elle releva la tête en s'avisant qu'il n'avait pas clairement répondu à sa question. Les nerfs à fleur de peau, elle prit une profonde inspiration. Allaient-ils recourir à la violence à cause d'une heure de retenue ?

Arrête, se réprimanda-t-elle. *Redescends sur terre.*

Au bout d'une minute ou deux, elle reprit la parole, tentant de retrouver son sens commun :

— Quelqu'un craint que je fasse du harcèlement mon cheval de bataille. Les élèves auraient dû être exclus temporairement, et comme ils se trouvent en ce moment sur le fil du rasoir, cela met mal à l'aise certaines personnes.

Elle marqua une pause avant de reprendre :

— Un collègue a dû commettre une indiscrétion, après la réunion de lundi.

— Qu'est-ce qui te fait croire ça ?

— Par quel hasard les gens ont-ils eu vent des mésaventures de James ? Et de mon rôle actif dans la campagne de sensibilisation ? C'était maladroit de ma part. Je suis la dernière arrivée, et j'ai dû donner l'impression de vouloir réformer toute la politique de l'école, notamment en exigeant de se montrer intransigeants en matière de lutte contre l'intimidation.

— C'était ton intention ?

Lorsque son regard se posa sur Lincoln, elle remarqua son sourire en coin.

— Oui, répondit-elle. Lorsque je suis entrée dans le bureau de Lee, la semaine dernière, je comptais obtenir une exclusion.

— Tu sais, lorsque les choses deviennent familières, on finit par ne plus y prêter attention. Et puis, cette mentalité qui veut que chaque chose vienne en son temps, en espérant que jeunesse se passe, doit absolument changer. Nous avions besoin d'un regard neuf pour nous rendre compte de notre immobilisme.

Elle confirma d'un signe de la tête. La cafetière venait d'annoncer que sa tâche était accomplie, aussi Cassie se leva-t-elle pour aller remplir deux grandes tasses.

— Je suis désolée, je n'ai pas grand-chose à t'offrir à manger. Je n'ai pas de biscuits dans mes placards, et en plus, je comptais faire mes courses demain. Ce qui n'est pas encore gagné. Je vais plutôt m'occuper de ma voiture.

— Je connais le couple qui tient le garage du centre-ville. Je les appellerai demain pour qu'on vienne te la remettre en état.

Elle remua sur sa chaise, mal à l'aise, et fit une grimace.

— Qui te dit qu'ils ne sont pas du côté de Hastings ?

— Peu importe ce que pense Morris, il fera du bon boulot. Et je suis sûr que les gens s'en fichent un peu. Le championnat est important, mais cela ne signifie pas que les habitants du comté vont s'en prendre à toi. Je comprends que certains te fassent part de leur opinion, mais à part ça… (Il secoua la tête.) Celui qui a vandalisé ta voiture a certainement agi seul. Quant au chahut sur la piste de danse, il était sûrement le fait des amis de Hastings.

A cet instant, la sonnette retentit. Lincoln proposa d'aller ouvrir, et revint peu après, accompagné de Beau qui le suivit jusque dans la cuisine.

— Voulez-vous un café ? demanda Cassie machinalement.

— Non, merci, j'ai déjà atteint mon quota pour la soirée. Les voisins n'ont rien remarqué. Certains étaient absents, d'autres regardaient la télévision. D'après eux, la rue était calme. Nous allons rester sur place pour collecter des indices, mais vous pouvez aller vous coucher si vous le souhaitez. En revanche, la lumière des spots risque de vous gêner.

— Puis-je nettoyer sa vitre arrière ? s'enquit Lincoln. Je préférerais que ce mot ait disparu avant demain matin.

Beau hésita.

— On s'en chargera une fois que nous aurons réuni tous les éléments pouvant nous être utiles. Je vous tiendrai au courant si nous trouvons quoi que ce soit, ajouta-t-il en se tournant vers Cassie.

— Ils perdent leur temps, marmonna Cassie lorsque Beau fut sorti. Ce n'est que du vandalisme. Inutile de se lancer dans des investigations aussi poussées. Après tout, on est loin d'un meurtre ou d'un braquage.

— Sois patiente. Beau doit penser que dans ton esprit, tout le comté est sur la sellette.

— Eh bien il se trompe. Mais j'arriverai peut-être à cette conclusion si ces incidents se reproduisent.

— Cassie ?

Elle se tourna vers lui.

— Oui ?

— Tu as le choix. Soit je dors sur ton canapé cette nuit, soit tu viens chez moi pour le week-end… Les chambres libres ne manquent pas. Mais d'une façon ou d'une autre, je ne te laisserai pas passer la nuit seule.

Elle se sentit à la fois étonnée et reconnaissante.

— Crains-tu qu'on cherche à me faire du mal ?

— Je n'en sais rien. Jamais je n'aurais imaginé une telle escalade. De plus, tu es terrifiée, à juste titre, et cela suffit à me convaincre que quelqu'un doit te tenir compagnie.

Elle était de plus en plus décontenancée par ses brusques changements de comportement. Cet homme qui s'était escrimé à ne pas nouer contact avec elle le faisait maintenant de mille façons différentes. Il l'avait amenée à son ranch, puis chez Maude, au bar… Et maintenant ?

Quelque chose en elle l'incitait à prendre ses distances, avant qu'il ne le fasse lui-même. Après tout, s'il avait pris grand soin de la traiter comme une pestiférée au cours des mois précédents, il avait certainement une bonne raison. Alors que désormais il mettait sa réputation en jeu en se montrant avec elle.

Souffrait-il du complexe du chevalier servant ? Cela n'augurait rien de bon, car s'il décrétait qu'elle n'avait plus besoin de sa protection, il risquait de se montrer de nouveau distant.

— Prépare quelques affaires, au moins pour deux jours, déclara-t-il. Ma maison est grande, et je demanderai à Morris de venir jeter un œil à ta voiture demain matin.

Elle faillit protester, car elle détestait que l'on prenne des décisions à sa place, mais elle se dit qu'elle risquait de regretter son excès de zèle. Après tout, elle avait très envie de passer le week-end au ranch, et ce serait l'occasion de mieux connaître Lincoln et la façon dont il vivait.

Qui plus est, elle ne voulait pas rester chez elle. Sa maison, tout à coup, n'avait plus rien d'accueillant ou de douillet. Surtout pour Lincoln, qui était si grand, s'il devait se résoudre à dormir sur son canapé.

Elle finit par accepter d'un signe de la tête et s'en alla préparer son sac. Cette escapade, même si elle ne durait que deux jours, lui ferait du bien.

Le trajet vers le ranch lui semblait empli de mystères. Ils cheminaient le long de routes de campagne obscures et dénuées de trafic. Le ciel étant encombré de nuages, elle ne distinguait que la zone éclairée par les phares, où s'aventuraient quelques flocons de neige. Les montagnes, à l'ouest, avaient elles aussi disparu, nimbées, comme tout ce qui les entourait, d'un voile d'un noir d'encre.

— Comme il fait sombre ! lança-t-elle. J'ignorais que la nuit pouvait être aussi profonde. Je suis habituée à des contrées où la noirceur reste relative.

— Si les nuages se dissipent, je t'emmènerai dehors, enfin, si tu en as envie. Et lorsque tes yeux se seront adaptés, tu distingueras les lueurs émanant des ranchs voisins. Tu n'imagines pas le nombre d'étoiles que tu peux apercevoir en pleine campagne. Et dire que je ne m'en suis rendu compte qu'en rentrant de l'université !

— Pourquoi pas ? Ce devrait être amusant.

Et elle n'avait aucune envie de se coucher tout de suite. Pourtant, ses soucis et ses craintes se dissipèrent à chaque kilomètre parcouru, au fur et à mesure que la présence de l'homme qui se tenait près d'elle se faisait plus prégnante. Lorsqu'ils dansaient, il y avait tant de monde autour d'eux qu'elle n'en avait plus vraiment eu conscience, même durant ce slow alors qu'elle aurait tant voulu s'abandonner entre ses bras.

Mais à présent, ses pensées commençaient à se débrider. Elle se trouvait loin de chez elle, et de cette personne, ou ces personnes, qui lui en voulaient tant. Elle était en sécurité. Mais cette certitude faisait naître de nouveaux dangers.

Lincoln était tenté d'abandonner la partie, une bonne fois pour toutes, car il avait manqué à toutes les promesses qu'il s'était faites. Il avait suffi d'une poignée, ou peut-être d'un seul fier-à-bras, pour qu'il se découvre une vocation de garde du corps. Certes, personne d'autre ne s'était érigé en redresseur de torts lorsqu'elle s'était trouvée dans la tourmente. Et le fait que Lee l'ait jetée en pâture le taraudait encore, même si son supérieur n'avait jamais eu l'intention de la soumettre à l'opprobre public. Qui aurait su prévoir ce genre de réaction ?

Et voilà où ça l'avait mené ; il l'avait invitée pour le week-end, alors que quelques minutes plus tôt, elle avait évoqué la possibilité de rompre son contrat de travail. Elle partirait. Comme Martha. Pis encore, Cassie avait de bonnes raisons de ne pas souhaiter s'attarder dans les environs.

Mais pourquoi un tel scandale ?

Il n'ignorait pas l'importance du championnat. Le lycée étant petit, le choix des élèves représentant l'école était de ce fait assez restreint. Une vraie star n'émergeait donc que tous les dix ou quinze ans. En fait, il se rappela que la dernière fois que l'équipe de basket-ball avait atteint cette étape de la compétition remontait à vingt ans plus tôt. Depuis ce moment, ils avaient eu un champion d'athlétisme, et une équipe de football avait franchi le cap des éliminatoires régionales. Donc, pas de doute, ce championnat revêtait une certaine importance aux yeux des habitants du comté.

En outre, tout le monde savait que des recruteurs s'intéressaient à Hastings, ce qui lui ouvrirait les portes de l'université, et d'un avenir professionnel brillant. Les autochtones faisaient donc front commun autour de ce jeune de la même manière qu'ils soutenaient leur équipe. Ils sentaient que quelque chose d'exceptionnel se profilait à l'horizon, qui les changerait de la routine, et leur prodiguerait quelques mois de fierté, ainsi qu'un nouveau sujet de conversation.

Il concevait aussi que les proches de Hastings, que ce soient sa mère ou ses amis, aient envie de malmener Cassie ou de la bousculer sur la piste de danse. En revanche, égorger un rat ou vandaliser une voiture étaient des actes d'une tout autre teneur. Il avait tenté de minimiser les choses devant elle, mais au fond de lui, il ne pouvait se débarrasser de cette conviction qu'ils avaient affaire à un déséquilibré. Et l'idée qu'un individu soit dérangé au point de mener une telle vendetta l'inquiétait.

Il jeta un coup d'œil à Cassie juste avant de bifurquer sur une route secondaire. Elle était rencognée contre la portière, et regardait distraitement par la fenêtre. Heureusement que la route cahoteuse l'obligeait à garder les mains sur le volant. Autrement il l'aurait certainement enveloppée de son bras, et la situation serait devenue incontrôlable, parce qu'il la désirait avec une force qu'il n'avait plus ressentie depuis longtemps.

Il s'obligea à se focaliser sur la route. Une impression de

danger le submergea aussitôt, mais ce n'était pas un malade mental qui l'inquiétait. C'était lui.

Il risquait de la blesser bien plus durement que n'importe quel malfrat. Et ce qu'elle lui avait confié un peu plus tôt le confirmait. Il n'était pas le seul à panser des blessures pourtant anciennes, ni à craindre de commettre un faux pas irrémédiable.

Dieu était témoin qu'il ne voulait plus la voir souffrir. Et lui-même ne souhaitait à aucun prix revivre les mois les plus infernaux de sa vie.

Elle finirait peut-être par fuir. Cette éventualité avait fait plus que l'effleurer, elle l'avait même évoquée, avant de changer d'avis. Il ne pouvait rien faire d'autre que tenter de les préserver tous les deux.

Cassie saisit la main que Lincoln lui tendait pour l'aider à descendre du pick-up. Ils étaient maintenant garés devant le corps de ferme. L'air était plus frais, comme si la terre avait exhalé plus rapidement qu'en ville la chaleur accumulée durant la journée.

— Comment peut-il faire aussi froid ! s'exclama-t-elle.

Si elle mourait d'envie de se jeter dans ses bras, le trajet lui avait donné le temps de réfléchir à la stratégie la plus judicieuse à adopter, et elle était parvenue à la conclusion qu'il valait mieux conserver ses distances. Il se montrait froid, puis ardent, ce qui révélait assez clairement qu'elle le soumettait à un dilemme. Et elle n'avait nul besoin d'en connaître les termes pour savoir qu'il était plus prudent de renoncer à lui.

Elle fit de son mieux pour chasser de ses pensées le souvenir des instants passés entre ses bras puissants. Pour ne plus se représenter mentalement ses hanches étroites et ses larges épaules, ni se remémorer les compliments qu'il lui avait faits, ou encore la manière dont ses yeux bleus paraissaient s'embraser lorsqu'ils se posaient sur elle.

La nuit était maintenant d'un noir d'encre et, en dépit du froid, elle sentait sa température interne grimper de minute en minute. Et l'air glacial qu'elle inspirait à grandes goulées n'y changeait rien. Elle ne devait pas le regarder, se recommandait-elle ; elle ne devait pas se laisser submerger par ce désir de combler le vide qui les séparait.

— Entrons, dit-il. Je vais te préparer une boisson chaude. Ensuite, si tu n'es pas trop fatiguée, nous nous installerons sous le porche, à l'arrière.

— Ça me plairait beaucoup.

Sa suggestion semblait raisonnable. Le froid mordant gèlerait toute velléité du désir qu'elle sentait pulser en elle. Qui serait assailli de pensées érotiques dans de telles conditions, emmailloté dans une superposition de couches de tissu ? Elle, certainement…, pensa-t-elle avec une pointe d'amusement, alors qu'elle le suivait à l'intérieur.

Il posa son sac dans l'entrée.

— Je te laisserai choisir ta chambre plus tard, dit-il.

Puis il l'emmena dans la cuisine, où il prépara deux grandes tasses de chocolat chaud.

Le porche était spacieux et les chaises de jardin recouvertes de coussins moelleux plus que confortables. Dès qu'elle se fut installée sur l'une d'elles, il disparut dans la maison, pour réapparaître quelques minutes plus tard avec une couverture qu'il lui enroula autour des jambes.

— Préviens-moi si tu as trop froid. Je sais qu'il faisait plus chaud là où tu habitais avant.

— Beaucoup plus chaud, admit-elle. Il arrivait qu'il fasse frisquet, mais cela ne durait jamais assez longtemps pour qu'on s'y habitue.

— La diversité des saisons me manquerait, déclara-t-il en prenant place sur une chaise.

Il posa l'un de ses pieds bottés sur la balustrade et se mit à contempler l'obscurité, sa tasse fermement serrée dans sa grande main.

— C'est ce qui m'est arrivé, voilà pourquoi je cherchais un endroit comme ici. Toute jeune déjà, avant même que ma mère ne décide de suivre ce type en Floride, j'étais fascinée par les changements de saison. En particulier l'automne. Ne me demande pas pourquoi, mais c'est ma saison préférée. Là-bas la seule différence significative concerne la luminosité, mais cela se produit bien avant que les températures ne fraîchissent ou que les feuilles ne rougissent.

— Est-ce que ça se passait bien entre ta mère et ce gars ?

— Pas vraiment, reconnut-elle. Ils se sont séparés au bout de six mois.

— Et qu'as-tu ressenti ?

— Du soulagement. Il n'était pas méchant avec moi, rien à voir avec ces histoires sordides dont on entend parfois parler. Mais je ne l'appréciais pas particulièrement, et il n'a jamais essayé de m'aimer, lui non plus. Si bien que je me sentais simplement tolérée.

Lincoln garda le silence. Et elle se rendit vite compte qu'il avait dit vrai : elle distinguait un halo lumineux, distant et assez vague, qui provenait des autres ranchs.

Elle entendait aussi des sons provenant de la prairie, mais rien qui lui semblait inhabituel.

— Les animaux restent-ils éveillés toute la nuit ?

— Non, mais ils ne dorment pas comme nous. Ils se déplacent de temps à autre, et font un peu de bruit.

— Que cet endroit est beau !

— Je le pense aussi. Cassie ?

— Quoi ?

— As-tu toujours eu le sentiment de ne pas être à ta place, même chez ta mère ?

Elle baissa les yeux vers sa tasse, qu'elle voyait à peine, et sentit sa poitrine se serrer.

— Probablement, concéda-t-elle au bout d'un temps. Pourquoi cette question ? Ne ressens-tu pas la même chose ?

— Non, pas vraiment.

— Alors, comment as-tu deviné que c'était ce que je ressentais ?

— En pensant à cette petite fille transplantée en Floride afin que sa mère puisse concrétiser une idylle avec un homme qu'elle connaissait à peine, tout simplement. Tu as souvent changé de poste, n'est-ce pas ?

— Trois académies différentes en huit ans, cela n'a rien d'exceptionnel.

— Peut-être, mais à quoi aspires-tu réellement ?

— Je te l'ai expliqué. A un lieu comme celui-ci. Enfin, comme je me le représentais il y a quelques semaines.

— Tu envisages encore de partir.

Elle essaya de scruter les traits de son visage, mais il faisait si sombre qu'elle ne distinguait que sa silhouette.

— L'idée m'a traversé l'esprit. Mais ce n'était que passager.

— En es-tu sûre ?

— Je ressens le besoin de m'enraciner, Lincoln, vraiment. Comme si cet endroit avait toujours été celui où j'avais désiré vivre, et que la vie n'avait cessé de m'en éloigner. J'ai toujours habité dans de grands centres urbains. Des lieux où tu te fonds dans la masse, dans les murs de béton. J'avais besoin d'un endroit plus chaleureux.

— La géographie n'est qu'un détail, tu peux nouer des amitiés sincères n'importe où.

— Je le sais, mais je cherche une petite communauté ; savoir qui vit à deux portes de chez moi, reconnaître les gens dans la rue, les saluer par leur prénom. Là où j'ai vécu jusqu'alors, tu peux occuper le même appartement durant deux ans et à peine savoir à quoi ressemble ton voisin de palier. Et si tu loues une maison en banlieue, tu as l'impression d'être dans une ville fantôme. L'époque où les gens prenaient le frais sous leur porche est révolue.

— Sauf ici, bien sûr. Cependant, si tu vis à l'écart, dans une ferme, entretenir des relations avec les autres nécessite pas mal d'efforts. Et le fait d'avoir grandi ici est un atout de taille.

— Es-tu en train de me faire comprendre que je ne ferai jamais partie de cette communauté ?

— Absolument pas. Tôt ou tard, tu seras parfaitement intégrée, mais on risque de t'appeler « la nouvelle prof » durant un certain temps, sache-le.

Sa dernière remarque la fit glousser.

— Je m'en accommoderai. Les enfants qui déménagent souvent ont généralement plus de difficulté à tisser des relations durables que ceux qui ont toujours vécu au même endroit.

— Je le sais.

— Dans ce cas, je suis peut-être incapable d'avoir de vrais amis.

— Je n'ai jamais sous-entendu ça. Et je suis convaincu que si tu le souhaites vraiment, et que tu y mets suffisamment d'énergie, tu y parviendras. Même ici, une fois que la tension sera retombée.

— Pour quelle raison as-tu abordé ce sujet ?

— Je me posais des questions, voilà tout. J'ai grandi ici, et la seule fois où je ne me suis pas senti à ma place c'est quand j'étais à l'université. Ensuite, je suis revenu à la maison. Ton parcours m'a intrigué parce qu'il est très différent du mien. Je me demandais ce que tu ressentais.

— Eh bien, maintenant tu le sais.

— Il est temps que les choses changent, n'est-ce pas ?

— Et comment !

— Alors tiens bon. Ne songe plus à t'en aller. Tu vis un mauvais moment, mais crois-en mon expérience, le jeu en vaut la chandelle. En dépit de ce que tu as subi, la plupart des habitants sont des gens bien.

— J'y pensais tout à l'heure. Et en particulier à l'accueil qui m'a été fait. Des personnes qui ne me connaissaient pas sont venues m'aider à emménager, et m'ont même apporté des repas chauds pendant que je déballais mes cartons. Je n'avais jamais rien connu d'aussi merveilleux. C'est sur ces détails que je dois me focaliser, dit-elle fermement.

Elle souffla sur ses doigts et reprit :

— J'ai les mains gelées.

— Tu n'as pas de gants ?

— Je les ai oubliés. Et puis, ils ne sont pas forcément adaptés aux rigueurs de ce climat.

— Rentrons, alors.

Une fois dans la cuisine, il rinça leurs tasses, puis les plaça dans le lave-vaisselle, qui, immanquablement, lui rappela Martha. Nom de nom ! Qui sait ? C'était sans doute l'avertissement dont il avait tant besoin à cet instant. Il devait faire en sorte que Cassie s'installe sans tarder dans l'une de ces chambres, à l'étage, et qu'elle referme scrupuleusement la porte qui la tiendrait à l'écart de lui.

Plus facile à dire qu'à faire, car lorsqu'il se retourna, elle était en train de retirer sa veste, et le chemisier satiné qu'elle portait accentuait la courbe de ses seins, d'autant qu'elle tendait les bras derrière son dos. Comble de la torture, elle secoua ensuite ses épaules pour aider la veste à glisser le long de ses bras.

Ses seins ronds tressautèrent légèrement en tendant l'étoffe. N'ayant manifestement pas remarqué qu'il l'observait, elle retira une première manche puis pivota sur un côté pour se défaire de son vêtement.

La tentation n'avait jamais semblé plus alléchante. Ses courbes étaient généreuses aux bons endroits. Et ce léger surpoids qu'elle devait détester, comme la majorité des femmes, ne faisait que l'exciter davantage. Elle serait souple sous lui, malléable sous sa main. Elle possédait de vraies hanches, contrairement à de si nombreuses jeunes femmes qui, vues de dos, pourraient être confondues avec des hommes. Ses mains en imaginaient déjà les rondeurs, et son sexe enfla en l'espace d'une inspiration.

Le souffle rendu court par le désir qui s'emparait de lui, il sentait les pulsations provoquées par son érection parcourir ses veines. Qui aurait cru que la vision d'une femme ôtant sa veste puisse être si érotique ? Certainement pas lui.

Et lorsqu'elle se tourna pour l'accrocher au dossier de sa chaise, il ne put que s'extasier sur ces fesses callipyges, aux rondeurs soulignées par son jean. Il était en train de perdre la tête.

De loin, et pratiquement assourdi par le sang qui lui bourdonnait aux oreilles, il s'entendit lui dire :

— J'étais sincère quand je t'ai dit que tu étais resplendissante.

Il n'avait pas employé le mot *jolie*, ou *charmante*, non. Cela manquait d'emphase.

Elle pivota brusquement, et la surprise se lut sur son visage. Puis son expression changea brusquement. Elle acceptait le compliment, et ses yeux reflétaient un mélange de chaleur et de plaisir, où subsistait un soupçon d'incrédulité.

Pourquoi manquait-elle tant de confiance en elle ? Ne se sentant pas enclin à lui poser la question, ou à débattre de ce sujet, il préféra ne retenir que son air flatté. D'ailleurs, il en avait assez de lutter contre le désir qu'elle lui inspirait.

Et il ne se laisserait plus entraver par les bonnes manières. Sans un mot, il la souleva dans ses bras, décidé à l'emmener à l'étage.

Ebahie, elle réprima un cri d'étonnement mais s'exclama :

— Lincoln ! Tu vas te blesser !

— Cassie, la représentation que tu te fais de ton corps est complètement déformée, et exagérée.

Il était sincère. Sa voix se fit rauque, mais il rassembla ce qui lui restait de bon sens pour la prévenir :

— Cassie, je me comporte comme un homme des cavernes. Tu dois m'arrêter immédiatement, avant qu'il ne soit trop tard.

Son cœur s'arrêta presque lorsqu'il entreprit de monter les premières marches de l'escalier — qui, Dieu merci, était bien plus large que ceux que l'on trouvait communément dans ces vieilles bâtisses — car Cassie n'avait pas dit un mot.

Toutefois, le rire cristallin qu'elle émit le rassura.

— Je n'ai rien contre les hommes des bois…, ajouta-t-elle ensuite.

Sa réponse provoqua une tempête sous son crâne, l'emplissant de mille questions mais aussi d'un plaisir indescriptible. Puis elle leva un bras et l'enroula autour de son cou.

Elle était à lui. A ce moment précis, elle lui appartenait, tout entière. La chaleur qui couvait en lui se changea en flammes qui l'embrasèrent entièrement.

Arrivé sur le palier, il se tourna en direction de sa chambre, celle dans laquelle il dormait depuis qu'il était enfant. Il avait toujours rechigné à s'installer dans celle qui était autrefois celle de ses parents. Elle n'était pas plus spacieuse que les autres, et à présent elle lui rappelait beaucoup trop Martha, qui l'avait d'emblée choisie. D'après elle, la vue était plus spectaculaire, puisque sa situation en angle la dotait de fenêtres plus nombreuses. Elle avait presque réussi à le convaincre d'y créer une salle de bains. Depuis le départ de son ancienne fiancée, il n'y mettait pratiquement plus les pieds, sauf lorsqu'il venait y faire le ménage.

Il hésita un instant, se demandant si le fait d'y amener Cassie bannirait à tout jamais le souvenir de Martha, puis finit par se dire que cela attendrait une autre fois. S'il y avait une autre fois…

Au lieu de cela il la mena jusqu'à sa chambre, seulement meublée d'un lit sans pieds, d'un petit bureau, d'une table de chevet et d'une commode. Tous ces meubles, à l'exception du lit, s'étaient transmis de génération en génération.

*
**

Il déposa Cassie devant le lit, et se pencha vers elle pour l'embrasser. Elle répondit sans hésitation à son baiser en entrouvrant ses lèvres.

Quant à ces courbes ! Rien n'aurait pu l'arrêter, désormais ; il laissa vagabonder ses mains sur ses épaules puis son dos, à la découverte de ses pleins et ses creux, avant de s'attarder sur ses fesses, dont la rotondité souple le charmait.

Elle laissa échapper un discret gémissement, puis lui agrippa les épaules, ses doigts s'y enfonçant comme si elle craignait de tomber. Un sentiment de triomphe un peu primaire l'envahit. Elle lui était totalement acquise. Elle avait envie de lui tout autant que lui la désirait, et il n'avait jamais désiré une femme aussi fortement.

Il s'écarta un instant, pour leur permettre de reprendre leur souffle, puis fondit de nouveau sur sa bouche. Leurs langues dansaient un ballet au rythme effréné, tandis qu'il refermait sa main sur un sein, plantureux et ferme comme il se l'était représenté, mais protégé par bien trop de couches de tissu à son gré.

Il parvint néanmoins à sentir un téton durci et losqu'il le titilla, elle s'arc-bouta contre lui, lui envoyant un message sans équivoque : elle était prête.

Lui aussi, mais il voulait prolonger un peu l'attente, afin de mémoriser chaque parcelle de son corps, d'en découvrir tous les secrets, de tenir une promesse qu'elle lui avait faite à son insu. Il la fit pivoter légèrement et libéra son chemisier de la ceinture de son jean. Lorsque ses doigts s'aventurèrent en dessous, ils y rencontrèrent une peau plus douce que le satin de sa blouse. Elle tressaillit à son contact, et s'agrippa plus fermement à son dos.

Parfaite, songea-t-il, elle était parfaite. Tout était vraiment exquis en elle, du parfum de son shampooing à la saveur chocolatée de sa bouche, en passant par cet effluve si féminin, et celui plus musqué qui le dominait peu à peu, lui signalant qu'elle attendait davantage de lui.

Il l'enlaça plus fermement et la pressa contre son érection durant un long moment qui le mit à la torture. Enfin sa main se glissa sous la dentelle de son soutien-gorge à la recherche des trésors qu'il recelait.

— Lincoln, haleta-t-elle.

Le son de sa voix résonnait à ses oreilles au rythme des pulsations de son cœur.

Soudain, le téléphone sonna.

7

— Nom de nom ! grommela Lincoln.

Cassie cligna des yeux, frustrée par cette interruption.

— Lincoln ? appela-t-elle, d'une voix qui s'apparentait à un murmure rauque.

Le retour à la réalité s'avérait difficile.

— Je suis désolé. Ce doit être urgent, il est minuit passé.

Elle hocha la tête, touchée de le voir prendre le temps de la stabiliser lorsqu'elle s'assit sur le lit. Il attrapa ensuite de sa main libre le combiné posé sur la table de chevet.

— Lincoln Blair, annonça-t-il d'une voix trahissant sa contrariété.

Elle l'observait discrètement, en proie à des soubresauts de désir. Elle espérait qu'il ne s'agissait pas d'une urgence, car s'il la serrait contre lui, une étincelle suffirait à l'embraser de nouveau. Mais elle le vit changer de position, et ses épaules s'affaissèrent légèrement.

— Mais il va bien ? demanda-t-il, avant d'ajouter, quelques secondes plus tard : Merci d'avoir appelé.

Il raccrocha, et lorsqu'il se tourna vers Cassie, l'expression de son visage était ambiguë, comme s'il ne savait pas lui-même ce qu'il ressentait.

— Il aurait pu attendre demain, dit-il. Après tout il n'y a pas grand-chose que l'on puisse faire.

— Que s'est-il passé, Lincoln ?

— C'était Lee. James Carney a été hospitalisé. Il a fait une tentative de suicide.

— Oh ! mon Dieu ! mon Dieu !, s'écria-t-elle.

En prenant conscience de ce que venait de lui annoncer Lincoln, elle fut saisie de nausée. Le matelas remua lorsque Lincoln s'assit près d'elle et l'entoura de ses bras. Encore sous le choc, et parcourue de frissons glacés puis de bouffées de chaleur, elle se laissa aller contre lui.

— Ne t'inquiète pas, il va bien, répéta-t-il en boucle.

— Non, il est vivant, ce n'est pas la même chose, le corrigea-t-elle d'une voix brisée, alors que des larmes emplissaient ses yeux.

— Je le sais, Cassie.

Son murmure était rassurant, mais trahissait aussi sa peine.

— Nous avons au moins la chance de pouvoir l'aider, ajouta-t-il.

— Tant qu'il y a de la vie, il y a de l'espoir, c'est ça ? répliqua-t-elle, avant de fondre en sanglots. Oh ! bon sang, Lincoln, j'ai si mal en songeant à ce qu'il a dû endurer. Pour en arriver à cette extrémité…

Il la serra plus fortement, la berçant doucement, tout en la laissant s'épancher. L'acte de désespoir de James avait été la goutte qui avait fait déborder le vase, après toutes les épreuves de la semaine passée. L'inquiétude qu'elle ressentait envers James, et le malaise que lui inspiraient ces attaques à son encontre, s'exprimaient enfin librement. Mais elle pleurait surtout pour James. Car en dépit de ce qu'elle avait vécu, jamais elle n'avait songé que la mort était la seule échappatoire. Et elle ne supportait pas l'idée qu'un adolescent puisse sérieusement y songer. Elle remarqua à ce moment qu'elle venait d'inonder la chemise de Lincoln de ses larmes.

— Je suis désolée, bredouilla-t-elle, tentant de s'écarter de lui, tout en essuyant ses joues humides.

— Ne t'excuse pas, voyons, dit-il un peu abruptement.

Elle crut reconnaître de l'irritation dans sa voix.

— Es-tu en colère à cause de moi ?

— Quoi ? Absolument pas. Mais j'en veux terriblement à certaines personnes. Et je reste poli.

Il était trop tôt pour qu'elle ressente la même chose. Pour l'instant, la peine et la peur prévalaient, pas la colère. Elle ressentait aussi une certaine lassitude, parce que ce n'était pas la première fois qu'elle était frappée par la misère d'autrui. Un enseignant apprenait vite que nombre d'élèves vivaient dans des conditions terribles, la peur, la pauvreté, la faim constituant leur quotidien.

Mais elle n'avait jamais été confrontée à une tentative de suicide. La culpabilité la paralysa, prenant le pas sur le chagrin. Son intervention avait-elle, d'une manière ou d'une autre, influencé sa décision ? Parce que, au lieu de simplement reprendre sa routine après avoir admonesté les agresseurs, elle avait exigé que des sanctions soient prises contre eux ?

Ce dont elle avait été témoin était bouleversant, mais avait-elle aggravé la situation ? La réaction de certains la poussait à croire que les intimidateurs avaient resserré leur étau autour de James afin qu'il ne confie jamais à quiconque ce qui s'était réellement passé ce jour-là.

Son estomac se contracta, et elle se sentait si mal qu'elle dut se lever et faire les cent pas à travers la pièce.

— Tu te rends compte à quel point tout cela est tordu ?

— De quoi parles-tu, des attaques dont James et toi avez été victimes ?

— Non, du fait que mon intervention a certainement précipité les événements. Que faire lorsque rien ne fonctionne ? Il a dû se sentir pris au piège. En essayant de protéger un élève, j'ai précipité sa chute !

— Tu n'en sais rien, avança-t-il calmement. Cassie, il n'y a aucun moyen de savoir si ça a été vraiment le cas. Qu'étais-tu censée faire ? Passer ton chemin ? Il est évident que ces actes ne sont pas une nouveauté, même si tout le monde semblait les ignorer. Et si nous ne réagissons pas fermement, ça ne cessera jamais. Mais tu ne peux pas t'en vouloir d'avoir agi en bonne conscience.

— Ah bon ? Et pourquoi pas ? Si par ma faute, ce jeune

a été davantage stigmatisé, comment pourrais-je ne pas m'en vouloir ? Quelle idiote j'ai été ! Pas un seul instant je n'ai imaginé que je pouvais lui causer du tort. Quelle imbécile !

— Non.

— Non ? Bien sûr que si. En voyant ce qui se passait, je suis intervenue sans réfléchir aux conséquences. Je n'ai pas pris le temps de désamorcer cette situation explosive, puisque je me suis contentée d'envoyer les agresseurs chez le principal.

— Et s'ils avaient obtempéré, Lee et toi auriez eu la possibilité de découvrir ce qui se tramait. Tu voulais servir de médiateur… Mais cela ne s'est pas déroulé ainsi. Cassie, n'oublie pas que James lui-même t'a suggéré de ne pas t'en mêler.

— Et il avait raison. Regarde où ça l'a mené.

Lincoln se leva.

— Je suis désolé, Cassie, mais je ne comprends pas ton raisonnement. Si tout le monde ferme les yeux, le problème ne sera jamais résolu. Et rien ne te dit que tu as envenimé les choses. Les paroles de sa grand-mère me poussent à croire que son calvaire ne date pas d'hier.

— Alors pour quelle raison est-il passé à l'acte aujourd'hui ?

Lincoln se leva prestement.

— Je me charge de le découvrir, annonça-t-il sur un ton calme mais ferme.

— A condition qu'on accepte de te parler, rétorqua-t-elle un peu amèrement.

La culpabilité lui nouait la gorge, et lui oppressait la poitrine à un point où respirer devenait vraiment difficile.

— Bon sang, je ne peux pas rester sans rien faire ! dit-elle.

Sa frustration était vaine, elle en avait bien conscience. Que comptait-elle donc faire au beau milieu de la nuit ? De plus, elle craignait de commettre un nouveau faux pas qui serait préjudiciable à James.

— Je vais préparer un café, déclara Lincoln, puis nous

irons à l'hôpital. Si ses parents s'y trouvent encore, nous leur expliquerons qu'ils peuvent compter sur nous.

Tout à coup, sa culpabilité s'accentua.

— Tu as un match demain, enfin, aujourd'hui. Cet après-midi. Tu dois te reposer.

— Ne t'en fais pas. Ce ne sera pas ma première nuit blanche une veille de match. Allons-y.

Ils ne tardèrent pas à prendre la route, de nouveau happés par l'obscurité de cette nuit sans fin, et seulement armés de leur tasse isotherme emplie de café brûlant. Les yeux de Cassie la picotaient, et elle se savait au bord des larmes, même si la colère commençait à enfler en elle. Une fureur plus intense qu'elle n'avait jamais ressentie.

Même s'il était un peu tard pour James Carney. Elle ressassait la scène des toilettes depuis de longues minutes, cherchant à comprendre comment elle aurait pu intervenir plus judicieusement, persuadée qu'elle aurait pu gérer cette situation de manière plus professionnelle.

Mille pensées se bousculaient dans sa tête, et elle était presque tentée de se frapper le front contre la vitre pour les obliger à se discipliner. Rien à faire, elle restait empêtrée dans cet imbroglio de culpabilité, de chagrin et de colère.

Durant tout le trajet vers l'hôpital, Lincoln resta silencieux. Elle se demandait si sa réaction le mettait mal à l'aise, ou s'il était énervé parce qu'il devait jouer les chauffeurs en pleine nuit. Même s'il avait été celui qui avait suggéré de se rendre au chevet de James, il s'était peut-être senti obligé de le faire en voyant comment elle prenait les choses.

A moins qu'il n'ait été frustré ; si elle ne s'était pas montrée si bouleversée, elle lui aurait certainement fait l'amour. C'est d'ailleurs ce qu'auraient ressenti les autres hommes qu'elle avait fréquentés.

Impossible de lui poser la question. Elle se sentait trop couarde pour affronter sa réponse. Et s'il pensait qu'elle était

bizarre, hystérique, ou tout simplement une vraie enquiqui-
neuse ? Il ne serait pas le premier.

Ils arrivèrent à l'hôpital en moins de temps qu'il n'en
fallait pour le dire. Elle n'avait pas eu l'impression qu'il avait
roulé plus vite qu'à l'accoutumée, mais le trajet commençait
à lui paraître moins long, maintenant qu'elle l'avait effectué
plusieurs fois.

Lincoln fit le tour du véhicule pour venir l'aider à en
descendre, et elle apprécia une nouvelle fois ce geste de
galanterie qu'elle avait cru totalement disparu.

— Tout va bien se passer, lui promit-il. Et si les gens se
rendent compte que nous ne restons pas les bras ballants, ils
réagiront peut-être à leur tour.

Il avait sûrement raison. En fait, elle en était persuadée.
Mais ils devaient aussi ménager la sensibilité de la famille
de James.

Tout son corps se raidit lorsqu'elle entra dans la salle
d'attente où se trouvaient les proches du jeune homme.
Comme ils ne paraissaient pas près de rentrer chez eux, elle
en conclut que James n'était pas tiré d'affaire. Et si la grand-
mère de James lui avait affirmé qu'ils avaient apprécié son
geste, elle ne se sentait pas en mesure de se défendre s'ils
décidaient de l'accabler.

Les parents de James, Maureen et Jack, étaient seuls dans
la salle d'attente. Ils se tenaient la main ; Jack paraissait
furieux, son épouse plutôt terrifiée.

Lincoln, qui, décidément, connaissait tout le monde,
s'occupa des présentations. Ensuite, Cassie rassembla son
courage pour leur demander comment allait James, craignant
de se faire rabrouer d'un cinglant : « Est-ce que ça vous
intéresse vraiment ? »

Le père, un homme élancé, qui, contrairement à la plupart
des gens du comté, ne donnait pas l'impression de passer ses
journées en extérieur, répondit :

— Il est inconscient. Il est en vie, mais s'il ne se réveille pas rapidement, il sera transféré vers un établissement équipé de matériel pour diagnostiquer d'éventuelles séquelles neurologiques.

Les jambes de Cassie flageolèrent. D'après ce que Lincoln lui avait rapporté de sa conversation avec Lee, elle avait cru que James était en pleine possession de ses moyens. Physiques, bien sûr, car les répercussions émotionnelles ne faisaient aucun doute, mais elle était loin d'imaginer que son cerveau ait pu subir des dommages.

Elle s'effondra presque sur l'une des chaises en plastique.

— Oh non…, balbutia-t-elle.

— Oui, ce n'est guère réjouissant, commença Jack Carney, mais nous gardons espoir.

— Je suis absolument désolée, enchérit Cassie.

Lincoln prit place à côté d'elle.

— Lee nous avait laissé entendre qu'il allait bien.

— Ah bon ? rétorqua Jack avec amertume. Il n'ira jamais bien. Toute sa vie, il a été le souffre-douleur de ses camarades, allez savoir pourquoi. D'ailleurs, est-ce que vous en comprenez la raison ?

Cassie secoua la tête.

— Pourtant, c'est un garçon brillant, et très agréable, répondit-elle.

— J'ignore comment les agresseurs choisissent leurs victimes, enchaîna Lincoln. J'ai remarqué que James était plus réservé que ses camarades, mais jusqu'à récemment, je n'aurais jamais pensé qu'il était replié sur lui-même. Pour moi, il était simplement plus discret que la moyenne.

— Il était discret, c'est une façon de voir les choses. Cela fait des années qu'il cherche à se rendre invisible.

Cassie se tortillait les mains, déchirée entre le chagrin et la colère, déplorant que la cruauté de ses camarades ait poussé James à de telles extrémités.

— J'aurais dû l'inscrire à des cours par correspondance,

déclara Maureen, la voix brisée. Je lui aurais fait cours à la maison, et je lui aurais épargné cette souffrance.

— Tu travailles à plein temps, voyons, lui dit Jack.

Il baissa la tête, et sa voix se fit plus grave.

— J'ignorais que les choses allaient aussi mal, car il n'en parlait pas. Parfois, nous ne nous en rendions compte que parce que ses professeurs nous alertaient.

Maureen se tourna vers lui.

— Tu te rappelles l'année où il est entré à l'école élémentaire ? Nous ignorions ce qui se passait. Je ne comprendrai jamais pourquoi son enseignante ne nous a rien dit avant la fin de l'année scolaire. Si j'avais su ce qu'il endurait, je l'aurais retiré de l'école. Pour quelle raison ne nous confiait-il rien ?

Sa voix monta dans les aigus, et elle enfouit son visage dans ses mains.

Déjà taraudée par sa propre culpabilité, la douleur de Maureen fit à Cassie l'effet d'un coup de poignard en plein cœur. Elle alla s'asseoir près de la mère de James, et lui posa délicatement une main sur l'épaule, tout en espérant trouver les mots justes.

— Lorsqu'ils sont petits, les enfants ne disent rien parce qu'ils imaginent que les adultes sont au courant de tout. Ils croient que leurs parents sont doués d'omniscience, certainement parce que ceux-ci ont percé certains de leurs secrets. Je ne suis pas psychologue, mais je ne pense pas être totalement dans l'erreur. Et une fois qu'ils grandissent… madame Carney, cela devient encore plus difficile, car les gens ont tendance à se sentir coupables lorsqu'ils sont victimes d'agressions. Bien souvent, nous avons honte, parce que nous pensons avoir simplement récolté ce que nous avons semé.

Maureen hocha la tête, mais Cassie n'aurait su dire si elle avait vraiment entendu ses paroles. Probablement pas, car elle semblait emmurée dans la souffrance, l'inquiétude et la peur.

Et si elle, une enseignante qui ne côtoyait James que quarante-cinq minutes par jour, se sentait responsable, elle préférait ne pas imaginer ce que Jack et Maureen ressentaient. L'horreur de cette situation excédait, de loin, tout ce qu'elle avait connu.

— Vous savez, osa-t-elle finalement, en espérant soulager Maureen, moi aussi j'ai vécu cela. Et je n'en parlais à personne.

Maureen se tourna vers elle.

— C'est vrai ?

— Oui, même si j'ai encore du mal à l'admettre. Parce que certains actes... comment dire, ne sont pas forcément vus comme des agressions. Ils ont un impact négatif, c'est évident, mais vous n'avez jamais la certitude que la personne qui vous inflige cela cherche à vous faire du mal. Vous pensez tout bêtement avoir mal interprété son intention. Ensuite, il y a le sentiment d'exclusion. Rares sont ceux qui comprennent qu'en confiant la constitution d'équipes à des élèves, que ce soit pour un match sportif ou un jeu intellectuel, on provoque de véritables drames. Croyez-moi, j'étais toujours la dernière choisie en cours d'éducation physique.

Maureen s'écarta alors de son mari, et enfouit de nouveau sa tête entre ses mains.

— Je Vous en prie, psalmodia-t-elle, épargnez mon bébé.

La nuit s'annonçait longue. Lincoln quitta la pièce quelques minutes, le temps d'aller chercher un café à peu près correct pour les Carney. Le silence avait peu à peu envahi la pièce, chacun attendant avec impatience des nouvelles de James. Mais alors que la nuit laissait place à l'aube, l'état de tension des parents devenait palpable. Leur appréhension emplissait la pièce comme le souffle d'une créature maléfique.

Finalement, peu avant le lever du soleil, un médecin souriant fit son apparition.

— James a repris connaissance, et il semble en bonne forme. Il vous a réclamés.

Maureen éclata en sanglots et serra son mari dans ses bras. Puis ils se hâtèrent de rejoindre leur fils.

Cassie fut profondément touchée qu'ils prennent tout

de même le temps de les remercier, Lincoln et elle, d'avoir veillé avec eux.

Le soulagement rendait le pas de Cassie plus léger alors qu'ils se dirigeaient vers le pick-up de Lincoln.

— Nous avons besoin de dormir. Nous retournerons au ranch plus tard, si tu le veux bien, mais si ta proposition tient toujours, un coin de canapé ne serait pas de refus, dit-il en mettant le moteur en marche.

La faible lumière du matin soulignait les courbes de la voiture vandalisée de Cassie, mais Beau avait effectivement effacé le mot qui barrait le pare-brise arrière, et elle n'en était pas mécontente.

Une fois à l'intérieur, alors que Lincoln se dirigeait vers le salon, elle lui prit la main et le guida jusqu'à sa chambre.

— Tu dormiras mieux dans un lit, lui expliqua-t-elle.

Ils se laissèrent tomber sur le matelas, ayant à peine pris le temps de retirer leur veste et leurs chaussures.

Durant un long moment, le regard de Cassie s'égara sur le plafond, et elle se demanda si elle se trouvait à l'aube d'un grand changement, mais elle se savait trop épuisée pour tenir un raisonnement logique. Lincoln roula sur le côté, et l'attira contre lui. Elle poussa un soupir et parvint enfin à se détendre.

— Dors, lui dit-il. Il n'y a rien qui ne puisse attendre une heure ou deux.

Le bruit du vent, qui se lamentait dans les arbres nus, lui fit ouvrir les yeux. Elle sentait le corps de Lincoln lové contre son dos, un bras ceignant sa taille, puis remarqua les rideaux encore tirés. Qu'elle se sentait bien entre ses bras ! Mais avant qu'elle ait le temps d'apprécier cet instant de félicité, ou de se réveiller suffisamment pour déchiffrer la complainte du vent, Lincoln soupira près de son oreille. A ce moment, le téléphone se mit à sonner. Lincoln se réveilla, tapota les poches de son jean, et en sortit l'appareil.

— Lincoln Blair, marmonna-t-il en décrochant. C'est une blague ? Bon, très bien. Merci, Lee.

Aussitôt, Cassie se releva d'un bond.

— Est-ce que James va bien ?

— Il ne m'a pas appelé à cause de James, dit-il en rangeant l'appareil. On dirait que ton vœu va se réaliser.

Il s'approcha de la fenêtre et tira les rideaux, laissant apparaître un paysage nimbé de blanc. Cassie bondit hors du lit et alla le rejoindre.

— Génial ! Il neige !

— Oui, et comme le blizzard s'est levé, mon match a été annulé. Les autorités conseillent à tout le monde de rester chez soi.

Cassie dut se retenir pour ne pas battre des mains, telle-ment elle était excitée.

— J'adore ce temps !

Lincoln lui sourit.

— J'en suis persuadé. Mais c'est un peu tôt pour ce genre de facétie. Cependant, j'ai une question à te poser : est-ce que tu préfères passer cette première journée enneigée en ville, ou plutôt au ranch ?

— Les routes sont-elles assez sûres ?

— Pour le moment, oui. Plus tard, nous risquons d'être pris dans une purée de pois.

Elle réfléchit un instant.

— J'aime beaucoup passer du temps au ranch. Et ça doit être magnifique lorsqu'il neige.

— Dans ce cas, accompagne-moi. Je dois aller m'occuper des bêtes.

Evidemment. Elle se sentit presque gênée de ne pas y avoir songé ; avec une telle tempête en vue, il devait mettre ses animaux à l'abri.

— Je t'aiderai, lui proposa-t-elle. Est-ce que j'ai le temps de me changer ?

— Oui, et en t'attendant, je préparerai du café. Et puis nous nous mettrons en route. Pour quelqu'un qui n'a pas l'habitude, conduire dans de telles conditions a de quoi faire dresser les cheveux sur la tête, mais dans l'immédiat, les routes seront encore praticables. On prévoit vingt-cinq centimètres de neige d'ici ce soir, donc, si tu viens chez moi, tu y seras cantonnée jusqu'à ce que le chasse-neige soit passé. Emporte quelques tenues de rechange.

La perspective de ce huis clos était loin de la déranger.

— D'accord, je me dépêche.

Il venait de commettre une énorme bévue, il en avait conscience. Alors qu'il avait trouvé l'excuse idéale pour prendre congé d'elle et retourner au ranch... il lui suffisait de suggérer qu'elle serait plus en sécurité chez elle, ou plus à l'aise en ville. De toute façon, elle aurait été à l'abri durant la tempête : même celui qui avait abîmé sa voiture n'était pas assez fou pour venir s'en prendre à elle en plein blizzard.

Au lieu de cela, il lui avait proposé de venir au ranch, où ils seraient certainement bloqués par la neige, et il savait où cela les mènerait. La nuit précédente n'avait pas contribué à dompter son désir, loin de là. Il le sentait sourdre dans son bas-ventre comme une irritation, dans son esprit telle une question sans réponse.

Et le souvenir de son ex-fiancée n'y changeait rien. Cassie n'était pas Martha, et, si elle était loin de se sentir enracinée ici, et qu'elle ait songé à quitter le comté, au fond de lui il caressait l'espoir qu'elle resterait. En quelque sorte, à son insu, il venait d'effectuer un plongeon dans le vide.

Bien sûr, maintenant, il était trop tard. D'une manière ou d'une autre, une relation allait se nouer entre eux, à moins qu'elle ne décide de quitter la ville en catimini une fois que la tempête serait passée. Mais elle ne manquerait pas, dans ce cas, d'emporter une partie de son cœur avec elle, bien malgré lui.

Quelle poisse ! songea-t-il. Il avait refréné l'attirance qu'il ressentait pour elle depuis qu'elle était apparue à l'horizon. Sans jamais y parvenir. Face à un désir si intense, c'était peine perdue. En fait, ce n'était possible qu'en ces moments où il la tenait à distance, mais dès que les circonstances les poussaient l'un vers l'autre, cela devenait irrépressible.

Il n'avait qu'à profiter pleinement de ce week-end, et il aviserait plus tard, se répétait-il. Il avait déjà survécu à une telle épreuve, et, quel que soit le prix à payer, une part de lui refusait de perdre espoir ou de renoncer à cette expérience.

La visibilité était très réduite, mais encore acceptable, et la neige n'avait pas encore recouvert la chaussée. Dans les hautes herbes qui bordaient les champs, où la température était plus basse, elle commençait à s'accrocher, et enveloppait les plants de toupets blancs et cotonneux.

— C'est magnifique ! claironna Cassie. J'avais presque oublié… ça fait tellement longtemps ! On dirait que le monde s'emmitoufle dans un manteau blanc.

— Attends un peu que la tempête se calme, et que le soleil fasse son apparition. Te souviens-tu de toutes ces couleurs dont se pare la neige ?

— Elle se transforme en prisme, c'est vrai. Je me rappelle ce jour, quand je vivais dans le Nord, où je m'en suis rendu compte. J'étais fascinée par ce phénomène : et dire que pendant des années, j'avais tenu pour acquis qu'elle était blanche ! Mais en y prêtant attention, je l'ai vue resplendir de mille et une couleurs.

— Notre perception du monde est souvent déroutante, lança-t-il, soulagé d'avoir trouvé un sujet de conversation neutre. Parfois, je me demande tout ce qu'on manque de voir, simplement parce que tout est déjà étiqueté dans notre tête.

— Beaucoup de choses, c'est certain, confirma-t-elle.

Mais pour l'instant, ils cheminaient dans un cocon blanc et gris, que même les phares ne faisaient pas scintiller.

— Ce temps est-il habituel ?

— Je n'affirmerais pas que nous n'avons jamais connu de blizzard aussi précocement, mais c'est assez rare. Tout comme l'épaisseur de neige attendue. Nous nous trouvons dans l'ombre pluviométrique des montagnes, qui drainent la majeure partie de l'humidité ambiante avant qu'elle ne nous atteigne.

— Assez rare, vraiment ?

Il rit.

— Oui, je t'assure !

Lorsqu'ils arrivèrent aux abords de sa propriété, la tempête avait déjà forci. Le vent chassait la neige avec assez de violence pour qu'elle picote les joues, et la soulevait en rideaux qui s'entrouvraient parfois pour laisser apparaître un ciel de plomb.

A peine garé, Lincoln attrapa le paquetage de Cassie sur la banquette arrière. Elle était déjà dehors, la tête basculée en arrière et la langue tirée pour essayer d'attraper un flocon de neige. Or, ce qui tombait du ciel ressemblait davantage à des petits cristaux de glace.

Son rire l'atteignit en plein cœur. Elle se redressa et lui adressa un sourire enjoué.

— C'est super !

Il ne put s'empêcher de noter combien elle était différente de Martha. Elle était nouvelle ici ? Oui. Envisagerait-elle un jour de s'en aller ? Oui, encore. Mais cette tempête n'aurait pas du tout amusé Martha. Elle aurait passé la journée à se morfondre, en énumérant tout ce qu'elle aurait voulu faire. Ce n'était pas la première fois, au cours des deux dernières années, qu'il s'était demandé comment il avait pu être ainsi aveuglé par Martha. Lorsqu'il se remémorait les moments passés avec elle, c'était immanquablement sa nature capricieuse qui resurgissait, même si, à l'époque, il était bien trop épris d'elle pour s'en rendre compte. Pourtant, il semblait évident qu'elle ne se contenterait pas de fonder une famille avec un enseignant, ni de vivre dans un ranch perdu au milieu de nulle part.

Et il avait parfois eu le sentiment qu'elle ne voyait sa propriété que comme une manne financière. Si elle le persuadait de la vendre, le pactole récolté leur permettrait de s'installer dans un lieu plus en adéquation avec ses attentes. Et c'est ce qui avait précipité la conclusion brutale de leur relation.

Elle n'aurait jamais trouvé amusant de folâtrer dans une nuée de neige virevoltante. Non, elle se serait plainte du froid, du vent, et des cristaux de glace qui se collaient à elle. Elle se serait précipitée à l'intérieur pour échapper aux bourrasques, puis aurait gémi qu'elle mourait d'ennui.

Cette expression aurait dû lui mettre la puce à l'oreille, car elle l'employait très souvent. Alors qu'elle n'appartenait pas à son propre vocabulaire. Ignorant ce qu'était l'oisiveté, il avait du mal à se représenter ce qu'éprouvaient les gens désœuvrés. Il avait toujours à faire, et n'avait pas besoin de divertissement. Cassie non plus, apparemment. Il est vrai qu'il n'avait pas passé beaucoup de temps avec elle, mais sa réaction face aux caprices de la météo traçait une ligne de démarcation nette entre Martha et elle.

Une fois à l'intérieur, elle continua de sourire tout en se frottant les mains pour les réchauffer.

— On devrait aller s'occuper des bêtes, non ?

— Tu n'es pas obligée de m'aider, tu sais.

Martha, pour sa part, avait forgé toutes les excuses possibles pour échapper à cette corvée.

— Mais j'en ai envie. Que devons-nous faire ?

— Les rassembler. Les chiens s'en chargeront, en grande partie, mais j'ai construit des barrières coupe-vent en paille derrière lesquelles elles pourront s'abriter. Je dois m'assurer qu'elles ne vont pas vagabonder trop loin. Et puis, je dois encore donner aux chevaux leur ration de nourriture du matin.

— Ils ne mangent pas que de l'herbe ?

— Ce sont des herbivores, bien sûr, mais ils ont besoin de compléments nutritionnels, afin d'éviter les carences, car en ce moment il n'y a pas beaucoup d'herbe fraîche à manger. Ensuite il faudra nettoyer les box.

— Allons-y, dans ce cas.

— Veux-tu une boisson chaude, d'abord ? Et tu n'as pas mangé…

— Ça va, je t'assure. Le bien-être des animaux est plus important, non ?

Bien évidemment, mais il s'inquiétait pour elle. En revanche, il appréciait qu'elle comprenne ses priorités.

L'erreur qu'il pensait avoir commise en baissant la garde n'était finalement pas irréparable.

Cassie ne tarda pas à remarquer que les chiens leur faci-litaient grandement la tâche en rassemblant les chèvres et les moutons. Il avait suffi de quelques coups de sifflet et de deux ou trois ordres pour qu'ils entreprennent de pousser les animaux vers les haies de foin auxquelles Cassie n'avait jusqu'alors pas prêté attention. Cependant, le blizzard ne semblait pas les perturber. Dès qu'ils furent à l'abri, ils s'installèrent confortablement, et certains commencèrent à mâchonner des tiges de foin qu'ils tiraient des ballots alignés derrière eux, se restaurant tranquillement comme si rien d'exceptionnel ne se passait. Et elle aimait ça.

Le nettoyage des box, lorsque Lincoln lui eut montré comment utiliser la fourche et la pelle, soumit ses muscles à rude épreuve. Elle y passa beaucoup de temps, mais les chevaux semblèrent satisfaits de leur couche de paille fraîche et de leurs mangeoires emplies de fourrage.

Lorsqu'ils se décidèrent à regagner la maison, la visibilité était pratiquement nulle, si bien que Lincoln serrait sa main gantée comme s'il craignait qu'elle se perde ou s'envole.

Ce n'était pas si improbable, d'ailleurs, pensait-elle, cheminant tant bien que mal sur un sol gelé ponctué de monticules de neige là où sa surface était irrégulière. Elle ne distinguait la maison que par intermittence, jusqu'à ce que, finalement, elle semble surgir des nuées, si imposante qu'elle ne pouvait plus en détacher son regard.

Elle s'arrêta un instant sous le porche pour jeter un regard sur ce monde immaculé, et eut de la peine à distinguer les contours de la bergerie.

— Tu ne comptes pas ressortir de sitôt, n'est-ce pas ? demanda-t-elle. Tu risquerais de te perdre.

— Pas avant ce soir. Et si la situation se dégrade vraiment, j'ai fait en sorte que les chevaux puissent tenir jusqu'à demain. Ce ne serait pas l'idéal, mais...

Il haussa les épaules, car la conclusion semblait évidente.

En pénétrant dans la maison, elle eut le sentiment d'intégrer un autre monde. La chaleur, l'absence de vent, la tranquillité relative... Elle entendait certes encore la complainte du blizzard, et les fenêtres vibraient lorsque de fortes bourrasques venaient les frapper, mais elle avait l'impression d'avoir mis les pieds dans un havre de paix, où elle se sentait protégée, parfaitement à son aise.

— Comment te sens-tu ? demanda Lincoln. Toujours aussi bouleversée ?

— Je suis soulagée de savoir que James est tiré d'affaire. J'espère que ses parents vont lui proposer l'aide d'un professionnel.

— Et pour le reste ?

Elle dodelina de la tête.

— Je n'en sais rien, Lincoln.

Elle tendit les bras pour qu'il l'aide à s'extraire de sa veste.

— Il faut que je te trouve de meilleurs gants, dit-il en retirant ceux qu'elle portait pour les mettre dans les poches de sa veste, qu'il accrocha à une patère de l'entrée.

— Ne t'inquiète pas, j'en achèterai lundi.

— Je dois en avoir ici, dans une boîte que je n'ai jamais pris le temps d'apporter à une association caritative.

Un coup de vent particulièrement violent ébranla toute la maison, et elle sentit un courant d'air lui frôler les épaules. Elle jeta un regard à Lincoln, un peu étonnée par ce phénomène.

Lorsque leurs regards se croisèrent, l'atmosphère lui parut instantanément oppressante. Son cœur battait à tout rompre, et une chaleur soudaine se réveilla entre ses cuisses. Plus rien n'existait autour d'elle, à part ce moment, cet homme, et un désir qui la tenaillait si violemment qu'elle ne pouvait s'y soustraire.

Elle ne sut jamais qui avait fait le premier pas. Soudain, ils se retrouvèrent enlacés et leurs bouches se mêlèrent dans un baiser avide et dévorant.

Rien ne l'avait préparée à l'intensité de ce raz-de-marée qui la submergeait. Elle découvrit ce qu'était le désir brut, libéré de tous les carcans de la civilisation, à l'exception de ces vêtements dont elle n'avait de cesse de s'échapper.

La langue de Lincoln fouillait sa bouche, impérieuse, exigeante. Elle voulait être conquise, balayer son éducation d'un revers de la main pour revenir à une étreinte primaire. Cela faisait si longtemps qu'elle en avait envie, et elle craignait qu'une nouvelle épreuve vienne les interrompre.

Et elle voulait savoir.

Apparemment, il ressentait la force de son impatience. Ses mains glissèrent le long de son dos, et il lui agrippa les fesses. Les yeux clos, elle sentit le sol se dérober sous ses pieds et sa bouche s'éveiller à des frissons érotiques dont elle n'avait jamais soupçonné l'existence.

Il l'assit sur le bord du comptoir et se glissa entre ses cuisses écartées, jusqu'à ce que leurs bas-ventres se touchent, dans une pression presque douloureuse. Instinctivement, elle s'arc-bouta contre lui, et il mit fin à leur baiser.

Baissant la tête, il promena sa bouche, chaude et humide, sur sa gorge, lui arrachant un gémissement. Elle lui entoura les épaules de ses bras et se laissa aller davantage contre lui. Alors que sa langue traçait des sillons incendiaires sur son cou et le lobe de ses oreilles, il glissa ses mains sous son pull. Elles étaient un peu calleuses et froides sur sa peau brûlante, mais terriblement tentatrices. Elle voulait qu'elles parcourent son corps et lui procurent les caresses les plus excitantes.

Suspendue au fil ténu de l'anticipation, elle était excitée au point d'en perdre la raison. L'explosion de désir qui la consumait allait au-delà de tout ce qu'elle avait imaginé jusqu'alors.

Elle retint un cri en se dégageant de son pull, qu'elle passa par-dessus sa tête. Elle eut à peine le temps de sentir l'air froid qui vint aussitôt lui parcourir la peau car en un instant Lincoln avait libéré ses seins de son soutien-gorge. Il se mit à caresser ses tétons dressés, les taquinant délicatement, et lui arrachant des petits cris de plaisir.

Leur communion était pratiquement silencieuse, ponctuée seulement de soupirs et de gémissements, car c'étaient leurs corps qui s'exprimaient. Elle tira sur sa chemise, mais il lui saisit doucement le poignet pour l'empêcher d'aller plus loin. Elle murmura une protestation ; elle avait tant envie de sentir sa peau contre la sienne !

Il se pencha alors pour prendre son mamelon dans sa bouche, provoquant un nouvel embrasement entre ses jambes qui s'amplifiait à chaque mouvement de sa langue. Elle se contracta convulsivement, ses cuisses se resserrant autour des hanches de Lincoln, ses mains fermement agrippées à ses épaules.

Sa bouche se déplaça ensuite vers son autre sein, l'aspirant si fortement que son désir en devenait presque douloureux. Puis il posa ses mains sous ses fesses et l'attira vers le bord du comptoir, tout contre son sexe durci, que même la toile épaisse de son jean ne parvenait plus à dissimuler. Le sentir aussi émoustillé l'excita davantage, et elle se frotta plus explicitement contre lui, accentuant une pression si insoutenable que son esprit tout entier était focalisé sur cet endroit de leur corps, comme s'il était devenu le centre de l'univers.

Des images surgissaient devant ses yeux, mêlant ce qu'elle avait envie de lui faire et la manière dont elle avait envie qu'il la touche, exacerbant le brasier qui la consumait déjà.

Il libéra son sein avec un grognement, et avant qu'elle ne puisse protester, tandis que l'air froid venait à son tour lécher sa peau encore humide, il la souleva du comptoir. Instinctivement, elle croisa ses chevilles derrière les hanches de Lincoln, et entoura ses larges épaules de ses bras.

La pièce se mit à tourner. Il lui fallut un instant pour se rendre compte qu'il comptait l'emmener à l'étage. Elle enfouit son visage au creux de son cou, où sa peau était chaude et recouverte d'une barbe naissante, et le lécha comme il l'avait fait un peu plus tôt. Il marmonna un juron tout en accélérant le pas, son désir avivant chacune de ses terminaisons nerveuses.

Ils en oublièrent toute délicatesse. Dès qu'il la déposa au pied du lit, ils se défirent mutuellement de leurs vêtements, impatients, incandescents. Cette impatience maladroite hissait Cassie jusqu'aux cimes du désir, et il suffirait de peu pour qu'elle bascule. Elle s'en approchait de minute en minute ; l'attente devenait insupportable. Les fantasmes qu'elle avait refoulés au cours des derniers mois s'ajoutaient à l'excitation du moment présent. Elle sentait une explosion sourdre en elle, prête à la balayer par sa force.

Ils se laissèrent tomber sur le lit. Après un moment étrange où le temps sembla se suspendre, elle ouvrit les yeux, au moment où Lincoln déroulait un préservatif sur son sexe magnifique, dont l'érection était toute à elle.

Un autre sursaut de désir l'envahit lorsqu'il lui écarta les jambes et s'approcha d'elle. Ses doigts experts caressèrent sa fente veloutée puis s'y glissèrent, la faisant crier de plaisir. N'y tenant plus, elle l'attira à elle. Elle voulait qu'il l'emplisse, la complète, et apaise une douleur qui n'avait d'autre remède.

Il se glissa en elle, et son premier coup de reins lui arracha un cri d'extase. Elle souleva son bassin pour venir à sa rencontre, comme si elle cherchait à l'absorber entièrement. Puis son corps explosa en un millier d'étincelles, et elle ne fut plus que plaisir. Il ne tarda pas à la rejoindre dans l'orgasme, en poussant un grognement profond.

Lincoln reprit doucement ses esprits, en se délectant des courbes féminines si douces qui se trouvaient sous lui. Cette femme était époustouflante !

Mais emporté par son désir, il craignait de s'être montré trop brusque et de lire de la déception, ou de l'humiliation dans le regard de Cassie. Il resta donc pratiquement immobile, s'appuyant sur ses coudes pour lui permettre de respirer. Le visage encore enfoui dans le creux formé entre son cou et son épaule, encore en sueur, il sentait la caresse froide du vent sur sa peau nue.

A l'extérieur, les bourrasques s'enchaînaient comme pour lui rappeler qu'il devrait tôt ou tard affronter la réalité.

Il releva lentement la tête. Elle avait les yeux encore fermés, et son visage était légèrement incliné sur le côté. L'angoisse le saisit alors. Lui avait-il fait mal ?

— Cassie ?

Elle se tourna et ses yeux s'entrouvrirent. Puis elle esquissa un sourire chaleureux et ravi.

— Tu vas bien ? osa-t-il, le cœur battant.

— Je n'ai jamais été mieux, murmura-t-elle.

— Moi non plus, avoua-t-il. Je vais à la salle de bains, je reviens tout de suite, ajouta-t-il.

Maintenant le préservatif en place alors qu'il retirait son sexe mollissant, il se félicita mentalement de ne pas avoir tardé. Bon sang ! Jamais il ne s'était ainsi abandonné.

Il remonta une couverture sur Cassie afin qu'elle ne prenne pas froid, puis se pressa vers la salle de bains. Il avait hâte de la rejoindre, et de se pelotonner sous la courtepointe avec elle, pour apprendre à mieux la découvrir, ce dont il n'avait guère eu l'occasion jusqu'alors.

Lorsqu'il se jeta un regard dans le miroir, il constata avec plaisir qu'il n'avait jamais eu l'air aussi satisfait.

Toutes les précautions qu'il avait prises pour ne pas succomber à cette nouvelle venue avaient fait long feu, prestement consumées dans le brasier du désir, et il risquait d'en souffrir. Pourtant il comprendrait parfaitement qu'elle décide de quitter ce comté où les gens vandalisaient sa voiture et égorgeaient des animaux sur son bureau. Avancer l'argument que seule une poignée de personnes était contre elle n'y changerait rien, il le savait.

Mais ces pensées se dissipèrent tandis qu'il retournait auprès d'elle. Sa seule envie était de la rejoindre sous la couette. Elle était allongée sur le côté, lui tournant le dos, scrutant fixement la fenêtre qui vibrait rageusement sous les assauts du vent.

— Cette tempête est vraiment impressionnante, dit-elle, avertie de sa présence par le grincement d'une lame de plancher.

Pourquoi avait-il eu l'impression qu'elle s'était repliée sur elle-même ? Elle regardait simplement par la fenêtre. Il se dirigea vers les rideaux, qu'il ouvrit en grand. Tout était blanc.

— Je vais bientôt devoir aller jeter un œil aux bêtes, lui annonça-t-il.

Et s'il tenait vraiment à ses animaux, pour la première fois il regretta d'avoir à leur consacrer une partie de sa journée.

— Je le sais.

Quelque chose dans son ton le fit se retourner.

— Cassie ? Qu'est-ce qui ne va pas ?

Les commissures de ses lèvres se relevèrent lentement.

— Qu'est-ce qui pourrait ne pas aller ?

Beaucoup de choses, songea-t-il. Cependant, mieux valait éviter ce genre de réponse.

Il s'approcha du lit, et souleva la couverture, révélant le corps de Cassie au grand jour. Elle se recouvrit alors précipitamment, comme pour se protéger, et en affichant un air embarrassé.

— Ne te cache pas de moi, Cassie, je t'en prie. Tu es belle, sexy, époustouflante.

Elle semblait dubitative et affichait une expression tendue.

Sans un mot de plus, il se glissa sous les draps, tout contre elle, lui écarta doucement les bras, et la maintint dos contre le matelas. Elle parut surprise, mais ne lutta pas.

— Je sais que je me suis comporté comme un homme de Cro-Magnon, s'excusa-t-il, tout en balayant sa peau nue du regard. Et que je ne t'ai même pas dit combien tu étais belle. Bon sang, je n'ai même pas pris le temps de découvrir ton corps. Crois-moi, Cassie, cela fait des mois que je bave d'admiration devant toi.

Elle ne semblait guère convaincue.

— Tu cachais vraiment bien ton jeu, dans ce cas.

— Et c'est la raison pour laquelle je t'évitais du mieux que je pouvais.

— C'est insensé, Lincoln.

— Je t'assure que non.

Il se pencha pour déposer un baiser sur ses seins, en se disant qu'il allait devoir faire amende honorable en lui confessant combien il était stupide. Elle se tortilla lascivement au contact de sa bouche, et il en conclut que les doutes qu'elle nourrissait à son sujet n'avaient pas totalement étouffé son désir. Tant mieux.

Mais l'heure des explications avait sonné, même s'il rechignait à exhumer cette période de son passé. Cependant, rien ne l'empêchait de la divertir un peu tout en lui exposant les raisons de sa réticence passée. Il lui suçota un téton, plus délicatement cette fois, et le sentit durcir sur sa langue. Y avait-il plus grande félicité en ce bas monde ?

Il releva la tête.

— J'ai été fiancé, Cassie. D'ailleurs, je suis étonné que personne n'ait jugé utile de te narrer toute l'histoire. Enfin…

elle s'appelait Martha, et après un an de vie commune, alors que notre mariage devait avoir lieu deux mois plus tard, elle m'a posé un ultimatum.

— Lequel ?

— Je devais vendre le ranch et partir avec elle. Elle ne supportait pas cet endroit ; elle s'ennuyait à mourir, détestait les animaux, et elle pensait… après tout, peu importe. Quoi qu'il en soit, je devais être un parfait imbécile pour n'avoir rien vu venir.

Il se déplaça un peu pour déposer un autre baiser sur son pubis, et elle ne tarda pas à être parcourue d'un frisson.

— Comment aurais-tu pu t'en douter ?

— Parce que dès le début de notre relation, l'idée lui trottait dans la tête. Elle voulait que je modifie totalement le corps de ferme, que je crée une salle de bains attenante à la chambre principale, que j'achète de nouveaux meubles. Elle se montrait très exigeante. Par exemple, c'est à cause d'elle que j'ai fait installer un lave-vaisselle. Bref, dès les premiers temps, elle insistait pour tout rénover. Et si je n'avais pas été si aveugle, j'aurais remarqué sa constante insatisfaction.

— Elle l'avait certainement dissimulée.

— Dans un certain sens, oui. Mais avec un peu de recul, cela paraissait évident. C'est peut-être la manière dont elle m'a quitté qui m'a permis d'ouvrir les yeux, et de voir plus clairement dans son jeu.

Elle libéra l'une de ses mains de l'emprise de Lincoln pour lui caresser les cheveux.

— Tout cela pour en venir au fait. Elle n'était pas de la région, et comme toi, elle était venue s'installer ici pour des raisons professionnelles. Ce n'était pas l'endroit idéal pour elle.

— Tu tenais donc à éviter de fréquenter une autre étrangère, c'est ça ?

— Exactement. Tu m'as plu dès l'instant où je t'ai vue, mais je ne cessais de me répéter que tu partirais certainement dès la fin de l'année scolaire, et qu'il serait plus judicieux de me tenir à distance.

La seconde d'après, il fit glisser sa langue au creux de son aine, la faisant de nouveau tressaillir.

— Lincoln, tu es un être maléfique.

Il éclata de rire.

— Mais tu aimes ça.

— Je l'avoue.

Il fut soulagé d'être parvenu à détourner la conversation loin de Martha. Il ne tenait pas à parler du passé ou de cette peur qu'il ne pouvait faire taire : que Cassie ne tolérerait pas de vivre ici. Il n'en avait plus la force.

A présent il ne souhaitait plus que se perdre en elle, oublier les mésaventures de la semaine et l'angoisse qu'il ressentait pour elle et le petit James, afin de profiter pleinement de ce moment en compagnie de la femme sublime qui partageait sa couche.

Il se redressa un peu et prit place entre ses cuisses, le visage à hauteur de sa toison.

— Si tu y vois une objection, la prévint-il d'une voix rauque, arrête-moi avant que je ne te choque.

— Non, voyons, tu ne me choques pas, mais je n'ai jamais…

Jamais ? Sans savoir pourquoi, cette pensée l'émoustilla davantage. Il ne pouvait concevoir qu'un homme doué de raison n'ait pu plonger dans ces boucles d'un blond doré aux effluves musqués, et il était émoustillé en pensant qu'il allait lui faire découvrir un plaisir qui lui était inconnu jusqu'alors. Il lui écarta un peu plus les cuisses et se planta sur son coude puis caressa délicatement ses replis veloutés. La voyant immédiatement assaillie d'une vague de frissons, il sentit son propre corps s'éveiller à un désir rendu plus intense encore.

Il parcourut de ses doigts sa peau si douce, la faisant patienter en prenant soin d'éviter l'épicentre de son plaisir, tout en se délectant de son excitation grandissante. Ce n'est que lorsque ses hanches se soulevèrent, exigeant qu'il mette un terme à son supplice, qu'il baissa enfin la tête et que sa langue vint prendre la place de ses doigts. Sa saveur était aussi exquise que son arôme le laissait deviner, et il explora son intimité avec délectation. Elle gémissait doucement, l'encourageant à exercer plus de pression à certains endroits. Il glissa sa langue en elle avant de la remonter jusqu'à son bourgeon turgescent.

Elle poussa un cri, mais, impitoyable, il la taquina de plus belle de la pointe de sa langue jusqu'à ce que ses hanches exécutent un va-et-vient entêtant. Ses cris de plaisir exacerbaient sa propre excitation, au point qu'il se crut prêt à exploser.

Il la sentit atteindre les sommets de l'extase, et elle laissa échapper un cri qui semblait venir du plus profond d'elle. Mais il ne lui accorda aucune grâce, la harcelant jusqu'à ce qu'elle soit hors d'haleine, et prête à en demander davantage.

Il tâtonna fébrilement dans le tiroir de sa table de chevet, dont il extirpa une petite pochette plastifiée. Peu après, il plongea en elle jusqu'à la garde. Elle avait enserré ses chevilles autour de ses cuisses puissantes, et ses mains s'agrippèrent presque désespérément à ses fesses, l'attirant plus en elle, l'enferrant davantage.

Ensemble, ils chevauchèrent les vagues grandissantes du plaisir jusqu'à ce qu'il les rejette, étourdis mais rassasiés, sur un rivage étincelant.

8

Ils restèrent mêlés l'un à l'autre sous la courtepointe, la main de Cassie nonchalamment posée sur l'épaule de Lincoln, tandis qu'il lui enveloppait la taille de ses bras. Les minutes s'égrenaient, silencieuses, s'ils faisaient abstraction du vent, et ce fut Lincoln qui bougea le premier.

— Je n'avais jamais autant aimé le blizzard.

Le rire de Cassie était délicieux, à la fois profond, sincère, et insouciant.

— Tu m'en vois ravie.

— Malheureusement…

— Je sais. Ces pauvres biquettes réclament ta présence.

— Si tu veux, tu peux aller prendre une douche pendant que je m'en occupe. Je ne serai pas absent très longtemps. Est-ce que tu veux que je t'apporte quelque chose à manger ?

Il venait de se rendre compte qu'ils n'avaient rien avalé depuis leur arrivée. Il faisait vraiment un piètre maître de maison.

— Je vais me lever. J'ai envie de t'aider. Et puis, ce n'est pas tous les jours que j'affronterai un blizzard. C'est un peu nouveau, même si j'en garde quelques souvenirs de mon enfance.

Il prit plaisir à la regarder s'habiller. Chacun de ses mouvements était gracieux, et il se délectait des trésors qu'elle dissimulait sous chaque vêtement qu'elle enfilait. Il n'aurait absolument rien changé en elle.

Puis, comme un gamin surpris à épier sa jolie voisine, il feignit l'innocence en se rhabillant à son tour.

— Je t'apporte des gants plus chauds.

Ce qui lui fournit une excuse pour traverser le couloir à grandes foulées et se rendre dans la chambre où il avait rassemblé les effets de ses parents. Il avait prévu d'en faire don à une association, mais n'avait finalement jamais trouvé le courage de s'en défaire.

A vrai dire, il avait besoin de reprendre ses esprits. Il n'avait pas souvenir d'avoir jamais éprouvé un désir aussi impérieux pour aucune femme, pas même Martha. Aujourd'hui, il était déjà prêt à récidiver...

En outre, il souhaitait montrer à Cassie qu'il veillait à son confort ; par de petits gestes aussi simples que lui garder les mains au chaud, ou lui trouver une paire de bottes. A qui appartenaient donc celles qu'il venait de dénicher ? Mystère et boule de gomme. Il devait absolument l'emmener dans un magasin, afin de l'équiper correctement pour l'hiver. Alors que d'ordinaire, il n'appréciait que très modérément les séances de shopping...

Les bottes et les gants lui allaient, mais lorsqu'ils mirent le pied à l'extérieur, le monde semblait être devenu fou. Le vent soufflait si fort passé l'angle de la maison que Cassie vacilla comme si elle avait reçu un coup. Il ne distinguait que par intermittence le mur de paille qu'il avait érigé, et qui ne tarderait pas à disparaître, peu à peu dispersé par les bourrasques. Il ne lui fallut guère de temps pour comprendre qu'une prudence extrême était de mise.

— Reste sous le porche, lui intima-t-il. Si tu t'éloignes de plus de trente mètres je risque de te perdre, et sans aucune garantie de pouvoir te retrouver.

— Mais tu ne peux pas y aller non plus...

La voix de Cassie monta dans les aigus, trahissant son angoisse.

— Je vais m'arrimer au porche, mais promets-moi que tu n'en bougeras pas.

— Tu as ma parole. J'ai conscience du danger, tu sais.

La croyait-il stupide ?

— Je m'excuse, Cassie, je suis simplement inquiet. La visibilité est pratiquement nulle, mais j'ai toujours une grande corde dans l'entrée pour faire face à cette éventualité.

Et s'il avait pris les devants — car il aurait dû se douter que cela se produirait — au lieu de focaliser toutes ses pensées sur elle, il aurait dès le matin tiré cette corde jusqu'à la bergerie et l'y aurait attachée afin de lui procurer une ligne de vie sécurisée. En l'état actuel, si le vent ne lui accordait pas quelques moments de répit visuel, il risquait de ne jamais arriver à bon port.

Même s'il était persuadé qu'ils étaient hors de danger, agglutinés les uns contre les autres pour conserver leur chaleur, et sûrement protégés par une couche de neige, rien ne lui assurait qu'aucun de ses animaux n'était en détresse. Aussi noua-t-il la corde à l'un des poteaux de soutènement du porche et l'autre extrémité autour de sa taille. Dieu merci, il ne faisait pas horriblement froid, mais il gardait à l'esprit que le souffle glacé du vent pouvait achever n'importe quel être vivant.

Finalement, il quitta son abri et s'engouffra au cœur de la tempête.

Si la vue du rat l'avait révulsée, et qu'elle avait été énervée par sa voiture vandalisée, elle éprouvait pour la première fois une véritable terreur alors que Lincoln s'enfonçait dans l'immensité blanche. A chaque pas sa silhouette devenait plus vague, et à plusieurs reprises elle avait déjà totalement disparu dans les tourbillons de neige.

Inutile de prolonger la séance de travaux pratiques pour mesurer les dangers d'un tel phénomène climatique. Une fois la barrière des montagnes franchie, il n'y avait pratiquement rien pour apaiser le vent dans ces grandes plaines. Ces étendues dénuées d'arbres n'offraient aucune résistance au déchaînement des éléments. Les blizzards de son enfance n'avaient jamais été si déconcertants, car elle pouvait distinguer les maisons qui bordaient l'autre côté de la rue. Alors qu'aujourd'hui, elle avait l'impression que si elle s'aventurait plus loin que ce porche, elle ne verrait même plus sa main si elle la tendait devant son visage.

Les minutes s'égrenaient, et sa tension nerveuse augmentait. Combien de temps Lincoln serait-il absent ? Quand devrait-elle commencer à vraiment s'alarmer ? Et le cas échéant, comment se montrer efficace ? En suivant à son tour la corde ? Il semblait peu probable qu'une équipe de secours parvienne jusqu'ici s'il se blessait et était incapable de regagner le porche.

Elle ferma les yeux, et tenta de se remémorer la disposition de la propriété, entre la maison et la bergerie. Le sol était relativement plat, croyait-elle se souvenir. Il n'y avait pas de raison qu'il se foule une cheville ou qu'il ait un accident plus sérieux, mais il ne fallait rien exclure.

Au moment où elle se disait qu'il fallait intervenir, l'abominable homme des neiges apparut au pied du porche. Elle faillit rire de soulagement, en voyant que la neige l'enveloppait d'une gangue collante, le rendant méconnaissable.

Avant de grimper les quelques marches, le yéti tapa violemment des pieds et se secoua, laissant réapparaître Lincoln.

— Alors ? lui demanda-t-elle.

— Tout va pour le mieux. Ils étaient couchés les uns contre les autres, à l'abri sous une grosse couche de neige. Certains ont même protesté lorsque je les ai obligés à bouger pour entrer dans la bergerie.

— En fait, ils étaient bien plus en sécurité que toi ?

— J'ai froid, rien de plus. Ce vent n'a rien à voir avec ce qu'on connaît d'habitude. Entrons nous réchauffer et avaler un morceau. Ne perdons plus de temps, il faut profiter au maximum de ce merveilleux blizzard.

L'éclat qui venait de traverser ses yeux bleus l'avait cependant considérablement réchauffée.

Elle devait être prudente, se conjura-t-elle. Aucun homme n'avait jamais cherché à obtenir autre chose d'elle qu'une aventure sans lendemain.

Si elle se fiait à son expérience personnelle et à ce qu'il lui avait confié au sujet de son ancienne fiancée, il y avait de grandes chances que Lincoln ne se montre pas différent de ses comparses masculins. Leur attirance sexuelle était indéniable, mais ne suffisait pas à pérenniser une relation amoureuse.

Il fallait qu'elle profite de ce week-end sans arrière-pensée. Cela resterait un merveilleux souvenir, à défaut de mieux.

Lorsqu'elle se réveilla le lendemain matin, elle croyait découvrir un monde enfoui sous une épaisse couche de neige. Mais lorsqu'elle se planta devant la fenêtre de la chambre, le paysage qu'elle découvrit semblait plutôt avoir été saupoudré de sucre glace par un pâtissier facétieux.

— Où est passée toute la neige ? s'enquit-elle.

Lincoln, qui la rejoignit, jeta un regard à l'extérieur.

— Elle devait être si sèche que le vent l'a emportée jusqu'à un endroit où se dressait un obstacle, contre lequel elle s'est accumulée. Allons jeter un œil de l'autre côté de la maison.

Dans la chambre située en face de celle de Lincoln, elle comprit ce qu'il venait de lui expliquer. Une immense congère s'était formée contre la façade de la bâtisse, et s'élevait pratiquement jusqu'au second étage.

— Incroyable ! s'exclama-t-elle. Est-ce que ça se produit souvent ?

— Seulement lorsque les rafales sont très soutenues et que la neige est sèche. D'habitude, les chutes s'échelonnent tout au long de l'hiver. Mais parfois, j'ai l'impression de déblayer douze fois la même neige, dit-il en riant.

Tandis qu'il parlait, une bourrasque fit danser et tourbillonner les flocons au sommet du monticule, créant de petits nuages scintillants.

— Est-ce que je pourrais sortir par la fenêtre et me laisser glisser jusqu'au rez-de-chaussée ?

— En chemise de nuit ?

Elle se tourna vers lui et découvrit avec amusement que son visage était barré d'un grand sourire, et que ses yeux bleus pétillaient de malice.

— Non, voyons !

— J'ai voulu tenter l'expérience une fois, il y a bien longtemps. Je devais être au collège.

— Et tu l'as fait ?

Il secoua la tête.

— Vu d'ici, l'amas semble compact, mais c'est illusoire. D'abord, parce que la neige sèche ne se tasse pas, et ensuite, parce qu'il y a certainement une poche de chaleur échappée de la maison qui fait fondre la congère. Tu risques de passer au travers et d'être ensevelie sous une montagne de neige.

— Très bien. Oublions cette idée.

Il s'esclaffa en constatant sa déconvenue et lui passa un bras autour de la taille.

— Tu as une âme d'aventurière !

Elle ignorait comment interpréter son commentaire. Etant donné que Martha mourait d'ennui ici, elle craignait que sa remarque ne soit sarcastique, et cela gâcha sa bonne humeur.

Elle prit une douche, puis enfila un jean ainsi qu'un épais gilet à capuche vert avant de le rejoindre, en se demandant comment cette histoire allait finir.

Il avait toutes les raisons du monde pour se montrer méfiant envers une femme qui venait d'emménager dans le comté. Quant à elle, rien ne lui prouvait qu'il ne se débarrasserait pas d'elle dès que l'attrait sexuel se serait apaisé.

Ils étaient deux fieffés idiots jouant avec le feu, sachant pertinemment ce qu'ils risquaient, se disait-elle.

La cuisine était baignée par la lumière matinale. De temps à autre une bourrasque gémissait aux abords de la maison, mais sans rien de comparable à la veille. Ils parvinrent à ne pas se marcher sur les pieds en préparant le petit déjeuner, composé de tartines grillées, d'œufs brouillés et de jus d'orange, mais elle constata qu'il se montrait un peu froid. Il ne la touchait pas, ne l'embrassait pas en passant près d'elle ; il semblait avoir repris ses distances, et elle se sentait attristée.

— Je devrais pouvoir te ramener chez toi cet après-midi, à en juger par la disparition de la neige. Les routes sont sûrement dégagées, et j'ai une pelle que je peux attacher à l'avant de mon pick-up.

Elle leva le nez de son assiette, mais avant qu'elle ait le temps de répondre, il reprenait :

— Cependant, je n'ai aucune envie de le faire. Ta voiture ne sera pas réparée avant demain, ce qui signifie que tu seras bloquée chez toi, et pour ma part, je dois revenir impérativement m'occuper des bêtes.

Elle avait l'impression que son cœur avait embarqué sur des montagnes russes. Lincoln rechignait à se séparer d'elle, mais ses raisons étaient purement pragmatiques. Baissant les yeux sur son assiette, elle tenta de se convaincre de ne pas agir comme une sotte et de cesser de disséquer chacune de ses paroles pour en dévoiler la véritable signification. Mais ses résolutions étaient vaines.

— Nous devrions nous atteler à cette campagne de sensibilisation, ajouta-t-il enfin.

Elle se sentait encore délicieusement rêveuse et engourdie par leurs étreintes de la veille, alors que lui avait déjà la tête au travail. Un schéma qu'elle ne connaissait que trop.

— Bien sûr, repartit-elle d'une voix qu'elle espérait à peu près normale.

Il était hors de question qu'elle lui laisse deviner le chagrin qui s'était emparé d'elle.

Quelle idiote elle faisait ! Ce type l'avait ignorée pendant des mois, et il avait suffi d'une semaine de collaboration professionnelle, puis de quelques moments d'intimité avec lui pour qu'elle s'investisse autant ?

Hors de question ! Elle chassa de son esprit toute forme de tristesse, et décida de se concentrer sur ce qui comptait vraiment, à savoir cette campagne anti-harcèlement, la convalescence de James, et la possibilité de le citer en exemple dans leurs plans de cours.

Une chose étrange se produisit durant l'après-midi, pendant qu'ils travaillaient. Jusqu'alors, son cerveau avait semblé refuser d'enregistrer ce qui s'était passé le vendredi, que ce soit la bousculade pendant qu'ils dansaient ou les dommages causés à son véhicule. D'ailleurs, depuis qu'elle avait découvert le rat sur son bureau, certaines choses ne semblaient plus revêtir la même importance à ses yeux.

Quoi qu'il en soit, une sorte de digue se rompit soudainement, et elle se sentit submergée par la réalité qui venait la frapper de plein fouet, alors que tous ces événements lui avaient semblé un peu fantasmatiques, irréels.

Elle comprit que quand elle rentrerait chez elle, ce soir, ou demain, elle aurait à affronter une peur qu'elle refusait de reconnaître, ou qu'elle avait feint d'ignorer. Malheureusement, cette période de refoulement était derrière elle. Tout à coup, elle éprouva de la difficulté à respirer. Elle se recroquevilla sur elle-même, ses bras ceignant sa taille, et dut combattre un malaise provoqué par un mélange de rage et de peur.

— Cassie ? Que se passe-t-il ?

— Je crois… que je viens seulement de prendre conscience de tout ce qui se passe.

Elle dut faire un effort pour que sa phrase soit intelligible, car elle avait l'impression d'avoir épuisé l'oxygène disponible dans la pièce.

La lumière de l'après-midi prenait des reflets dorés. Le vent mugissait encore, mais la maison était comme privée d'air. Son cerveau se mettait peu à peu en veille.

Lincoln se précipita vers elle et appuya sur ses épaules.

— Baisse la tête, lui ordonna-t-il doucement. Penche-toi en avant.

Il appuya sur son dos jusqu'à ce que sa tête se retrouve entre ses genoux. Elle cherchait de l'air, sa gorge contractée par une série de hoquets, alors que toutes les anicroches qu'elle avait tenté d'enfouir en elle refaisaient surface. Il lui frictionnait le dos, tout en lui maintenant la tête en bas.

— Tu étais bien trop flegmatique vendredi. Je me demandais à quel moment le contrecoup allait se produire.

Elle avait du mal à croire que cela pouvait prendre si longtemps. Les souvenirs affluaient : le rat, la famille de James à l'hôpital, sa voiture, l'appel téléphonique… Elle n'était plus sûre que d'une chose : elle n'était pas en sécurité. Elle avait peur. Toutes ces mesures de représailles étaient disproportionnées. Ce n'étaient que quelques heures de retenue, après tout. La terreur prenait le dessus, car celui qui était derrière ça avait perdu tout sens commun.

— Mon Dieu, murmura-t-elle. C'est un malade !

— Quoi ? Tu parles du type qui a crevé tes pneus ?

— Et égorgé le rat.

Il garda le silence un instant, puis tira une chaise vers lui afin de s'asseoir auprès d'elle, et reprit ses massages.

— Ça m'a traversé l'esprit, admit-il. Ces réactions étaient vraiment exagérées.

Elle finit par respirer à pleins poumons, mais son sentiment de malaise et son angoisse ne se dissipaient pas.

Elle se redressa lentement, et prit conscience que son monde vacillait une fois de plus sur ses bases. Faire l'amour avec Lincoln, découvrir une telle passion, un tel plaisir, avait constitué un grand bouleversement, mais un autre se produisait en ce moment, d'une tout autre nature.

— J'ai essayé de me convaincre qu'il ne s'agissait que de plaisanteries d'un goût douteux, expliqua-t-elle, en le cherchant du regard. Mais mon cerveau se cabre. Dis-moi que j'en fais trop.

Manifestement, il hésitait.

— J'en suis incapable. Par ailleurs, même si le risque est infime, il serait imprudent de ne pas prendre toutes les précautions qui s'imposent. C'est la raison pour laquelle je refusais de te laisser seule. D'une part je craignais ce contre-coup, qui pouvait se produire à tout moment, et d'autre part, rien ne me disait que l'escalade s'arrêterait là.

— Dans ce cas, pourquoi as-tu proposé de me ramener chez moi ?

— Parce que tu es en droit de prendre les décisions qui te concernent. Et si tu souhaitais rentrer chez toi, je m'exécuterais.

Elle ferma les yeux, s'efforçant d'encaisser ce qu'elle considérait comme une série de coups : oui, les événements de la semaine passée étaient bien réels… Sa voiture avait les quatre pneus à plat, et l'un d'eux était crevé. On avait égorgé un rat sur son bureau, et des tas de gens espéraient son départ, parce qu'elle avait osé donner un coup de pied dans la fourmilière du harcèlement. Pis encore, Lincoln l'avait invitée chez lui dans l'unique but de la protéger.

Eh bien ! N'avait-elle profité de la situation que pour mieux se voiler la face et éviter d'affronter la réalité ? Ou était-elle vraiment tombée sous son charme ? Et par quel mystère avait-elle refoulé toutes ces menaces brandies contre elle ?

La peur qui l'avait assaillie peu avant n'avait rien de comparable au mélange d'horreur et de culpabilité qui la submergeait en ce moment.

— Cassie ?

Il s'agissait d'une question, mais elle ignorait ce qu'il attendait d'elle. Il se contentait peut-être de vérifier qu'elle était vivante, ou qu'elle respirait encore.

Il lui avait proposé de la raccompagner, en arguant qu'elle était maîtresse de ses décisions. Parfait. Pensait-il qu'elle n'avait pas vraiment pris goût à leurs étreintes, et qu'elle ne souhaitait que regagner ses pénates ? Cherchait-il un moyen élégant pour se débarrasser d'elle ?

Elle était bien trop déconcertée pour y voir clair, d'autant qu'elle venait seulement d'en prendre conscience. Quelqu'un lui voulait du mal, elle en était maintenant convaincue, sans pour autant savoir jusqu'où cela pourrait aller. Le seul objectif était peut-être de la voir quitter la ville, à moins que cette personne ait développé une haine véritable à son égard, pour une raison qu'elle ignorait totalement.

— Trop c'est trop !

Les mots fusèrent, alors que les sentiments qui se bousculaient en elle se fondaient en une colère sombre qu'elle accueillit presque avec joie. En effet, la rage était moins déroutante. Elle se leva prestement et, les bras croisés sur la poitrine, elle se mit à arpenter la pièce.

— Qu'y a-t-il ?

— Tu veux vraiment que je te fasse un dessin ?

— Non, c'est inutile, mais le fait d'en parler te ferait sûrement du bien.

— Très bien, je l'admets, j'ai une peur bleue. Qui dit que ça n'ira pas plus loin que ma voiture ? Dans le meilleur des cas, ce malade me fichera la paix, après m'avoir clairement exprimé sa désapprobation. Ou parce que la nouvelle de la tentative de suicide de James a fait le tour de la ville. Il faudrait vraiment être un parfait crétin pour ne pas être dans ses petits souliers après ça, ou un fou furieux. Or, ses réactions sont pour le moins inquiétantes. La mère de l'un de mes élèves a cherché à le défendre ; elle s'est contentée de me prendre à partie sur le parking et a cherché à me convaincre que ce n'était pas le genre de son fils. J'ai déjà eu affaire à ce genre de situation, et ce ne sera certainement pas la dernière fois. Mais c'est ce que je considère comme une réaction normale, de même que les coups de coude pendant que nous dansions. Je ne pense pas que ce soit lié à ces autres actes d'intimidation, comme le coup de téléphone, le rat, ou ma voiture. Là, nous dépassons les limites de la normalité.

— Tu as raison, admit-il.

Elle arrêta son va-et-vient et l'observa attentivement. Pourquoi fallait-il qu'il soit tellement séduisant que tout le reste perdait son importance ?

— Te rappelles-tu tes paroles, concernant le championnat de basket ? Tu penses que quelqu'un s'enflammerait à ce point ?

— S'enflammer, oui. Mais te menacer sérieusement ? Ça m'étonnerait.

Elle hocha la tête.

— Cela semble improbable. Mais je ne connais pas les gens d'ici aussi bien que toi.

— Sache, répliqua-t-il un peu sèchement, que la plupart d'entre nous ont laissé le Far West et les duels au pistolet aux bons soins de John Wayne et de ses copains.

Sa remarque était sans équivoque.

— Je n'avais pas l'intention d'insulter tes concitoyens. Simplement, la semaine dernière, tu as dit…

— Je sais parfaitement ce que j'ai dit. J'essayais de t'expliquer que les gens étaient chiffonnés parce qu'une étoile montante de la région risquait de perdre sa place dans l'équipe s'il était de nouveau sanctionné. Quant à ce rat… (Il secoua la tête.) Cassie, je n'ai pas essayé de minimiser les choses, je te le promets. Oui, les gamins du coin sont moins sensibles à ces choses, parce qu'ils chassent et qu'ils ont du bétail, mais choisir ce moyen d'expression pour faire passer un message… (Il secoua de nouveau la tête.) Je ne tenais pas à t'effrayer outre mesure, et j'étais persuadé que ça n'irait pas plus loin. Je me suis trompé.

— Tu cherchais donc à me rassurer ?

— Oui, même si j'étais aussi inquiet, et que je le suis toujours.

— Je suis une grande fille, rétorqua-t-elle. N'essaie pas de m'épargner les vérités qui blessent.

— Je suis désolé.

Ce n'était pas le but qu'elle recherchait. Il était d'un naturel protecteur, comme elle avait pu s'en rendre compte la semaine passée. Et sa réaction avait certainement été instinctive ; il ne souhaitait pas qu'elle se mette inutilement dans tous ses états.

— Ne t'excuse pas. Mais s'il te plaît, ne recommence pas.

— Ça me convient. Que comptes-tu faire, à présent ? Boucler tes valises et changer de décor ?

— Non.

Elle en était certaine. Si elle se demandait où cette histoire la mènerait, car elle était manifestement la cible de quelqu'un qui lui en voulait terriblement, elle se battrait bec et ongles pour dompter la terreur qui se réveillait en elle. Elle reprit sa place à table.

— Je suis furieuse, et entêtée. Je ne me laisserai pas impressionner par un lâche qui me gratifie de coups de fil anonymes, lacère mes pneus et sacrifie des animaux pour se faire entendre. De toute façon, je commence à vraiment aimer ce coin.

— Donc ?

— Je reste, et je vais faire face. Hors de question de partir la queue entre les jambes.

— Cela pourrait être dangereux, et je ne peux pas t'assurer qu'il ne t'arrivera rien. Pas après ce qui s'est déjà produit.

— Ce n'étaient certainement que des menaces, insista-t-elle. Mais même si je me fourvoie, je reste. Je vais poursuivre mon travail, faire en sorte que l'intimidation cesse, et enseigner du mieux que je le peux. Je ne baisserai pas la tête face à un intimidateur, parce que ce type n'est rien d'autre.

— Dans ce cas, tu risques de m'avoir dans les pattes constamment, en attendant que cette affaire soit réglée.

— Je m'en accommoderai.

9

Ils firent de nouveau l'amour la nuit suivante, mais une seule fois. Cassie avait l'impression que Lincoln était un peu distant, aussi se retrancha-t-elle également dans une tour d'ivoire. La passion l'emplissait de mélancolie tout autant qu'elle l'emmenait au sommet du plaisir. Les barrières qui les séparaient autrefois semblaient lentement reprendre leur place.

Ce sentiment perdurait lorsqu'il la raccompagna chez elle le matin suivant.

Il appela son ami pour venir s'occuper de sa voiture, tandis qu'elle se préparait pour aller au lycée. La magie du samedi s'était bel et bien dissipée.

Ce n'était peut-être pas plus mal, se dit-elle, tout en s'avisant que les propos qu'elle avait tenus au ranch lui paraissaient aujourd'hui bien téméraires, alors qu'elle devait reprendre le chemin de l'école.

Pour la première fois, elle se sentait vraiment nerveuse à l'idée d'aller travailler et d'affronter ses classes. Jusqu'alors, ses élèves n'avaient pas pris parti contre elle, mais rien ne lui assurait que l'antipathie dont elle avait souffert vendredi ne les avait pas gagnés.

Elle s'était juré de tenir bon. Et de s'accommoder de la situation de la même manière que chaque fois qu'elle avait dû faire face à ce genre de comportement. Elle feindrait de ne rien remarquer, jusqu'à ce que les choses se tassent. Parfois, il n'y avait pas d'alternative.

Le premier changement se produisit lorsque le mécanicien que Lincoln avait fait venir refusa de lui facturer son intervention.

— Cadeau de la maison, mademoiselle Greaves, avait-il insisté. Je ne voudrais pas que vous pensiez que les gens d'ici approuvent ce qu'on vous a fait.

Si ces paroles la rassérénèrent, elle se sentit tout de même un peu coupable.

— Mais… vous devez aussi gagner votre vie, Morris.

— Oui, mais j'obéis également à certains principes. Rangez votre carte de crédit.

Totalement déconcertée, elle resta immobile, bouche bée, jusqu'à ce que sa voiture, arrimée sur le camion de remorquage, disparaisse au coin de la rue.

— Eh bien…, marmonna-t-elle, interdite.

— Le monde est plein d'honnêtes gens, lui rappela Lincoln. Dommage que ce soit souvent les vauriens qui attirent l'attention sur eux.

Que pouvait-elle opposer à cela ?

Le second changement se produisit lors de sa première classe, lorsque Lee, rayonnant, vint l'interrompre.

— Vous ne devinerez jamais ce qui se passe.

— Dites-moi tout.

— Il y a des gens en ville, principalement des parents, qui lèvent des fonds afin d'aider les parents de James à payer les frais d'hospitalisation ainsi que des séances chez un psychologue. Par ailleurs, notre répondeur est saturé de messages réclamant la tenue d'une réunion durant laquelle les parents pourraient discuter de ces problèmes de harcèlement.

— C'est super !

— Je vous avais dit qu'un après-midi consacré à ce sujet, durant lequel toutes les classes seraient réunies, serait la meilleure manière d'aborder le problème. Maintenant, il ne nous reste plus qu'à y associer les parents. Je n'aurais jamais espéré avoir des retours aussi enthousiastes.

— Avez-vous eu des nouvelles de James ? Lincoln et

moi avons passé la nuit de vendredi à l'hôpital, jusqu'à ce qu'il soit déclaré hors de danger, mais nous n'avons rien entendu depuis.

— J'ai appelé sa mère ce matin. Il devrait rentrer chez lui aujourd'hui, mais elle ne tient pas à ce qu'il reprenne les cours.

Lee soupira, et son visage rond se rembrunit subitement.

— Elle préfère qu'il soit d'abord suivi par un professionnel… je ne sais pas, Cassie. Ce qui lui est arrivé est vraiment terrible, mais les gens ont beau paraître conscients du problème, je doute que nous parvenions à faire évoluer les mentalités du jour au lendemain.

— Nous avons déjà fait un pas de géant, Lee.

Et cela avait suffi à illuminer sa journée, tout comme l'attitude de ses élèves ; tous semblaient prêts à apporter une contribution au projet, que ce soit en envoyant des messages de soutien à James ou en promettant de mener la vie dure aux intimidateurs. Tout à coup, l'assemblée prévue le vendredi suivant paraissait bien trop lointaine, car chacun voulait dès à présent faire avancer les choses de manière concrète.

Cependant, derrière cette façade bienveillante, elle percevait une espèce de malaise. Cela venait certainement du fait que nombre d'entre eux avaient un jour ou l'autre transgressé quelques règles de bienséance, à moins que ce ne soit parce qu'ils avaient failli perdre un camarade de leur âge… un mélange de culpabilité et de conscience de leur propre condition de mortel. Ne sachant pas quelle position adopter, elle renonça à poursuivre son cours, et préféra laisser les élèves discuter du sujet, tout en se faisant la réflexion qu'il serait judicieux de proposer au psychologue scolaire de venir rendre visite aux classes dès que possible.

La journée fut éreintante émotionnellement, car elle tentait d'aider les élèves à exprimer, et à comprendre, ce qu'ils ressentaient. Certains affirmaient que jamais ils ne tenteraient de mettre fin à leurs jours pour une raison aussi stupide. D'autres relataient leur propre expérience, les humiliations qu'ils avaient subies et combien ils en avaient souffert. Classe après classe, un consensus avait été atteint : le harcèlement, c'était nul.

Elle se doutait que cette conversation pourrait durer des jours, et elle était prête à s'y résoudre si les élèves en ressentaient le besoin. Elle leur exposa donc la situation : s'ils souhaitaient poursuivre le dialogue, ils devraient trouver du temps pour rattraper les cours manqués. Ce qu'ils approuvèrent lors d'un vote où seules quelques voix exprimèrent une dissension.

Et comme elle leur avait donné le choix, elle était persuadée qu'ils tiendraient leur engagement. A la fin de la journée, elle se sentait bien mieux, et réfléchissait déjà à la manière dont elle modifierait son plan de cours afin que les séances de rattrapage ne soient pas trop éprouvantes.

— Prête à partir ?

Elle leva les yeux et aperçut Lincoln qui se tenait dans l'encadrement de la porte, la veste ouverte et son sac à dos à l'épaule.

— J'ai passé une très bonne journée, lui confia-t-elle en rassemblant ses affaires.

— Toi aussi ? Chaque classe a abordé le problème du harcèlement.

Son cœur bondit dans sa poitrine, et elle lui sourit, mais reprit rapidement un air plus sérieux.

— Pourquoi faut-il toujours attendre une catastrophe pour que les gens réagissent ?

— Parce qu'il est souvent plus simple de détourner le regard… jusqu'à ce que le problème vous explose en plein visage. Comment survivre autrement ?

Il avait raison.

Tandis qu'elle traversait le parking à ses côtés, en cette fin d'après-midi qui s'étirait vers le crépuscule, elle s'exhortait à ne pas se bercer d'illusions. Il faudrait un certain temps pour que les mentalités changent et une fois le traumatisme passé, les gens oublieraient ce qui s'était produit.

— L'électrochoc sera de courte durée, dit-elle.

— Je le sais, répondit-il en lui ouvrant la portière.

— C'est la raison pour laquelle je n'ai pas fait cours aujourd'hui. Il faut battre le fer tant qu'il est chaud.

Elle se glissa sur la banquette.

— Tu n'as pas d'entraînement aujourd'hui ?

— Il est annulé en raison du match de samedi. Je reviendrai à l'école à 18 heures, et nous entamerons la partie à 19 heures.

— Un soir de semaine ?

— Oui, c'est la seule solution si nous ne voulons pas chambouler tout le planning du championnat. Tu veux m'y accompagner ? lui demanda-t-il en s'engageant sur la route.

Comme elle se sentait bien plus à l'aise que la nuit précédente, elle préférait prendre le temps de la réflexion. Elle aurait aimé passer une soirée divertissante, mais elle devait aussi revoir son plan de cours. Et lorsqu'elle songea aux événements des deux semaines passées, elle se rendit compte que la brûlure n'était plus aussi vive. Elle avait repris confiance en elle, et était intimement convaincue qu'elle serait prête à affronter tout ce qui se présenterait à elle.

— Désolée, mais j'ai des cours à préparer, s'excusa-t-elle. Je vais être en retard sur le programme si je ne trouve pas un moyen de planifier les prochaines leçons sans que les élèves se trouvent débordés. Je ferais mieux de rester chez moi et de travailler.

— Tu n'as pas peur ?

Elle lança un regard dans sa direction et lui sourit timidement.

— En fait, non. Comme je te l'ai dit hier, celui qui fait ça n'est qu'un lâche.

— Et tu en es toujours persuadée ?

— Absolument. J'ai l'impression que beaucoup de choses ont changé, et en particulier l'opinion majoritaire. Celui qui cherche à m'intimider doit montrer profil bas en ce moment.

Il garda le silence jusqu'à ce qu'il ait négocié le virage suivant.

— Probablement. Enfin, je ne sais pas, Cassie. Je n'aurais jamais imaginé qu'on puisse vandaliser ta voiture, ou qu'on massacre un rat dans ta salle de classe. Il faut être un peu tordu, non ?

— Evidemment. Tu cherches à m'effrayer ?

Il secoua la tête.

— Pas du tout. Mais je veux que tu sois prudente. Si les gens du coin se rangent de ton côté, cela ne signifie pas qu'il en ira de même pour lui.

Certes, il avait raison, mais elle ne s'était jamais sentie aussi sûre d'elle depuis le début de cette histoire. Et en dépit de sa crise de panique de la veille, elle se dit que la meilleure stratégie à adopter était d'affronter ses peurs. Si elle l'avait perdu de vue, ses élèves, aujourd'hui, le lui avaient rappelé.

Ils avaient besoin d'elle et de ses collègues pour les soutenir dans cette épreuve, et la majorité d'entre eux avaient montré qu'ils avaient bon cœur. Allait-elle abandonner la partie ? Certainement pas.

— C'est vrai, mais je te rappelle qu'à aucun moment je n'ai failli être blessée. Et il a toujours fait en sorte d'agir de manière à ne pas être identifié.

Elle poussa un cri de surprise lorsqu'ils franchirent le dernier virage. Sa voiture était stationnée dans l'allée du garage, et elle rutilait de mille feux.

— Incroyable ! Morris l'a même passée au polish !

Lincoln ne put s'empêcher de glousser.

— Je t'ai pourtant dit que les gars d'ici étaient des gens bien !

A peine furent-ils garés, elle saisit son sac et quitta la cabine avant qu'il n'ait eu le temps de venir lui ouvrir la portière. Elle fit aussitôt le tour de sa voiture et jeta un regard à l'intérieur.

— Bon sang ! Il a même passé l'aspirateur ! (Puis elle

passa sa main sur la carrosserie, avant d'ajouter :) J'avais oublié qu'elle pouvait être aussi belle !

— La clé doit se trouver sous ton paillasson, lui souffla Lincoln.

Elle alla vérifier, et fut soulagée de l'y trouver, car n'importe quel trublion aurait pu lui jouer un sale tour s'il savait que c'était la pratique locale. Par ailleurs, le fait d'avoir de nouveau un véhicule en état de marche la rasséréna.

Lincoln l'accompagna dans la maison. Elle jeta son sac sur le canapé éculé et lui fit face, le visage souriant.

— C'est incroyable à quelle vitesse les choses peuvent changer !

— Une véritable révolution a eu lieu depuis que tu as surpris ces jeunes qui malmenaient James. Et si cela a d'abord provoqué un vrai chaos, les résultats sont maintenant plus qu'encourageants.

— Que puis-je faire pour remercier le mécanicien ? lui demanda-t-elle, en repensant aux bons soins prodigués à son véhicule, sans qu'elle ait à débourser un dollar. Il m'a vraiment époustouflée. Une bouteille de vin, peut-être ?

— Je crois qu'il préfère la bière. Mais peu importe, il appréciera le geste.

— Très bien, dans ce cas, ce sera de la bière.

Elle était si soulagée qu'elle virevolta sur elle-même.

— Je n'arrive pas à croire qu'hier encore, j'avais l'impression que le ciel me tombait sur la tête. Je me sens libérée d'un sacré poids, ajouta-t-elle.

Cependant, Lincoln ne paraissait pas aussi enjoué qu'elle. Elle détourna le regard, se demandant si elle n'avait pas réagi de manière disproportionnée la veille. A moins que ce soit maintenant… Hier, elle était tétanisée par la peur, ignorant à quel genre d'attaque elle devait se préparer. Puis elle avait compris que celui qui la harcelait ne l'avait à aucun moment menacée physiquement, et que ses actes trahissaient le fait qu'il n'était qu'un poltron. Et elle en était toujours persuadée.

Celui qui avait égorgé ce rat et vandalisé sa voiture ne visait qu'à l'effrayer, mais il n'avait pas le courage de l'affronter en personne.

— Est-ce que tu me trouves naïve ? finit-elle par lui demander.

— Non.

Il fit un pas vers elle et, à sa grande surprise, l'entoura de ses bras, avant de la serrer contre lui. C'était si bon de ne plus le sentir si distant. L'impression qu'elle avait eue la veille l'avait accompagnée toute la journée, comme une douleur lancinante, une sensation de vide profond, qui avait perduré en dépit de toutes les bonnes nouvelles qui avaient émaillé sa journée. Quelque chose en elle la conjurait de le repousser, mais elle l'ignora et se serra contre lui.

— Je comprends parfaitement que tu aies été prise de panique, hier. Mais je ne suis pas aussi optimiste que toi aujourd'hui. Ce n'est pas parce que l'opinion publique réprouve désormais les actes d'intimidation que ce malotru fera machine arrière. Tu as peut-être raison... il est clair que jusqu'à présent, il a agi en lâche, en cherchant à t'épouvanter sans jamais t'affronter. C'est un comportement typique chez ce genre d'individu.

— Exactement.

Se rappelant qu'elle ne devait pas se laisser aller, elle recula, un peu à contrecœur néanmoins. Il avait ses raisons pour ne pas souhaiter s'engager dans une relation sérieuse, et s'il y avait une femme qui répondait à tous les critères qui le faisaient fuir, c'était bien elle. C'était sa faute, d'ailleurs, puisqu'elle ne cessait de claironner qu'elle devrait donner sa démission et s'en aller.

Par ailleurs, elle avait acquis la certitude que s'il avait passé autant de temps auprès d'elle, c'était parce qu'il ressentait le besoin de la protéger et de la rassurer. C'était tout à fait son genre... quant à cette attirance sexuelle, eh bien, cela ne suffisait pas à pérenniser une relation. Et si les premiers moments étaient incandescents, la passion finissait par s'assagir. Elle avait assez d'amies mariées pour l'avoir observé.

Ils avaient eu un moment d'égarement, c'est certain, mais cela ne signifiait pas qu'elle devait lui livrer son cœur sur un plateau. Quel intérêt trouverait-elle à souffrir une fois encore à cause d'un homme, qui, pour sa part, avait toutes les raisons du monde de ne pas lui faire confiance ? Or, si son instinct ne lui faisait pas défaut, elle avait déjà pratiquement franchi le Rubicon. Il était grand temps de faire machine arrière.

— Tu veux manger quelque chose ? demanda-t-elle sans même le regarder. Tu dois avaler un morceau avant le match.

Lincoln remarqua qu'elle s'était éloignée de lui, et qu'elle évitait son regard. Quel faux pas avait-il commis ? Soudain, tout parut plus clair : elle se détachait parce qu'elle n'avait plus besoin de lui.

Pourquoi cela le déstabilisait-il tant ? Cassie n'avait eu besoin de lui que depuis le moment où ce rat avait été sacrifié sur son bureau. Elle était nouvelle dans le coin et ne savait pas vers qui se tourner. Il était alors apparu comme une espèce de héros, et elle avait accepté avec joie son soutien et sa protection.

Mais maintenant tout semblait rentrer dans l'ordre. Il était convaincu que la passion qu'ils avaient partagée était sincère, mais qu'en était-il du reste ? Rien d'autre n'était plus certain, désormais.

Une fois encore, il avait été pris pour un imbécile. Son estomac se noua, et sa bouche lui sembla soudainement sèche. Une autre Martha ? Une version un peu différente, voilà tout. Pourquoi s'en étonnait-il ? Pour quelle raison une femme qui n'avait pas grandi ici voudrait-elle partager la vie d'un enseignant, fermier à ses heures perdues ? Il y avait certainement de meilleurs partis à convoiter, même ici.

— Non, merci, j'ai un repas qui m'attend à l'école. Je passerai peut-être quelques minutes après le match. Et si tu as le moindre problème, mon portable sera allumé. Cependant, je risque de ne pas l'entendre.

Il se dirigea vers la porte, puis hésita un instant, taraudé par sa conscience.

— Cassie ? Es-tu certaine de ne pas vouloir venir au lycée ?

Elle secoua la tête. Il se demanda pourquoi soudain son expression était … indifférente ? Triste ? Insondable, en fait.

— Je te remercie, assura-t-elle, en lui adressant un vague sourire. Tout va bien se passer.

Il s'en alla, mais avec l'impression qu'un élément capital lui échappait.

Il se faisait des films, se rabroua-t-il. Rien de plus. Depuis quelque temps il s'était pris à croire que Cassie était différente de Martha. Evidemment, il s'était trompé.

Une conversation muette venait d'avoir lieu, mais Cassie n'était sûre que du rôle qu'elle y avait joué. Elle s'était écartée de lui, c'est vrai, mais l'avait invité à manger, ce qui était beaucoup plus anodin que cette étreinte qui risquait de les entraîner on ne sait où.

Dans un champ de mines, en fait. Tous deux en étaient truffés. Elle ne lui faisait pas confiance, parce qu'il ne lui faisait pas confiance. Il avait d'ailleurs mille raisons de se méfier d'elle, et elle suffisamment d'expérience pour savoir qu'en se livrant trop rapidement à un homme, on finissait souvent par le regretter amèrement.

Une espèce de lassitude s'empara d'elle. Tenait-elle vraiment à s'enferrer dans une histoire aussi alambiquée ?

D'ailleurs, elle n'avait plus le choix. Elle s'était écartée de lui, et aussitôt, il avait pris la porte. Chacun d'eux courait aux abris.

Les prémices du crépuscule nimbaient le paysage, et assombrissaient toute la maison. Elle jeta un regard par la fenêtre donnant sur la façade avant, et vit les lampadaires clignoter un peu plus loin dans la rue. Etrangement, un peu de neige subsistait dans son jardin, alors que les trottoirs et les allées de garage étaient dégagés. Le vent… Se rappelant la congère jouxtant la façade de Lincoln, elle effectua un tour de toutes les pièces, en prenant soin d'allumer toutes les lumières sur son passage, et en regardant par chaque fenêtre jusqu'où la neige avait été emportée.

Principalement dans son jardin, à l'arrière de la propriété. Elle ouvrit la porte de la cuisine, mais se rendit compte qu'elle ne pourrait pas pousser la porte-écran. Du fait de la proximité des autres maisons, la congère ne s'élevait pas jusqu'au deuxième étage, mais elle montait jusqu'à mi-hauteur de la porte. Et d'après ce qu'elle apercevait, toute la neige des environs était venue s'agglutiner derrière et entre les habitations.

Au moins, elle était maintenant consciente du fait qu'en cas d'urgence, elle n'avait ce soir qu'une issue de secours, sa porte d'entrée. Elle jeta un œil à l'horloge, et constata qu'il était encore tôt, aussi alluma-t-elle son ordinateur, et, après avoir retrouvé le numéro de téléphone de James, elle le composa sur son clavier.

Elle reconnut instantanément la voix de son interlocutrice.

— Bonsoir, madame Carney. Cassie Greaves à l'appareil, le professeur de mathématiques de James. Comment va-t-il ?

— Bien mieux, à présent. Mais à partir de maintenant, je vais lui faire cours à la maison.

Cassie n'osa pas la contredire. Elle savait que ses arguments ne feraient pas le poids.

— Est-il assez en forme pour me voir ? Enfin, si vous le souhaitez, bien sûr. Et je suis prête à lui donner des cours de soutien à domicile, si c'est nécessaire.

Il y eut un moment d'hésitation, puis Maureen Carney parut se détendre.

— Ce serait avec grand plaisir. Cela fait longtemps que je n'ai plus mobilisé certaines connaissances.

— Je crains que cela ne soit notre lot commun.

— Vous êtes la bienvenue chez nous, insista Maureen.

Vous avez fait de votre mieux pour le protéger. Ça lui fera du bien de vous voir.

Cassie se sentit un peu coupable, en songeant que son intervention avait peut-être exacerbé le harcèlement dont James était victime.

Bataillant pour faire taire ce sentiment, elle attrapa quelques affaires, ainsi qu'un livre qui plairait peut-être à James. Dehors, le soleil couchant bordait les montagnes d'un liseré rouge vif, si bien que le ciel semblait embrasé.

James et ses parents vivaient dans une jolie petite maison d'un quartier datant de l'après-guerre. Cassie gravit l'allée de garage sous les assauts d'un vent mordant qui tentait de s'engouffrer sous sa veste.

Maureen Carney lui ouvrit la porte, et l'accueillit avec un sourire fatigué, mais sincère.

— Entrez, je vous en prie, mademoiselle Greaves. James est dans le salon, mais honnêtement, je suis incapable de vous dire comment il va. Il est terriblement calme.

Cassie pénétra dans un petit vestibule, juste assez spacieux pour y retirer sa veste, avant de franchir les portes menant aux autres pièces.

— James ! appela Maureen, sur un ton qui se voulait enjoué. Mlle Greaves est là.

Personne ne répondit, ce qui n'empêcha pas Mme Carney d'arborer le même sourire las tout en accompagnant Cassie jusque dans le salon.

James, allongé sur le canapé, paraissait encore plus chétif qu'avant. Il portait un sweat-shirt vert et un plaid couvrait ses jambes. La télévision était allumée, mais le son était au minimum, comme si personne ne la regardait vraiment.

Il avait l'air dévasté. Chaque trait de son visage semblait affaissé et ses yeux sombres étaient cernés. Ils se posèrent sur Cassie, mais pour un bref moment seulement.

— Salut James, dit-elle doucement. Je viens prendre de

tes nouvelles. Tes camarades ont eu très peur pour toi. Nous en avons parlé toute la journée.

Sans répondre, il arrondit les épaules, comme s'il cherchait à se recroqueviller sur lui-même. Cassie prit place dans le fauteuil situé face à lui, en espérant trouver les mots justes. Finalement, elle sortit le livre de son sac et se pencha pour le déposer sur ses genoux.

— Je pense que tu devrais l'aimer, car tu es très bon en maths. Il regorge d'anecdotes amusantes à propos de grandes figures des mathématiques.

— M'en fiche, marmonna-t-il finalement, d'une voix presque étouffée.

Elle hésita un instant, avant d'annoncer fermement :

— Tu comptes beaucoup pour nous, James, et tu as de multiples talents. Dont certains que tu n'as probablement pas encore découverts. Tu as beaucoup à offrir au monde.

— Comment le savez-vous ?

— Parce que moi aussi, j'ai été victime de harcèlement. A tel point que j'avais perdu toute confiance en moi, que je me sentais laide, et terriblement seule. Et aujourd'hui, j'essaie de faire avancer les choses, en enseignant. Une chose dont je suis sûre, c'est que parfois, un mot gentil ou un sourire suffisent. Et tu en es parfaitement capable. Alors ne refuse jamais un sourire à une personne qui en a besoin.

Il la regarda d'un air hésitant, puis détourna les yeux. Mais au moins, il lui avait prêté l'oreille un instant.

— Ta maman m'a dit que tu ne comptais plus retourner à l'école. J'en suis désolée, même si je le comprends. Et je lui ai dit que je me ferais un plaisir de te donner des cours particuliers.

— Je ne sais pas, dit-il sur un ton bourru.

— Il est encore tôt, assura-t-elle en se tournant vers sa mère.

Maureen Carney se trouvait en dehors du champ de vision de son fils, mais elle semblait complètement hagarde. La culpabilité, certainement, mais pouvait-elle s'en vouloir autant que Cassie ? Combien de fois s'était-elle confortée en pensant que le silence de son fils signifiait qu'il n'était plus la proie de nouveaux intimidateurs ? Comble de l'horreur, il y avait eu ce geste, cet appel à l'aide déchirant, trahissant le désespoir le plus profond.

Elle se focalisa de nouveau sur James et décida de prendre le taureau par les cornes.

— James, est-ce que ta situation a empiré après mon intervention ? Si c'est le cas, j'en suis désolée.

Il la regarda droit dans les yeux.

— Ça n'a jamais cessé. Jamais. Comme si vous n'aviez rien fait. Ils ne me tapaient plus, mais ils ne me fichaient jamais la paix. Et ils disaient qu'ils s'occuperaient de moi en dehors de l'école.

— L'ont-ils fait ?

— Non, pas vraiment, mais ils ont créé un blog pour me lyncher, et beaucoup de gens y ont laissé des commentaires.

Cassie soupira doucement. Comment avait-elle pu négliger les réseaux sociaux ? Bon sang, comment avait-elle pu passer à côté ?

— Dans quelles circonstances l'as-tu découvert ?

— On a mis un mot dans mon casier. Au début, je ne voulais même pas le lire, mais je n'ai pas pu m'en empêcher.

Elle secoua la tête.

— J'aurais dû y penser.

— Vous ne l'auriez pas trouvé. Ils ne mentionnent pas mon nom sur leur page, mais tout le monde sait à qui ils font allusion. Ils en parlaient tous.

Sa voix, qui avait semblé plus assurée, se fit plus hésitante.

— Je suis fatigué.

— Ce n'est pas étonnant. Tu as vécu un véritable enfer.

Elle n'avait pas le cœur à minimiser les choses.

— Je vais te laisser, mais je tiens à ce que tu saches que je suis désolée de t'avoir causé du tort, si cela a été le cas, James. Je me devais d'intervenir.

Il détourna le regard.

— Je sais, et je crois que je vous comprends. Au moins, vous avez essayé de faire quelque chose. Vous êtes bien la première.

Cassie entendit sa mère réprimer un cri. Maureen Carney avait l'air horrifiée, et tenait un poing contre sa bouche comme si elle cherchait à refouler des sanglots.

— Je reviendrai dans quelques jours, dit-elle en se levant.

Il ne répondit pas.

Cassie attrapa sa veste dans le vestibule et sortit sous le porche. Sans un mot, Maureen referma la porte derrière elle.

Sa détermination s'accentua durant le trajet qui la ramenait chez elle. Dès demain, elle ferait part à Lee de ce problème de harcèlement par voie électronique. Peu importe si cela se produisait en dehors de l'école. Il devait y avoir un moyen de faire cesser ces pratiques.

Un sentiment d'impuissance la submergea lorsqu'elle se gara devant sa maison, une sensation si envahissante qu'elle dut se retenir pour ne pas frapper le volant du poing.

Frustrée, mais également décidée à donner un nouveau coup de pied dans la fourmilière, elle saisit son sac à main et sortit de sa voiture. Il n'était pas encore très tard, aussi lui restait-il du temps pour réviser ses plans de cours. Et mieux valait s'en acquitter avant que la situation lui échappe.

Elle se demandait comment se déroulait le match. Elle percevait les cris qui provenaient du stade, ce qui signifiait qu'en dépit du froid, de nombreux spectateurs s'étaient déplacés pour y assister.

Elle se trouvait sur le perron lorsqu'elle se rendit compte qu'elle n'était pas allée au supermarché. Elle tenta de ne pas songer à Lincoln lorsqu'elle reprit place au volant. Elle refusait de se le représenter sur le banc, au bord du terrain, encourageant ses joueurs tout en jetant de fréquents regards vers son portable, craignant qu'elle l'appelle à la rescousse.

Elle faisait de son mieux pour le chasser de ses pensées, mais il y réapparaissait immanquablement. Peut-être qu'au lieu de travailler sur ses cours, elle ferait mieux de traînasser dans les rayons de la supérette jusqu'à l'heure de la fermeture. A ce moment, le match tirerait à sa fin, et elle n'aurait pas passé sa soirée à tourner en rond dans son salon, en se demandant s'il allait effectivement passer. L'attente serait ainsi de courte durée. Enfin, s'il venait, bien sûr.

Quelle idiote ! Perdre ainsi son temps à penser à un homme qui ne le méritait pas... A quoi bon..., maugréa-t-elle. Elle n'avait qu'à se concentrer sur son travail, sur cette campagne anti-harcèlement, toutes ces choses importantes sur lesquelles elle avait un véritable impact. Mais pourquoi diable Lincoln semblait-il aussi important que tout le reste ?

Des souvenirs de la semaine passée, et surtout du week-end précédent, la distrayaient sans cesse dans sa tâche. Autant dire qu'elle n'aurait pas accompli grand-chose à son bureau.

Elle poussa un soupir puis passa à la caisse, avant de reprendre le chemin de sa maison. Ses pensées avaient-elles déjà été si confuses et aussi ingouvernables ? Même à ses propres yeux, tout cela paraissait insensé.

Une fois arrivée chez elle, elle se dit qu'un bon café l'aiderait à remettre un semblant d'ordre dans ses idées vagabondes.

Mais alors qu'elle rangeait ses emplettes, elle entendit un bruit. Instantanément ses pensées arrêtèrent de se bousculer sous son crâne, et elle retrouva sa concentration.

Elle n'était pas seule.

Le besoin de retrouver Cassie se faisait plus pressant au fur et à mesure que les minutes s'égrenaient, et Lincoln ne cessait d'observer l'horloge. Lorsque le signal annonçant les deux dernières minutes du match retentit, il trépignait presque.

Toutes ses résolutions, et en particulier celle de ne pas s'impliquer avec une femme qui risquait de prendre la poudre d'escampette à tout moment, avaient fait long feu. Il savait même à quel instant précis il avait perdu la bataille : lorsqu'elle l'avait repoussé, comme pour créer une distance entre eux.

Il savait qu'il était en partie responsable de cela, et l'envie de lui parler l'avait taraudé toute la soirée, au point de devenir pratiquement insupportable. Il voulait comprendre ce qui l'incitait à se montrer si distante. Il tenait à clarifier la situation, et, à moins qu'elle n'ait décidé qu'il ne l'intéressait plus, il lui confierait qu'il était prêt à tenter l'aventure avec elle.

Mais sapristi ! Plus il cherchait à se concentrer sur la partie, et plus ses pensées se focalisaient sur elle. Il voulait tenter l'aventure ? Bon sang, il y avait déjà sauté à pieds joints !

Et maintenant, il était trop tard pour faire demi-tour.

Par ailleurs, le fait de la savoir seule le mettait mal à l'aise. Ce qu'elle lui avait dit au sujet de la personne qui s'en prenait à elle était sensé. Ce type — du moins, il partait du principe qu'il s'agissait d'un homme — était de toute évidence un couard et un intimidateur, qui n'irait pas au-delà de ses menaces anonymes.

Malheureusement, que ce raisonnement soit plausible ou non, il ne parvenait pas à lui accorder le moindre crédit. En fait, plus il y songeait, et plus il sentait l'inquiétude enfler en lui. Et si ce gars voyait rouge en constatant que les gens se rangeaient du côté de Cassie ? S'il avait l'impression d'être le dernier combattant prêt à s'engager pour cette cause, quelle qu'elle soit ?

Etait-il nécessaire de connaître ses motivations ? Les menaces violentes avaient certes été implicites, mais il arrivait que les gens perdent leur sang-froid lorsqu'ils se sentaient acculés.

Il n'aurait jamais dû la laisser seule, et insister pour qu'elle l'accompagne au match. Le sifflet résonna, arrêtant une nouvelle fois la partie. Il serra les dents. Son angoisse était sûrement disproportionnée, mais il avait acquis la conviction qu'il avait commis une erreur en laissant Cassie seule, sans avoir l'assurance que celui qui la harcelait avait jeté l'éponge.

Et il ne pouvait se défaire de l'idée qu'il fallait absolument qu'ils aient une discussion franche le plus tôt possible.

Son malaise, combiné à celui de Cassie, risquait de les mener dans la mauvaise direction. Ou peut-être que non. Et si elle le congédiait purement et simplement ? Eh bien, il avait déjà survécu à une telle épreuve.

Mais ce qui le mortifiait plus que tout était de savoir qu'en ce moment, elle était seule.

Cassie était tétanisée. Face au comptoir et à ses sacs à provisions, elle avait l'oreille aux aguets, bien consciente du fait qu'il n'existait qu'une échappatoire, sa porte d'entrée, étant donné que la neige bloquait la porte de la cuisine.

Elle se trompait peut-être. Se concentrant davantage, elle ne perçut aucun mouvement, aucun son, à part le ronflement constant de la chaudière, au sous-sol, qui propulsait de l'air chaud dans les aérations.

Son imagination lui jouait des tours… le changement de température faisait certainement craquer les planchers, rien de plus.

Mais au fond d'elle, elle n'y croyait pas. La chair de poule dont elle ne parvenait à se débarrasser lui confirmait chaque seconde qu'elle avait de la compagnie.

Très bien, pensa-t-elle. Qu'elle ait raison ou tort, la meilleure stratégie à adopter était de quitter cet endroit le plus vite possible. Elle allait prendre ses clés et sa veste, comme si elle allait chercher quelque chose dans sa voiture, et elle s'enfuirait ; au passage, elle devrait attraper son portable et appeler la police dès qu'elle serait à distance raisonnable.

Elle marmonna un juron, comme si elle était en colère, et saisit les clés qu'elle avait posées sur le comptoir, à côté de son sac à main. Se rappelant que son téléphone était dans sa poche, elle le sortit, au cas où. Tant pis pour la veste, il fallait qu'elle sorte d'ici sans tarder.

Elle fit volte-face, et n'avait pas fait deux pas qu'un homme apparaissait devant elle. Stupéfaite, elle recula. Il était grand, massif, imposant, et portait un blouson d'hiver ainsi qu'un passe-montagne qui dissimulait son visage. Elle n'aurait pu l'identifier même si elle avait déjà croisé son chemin. Et il se tenait entre elle et sa seule porte de sortie.

— Qui êtes-vous ? Et que me voulez-vous ?

Les questions avaient fusé instinctivement, alors qu'elle reculait d'un pas supplémentaire, et son esprit bouillonnait, à la recherche d'un ustensile qui lui permettrait de se défendre. Le choix était restreint. Ses couteaux se trouvaient dans un tiroir, et ses poêles en fonte dans le placard. Comptait-elle l'assommer à coups de sacs à provisions ?

— Je t'ai demandé de quitter la région.

C'était la voix de l'appel anonyme. Enfin, elle n'en était pas tout à fait sûre. Et son cœur battait si fort qu'elle avait du mal à respirer normalement. Sa bouche était si sèche qu'elle s'exprimait maintenant à grand-peine.

— Pourquoi ? Je ne vous ai rien fait, dit-elle d'une voix qui s'apparentait à un murmure.

— Parce que tu te mêles d'affaires qui ne te regardent pas. Tu énerves les gens, et tu fais du mal à nos enfants.

— Mais… est-ce que votre fils était en retenue cette semaine ?

Elle avait retrouvé un peu d'aplomb en constatant qu'il ne l'avait pas attaquée sans sommation.

— Non.

— Alors pour quelle raison vous en prenez-vous à moi ?

Le désespoir l'envahissait, même si une petite voix la conjurait de garder son calme, car la seule intention de cet homme était de l'épouvanter. Il y parvenait, d'ailleurs.

— Que vous ai-je fait ?

Face à son mutisme, elle sentit son angoisse s'accentuer, ce qu'elle n'aurait pas cru possible quelques instants plus tôt.

Elle posa ses mains à plat sur le comptoir, sans jamais le quitter du regard, feignant la décontraction, mais en les rapprochant subrepticement du tiroir dans lequel étaient rangés ses couteaux.

Lorsqu'il fit un pas dans sa direction, elle se sentit tétanisée.

— Tu ne comprends rien, lança-t-il. Je t'ai laissé une chance ; tu pouvais partir, mais tu ne l'as pas fait.

— Que me reprochez-vous, à la fin ?

— Tu le sais parfaitement !

— Non !

Ses doigts se refermèrent sur la poignée du tiroir.

— Le rat sur mon bureau, c'était vous ?

Il laissa échapper un rire désagréable.

— Tu as dû avoir une belle frousse, pas vrai ?

— Effectivement, reconnut-elle, espérant qu'elle le calmerait en abondant dans son sens. J'en étais malade.

— Tant mieux. C'était le moment de faire tes bagages.

Il cherchait à l'intimider, se répéta-t-elle. Son seul but était de l'effrayer ; d'ailleurs, il ne lui avait même pas montré son visage.

Elle évalua la distance qui la séparait de la porte d'entrée… Si elle parvenait à le faire se déplacer légèrement sur le côté… Elle se tourna vers la porte arrière, et instinctivement, il l'accompagna dans son mouvement.

— Tu ne peux pas te sauver par là.

Il avait dû faire le tour de la maison ; il savait qu'elle n'avait qu'une issue à sa disposition.

— Je m'en vais, lui annonça-t-elle. Laissez-moi partir ; je monterai dans mon véhicule, et vous ne me reverrez plus jamais.

— C'est une chance que tu as déjà laissée filer.

Que voulait-il dire ? Il ne lui fallut pas longtemps pour le comprendre. Il n'était pas venu dans le but de l'effrayer ; il avait l'intention de lui faire du mal.

Lorsqu'elle en eut acquis la certitude, tout lui parut plus clair. Soit elle restait plantée là et le laissait mener la partie, soit elle entreprenait tout ce qui était en son pouvoir pour le combattre.

Valait-il mieux qu'elle saisisse un couteau ou qu'elle fonce tête baissée ? Elle ignorait s'il était armé, et de toute façon, au vu de sa corpulence, cela ne faisait pas une grande différence.

Elle tira prestement sur la poignée, et tâtonna à la recherche de son couteau à découper, qu'elle brandit face à lui.

— Ecartez-vous, ou vous allez le regretter.

Il la regarda fixement, puis l'une de ses grosses mains gantées pivota, laissant apparaître la lame d'un couteau à cran d'arrêt.

— C'est ce qu'on va voir.

Sans attendre son reste, Cassie fondit sur lui.

Lincoln se gara devant chez Cassie, mais hésita un instant avant d'éteindre le moteur. Que ferait-il si elle lui disait de rentrer chez lui, qu'elle était occupée, et qu'elle n'avait pas de temps à lui consacrer ?

S'il refusait de prendre ce risque, il n'était qu'un lâche. Un lamentable couard. En revanche, le sentiment désagréable que le soutien dont elle bénéficiait maintenant avait pu exciter la rancœur du type qui la harcelait ne le quittait plus. Il avait vu plus d'un intimidateur agir de la sorte, en envenimant la situation dans l'espoir que son mauvais comportement paraîtrait plus légitime.

Une étrange logique, mais à laquelle il était malheureusement habitué.

Il descendit de son véhicule et, sans savoir exactement ce qui l'avait alerté, il sentit immédiatement que quelque chose ne tournait pas rond. Il inspecta la rue du regard, mais rien ne sortait de l'ordinaire, à l'exception d'un vieux pick-up garé le long du trottoir, un peu plus loin.

Par acquit de conscience, il décida de faire le tour de la maison, et aperçut deux silhouettes qui se découpaient sur les rideaux de la cuisine. Cassie n'était pas seule, et l'autre personne semblait assez imposante. Un instant plus tard, il crut entendre un cri étouffé.

Son instinct prenait le dessus. Ou elle sortait d'ici ou elle se préparait à rendre son dernier souffle ! Couteau en main, elle avait chargé son agresseur.

Sous l'effet de la surprise, il ne réagit pas immédiatement et, l'espace d'un fabuleux instant, elle se crut sur le point de lui fausser compagnie. Mais alors qu'elle passait à sa hauteur, il la saisit par l'épaule et la poussa violemment, la projetant au sol.

Elle poussa un cri en atterrissant face contre terre, le souffle court, et le couteau lui échappa.

Bon sang ! Elle était fichue ! Quel qu'ait été son plan initial, à présent ce type devait être furieux. Elle fut instantanément prise de panique. Elle ne parvenait plus à respirer, était incapable de bouger.

Bataillant pour parvenir à faire de nouveau entrer l'air dans ses poumons, elle perdit tout son sang-froid lorsque son assaillant l'attrapa par les cheveux et lui bascula la tête en arrière si violemment qu'elle entendit ses vertèbres craquer. La mort approchait à grands pas, elle le savait. Mais alors que le monde semblait lentement sombrer dans la pénombre, elle parvint à prendre une inspiration, et elle entendit un bruit retentissant.

Elle ouvrit les yeux et aperçut Lincoln qui traversait son salon comme une trombe, tête et épaules dans la position adoptée par les footballeurs prêts à tacler le porteur du ballon. Son agresseur relâcha immédiatement sa pression.

Elle poussa un grognement, ignorant la douleur qui envahissait son cou et son ventre, puis roula sur le dos, juste à temps pour apercevoir Lincoln qui tentait de maîtriser l'homme qui l'avait attaquée.

Puis son champ de vision se rétrécit autour de la lame

du cran d'arrêt que l'homme serrait encore fermement dans sa main.

— Lincoln…, coassa-t-elle en cherchant à reprendre son souffle.

Elle devait agir.

Elle se traîna à quatre pattes jusqu'aux combattants. La main qui tenait le couteau décrivit un arc de cercle en direction du flanc de Lincoln.

— Non !

Rassemblant ses maigres forces, elle s'élança pour neutraliser le bras de l'homme. La lame frôla son visage, mais elle n'y prêta pas attention. Il fallait qu'elle sauve Lincoln. Appuyant de tout son poids sur le bras armé, elle le frappa au niveau de l'épaule. Un coup violent, qui arracha un cri perçant à l'intrus, et lui fit lâcher l'arme qu'elle poussa prestement hors d'atteinte. Lincoln expira bruyamment en encaissant un coup assené par l'homme cagoulé, mais il ne relâcha pas son emprise pour autant.

Retrouvant lentement ses moyens, Cassie se releva tant bien que mal. Elle se saisit du cran d'arrêt, puis, apercevant son couteau de boucher, elle le ramassa également. Armée d'un couteau dans chaque main, elle approcha des deux combattants.

Les yeux de l'agresseur s'écarquillèrent sous son passe-montagne à la vue des deux armes.

— Est-ce que tu peux le maintenir, Lincoln ? demanda-t-elle d'une voix à l'intonation glaciale. J'ai bien envie de lui trancher la gorge.

Lincoln haleta :

— Je maîtrise la situation, mais appelle plutôt la police.

Toute sa pugnacité semblait avoir quitté l'agresseur à partir du moment où Cassie avait brandi les deux armes blanches, à moins que ce ne fût l'effet de son ton péremptoire. Lincoln était à califourchon sur son adversaire, et lui plaquait les épaules au sol.

— Je suis persuadé que tu n'as jamais fait de lutte gréco-romaine, dit-il. Ne t'avise pas de remuer un petit doigt, sinon je te promets une prise que tu ne seras pas près d'oublier.

Un peu plus tard, alors que la police venait de partir, escortant son agresseur, Cassie crut de nouveau s'effondrer. C'en était trop, se disait-elle, et maintenant que la menace était passée, qu'elle était en sécurité, elle avait l'impression d'être vidée de ses forces. Lincoln l'enveloppa alors de ses bras et l'attira contre lui en murmurant :

— Comme j'ai eu peur pour toi !

Elle aussi avait été terrifiée pour lui lorsqu'il affrontait l'homme armé. Mais si ses forces l'abandonnaient, elle restait sûre d'une chose : elle n'aurait souhaité être nulle part ailleurs qu'entre les bras de Lincoln. Si seulement cela pouvait être réciproque !

Il ne lui laissa guère le choix. L'accompagnant jusqu'à sa chambre, il l'aida à mettre quelques vêtements dans un sac, puis l'emmena jusqu'à son pick-up. Elle n'avait aucune envie d'être seule, et lui ne semblait pas vouloir la laisser sans protection.

Il jouait encore les preux chevaliers, songea-t-elle rêveusement. Si seulement il attendait davantage d'elle… Or, elle avait la désagréable impression que ce n'était pas le cas.

Cherchant à se raccrocher à des pensées plus neutres émotionnellement, elle se demanda comment elle parviendrait à enseigner le lendemain sans avoir réellement fermé l'œil. Car elle était intimement convaincue qu'elle serait incapable de trouver le sommeil.

Même si cela n'avait rien de divertissant, elle essaya ensuite de se concentrer sur son assaillant. Elle était prête à tout pour se débarrasser de cette boule qui lui plombait l'estomac. Quitte à revivre mentalement des moments de terreur absolue.

— Tu crois qu'il avait l'intention de me tuer ? demanda-t-elle finalement.

— Je n'en sais rien. Il prétend que non, mais nous ne le saurons jamais.

— Effectivement.

Puis elle se tut, essayant de donner du sens à l'histoire qui semblait avoir déclenché cette vague de folie.

— J'ai beaucoup de mal à comprendre ses motivations, tu sais, marmonna Lincoln.

L'homme au passe-montagne, Stan Bell, était un alcoolique notoire, doublé d'un bon à rien. Son fils, Vic, faisait partie de l'équipe de basket-ball qui semblait sur la bonne voie pour remporter le championnat inter-lycées. Or Vic ne courait pas le risque de perdre sa place au sein de l'équipe, puisqu'il n'était pas impliqué dans l'affaire de harcèlement qui avait secoué ses camarades.

En revanche, vingt ans plus tôt, Stan Bell avait fait partie d'une équipe dont la victoire en finale semblait acquise, mais qui avait perdu parce que leur meilleur coéquipier avait été arrêté peu avant le match décisif. Stan avait par conséquent été privé de l'éclatante victoire qu'il escomptait, et qui aurait constitué le plus grand moment de gloire de toute son existence, à en juger par ce qui avait suivi.

Il aurait donc commis toutes ces exactions parce qu'il refusait que son fils rate une occasion unique de remporter le trophée…

— Sa réaction paraît disproportionnée, non ? déclara Cassie, tout en s'astreignant à ne pas dévorer des yeux l'homme assis à côté d'elle dans la cabine, à ne pas lui tomber dans les bras ni lui proposer de l'emmener sous des cieux plus cléments.

— Absolument. Il est évident que ce type souffre de troubles psychologiques.

Pas de doute, se dit-elle, il s'agissait d'un déséquilibré. Dans son esprit, tout semblait certainement rationnel, mais aux yeux des autres, cela s'apparentait à de la folie furieuse.

— Tu vas devoir te cuirasser, Cassie, la prévint Lincoln. Ils ne pourront pas l'inculper pour tentative d'homicide. Il n'est pas allé assez loin, d'après leurs critères.

— J'en ai conscience. Gage Dalton m'a déjà avertie. Il ne passera pas une année derrière les barreaux.

— Tu es sûre que tu te feras à cette idée ?

— Ai-je vraiment le choix ? Qui sait, un suivi psychologique lui fera sûrement le plus grand bien…

Elle secoua la tête, tentant de chasser cette pensée de son esprit, du moins pour le moment. Elle était contusionnée, fatiguée, et elle se demandait pour quelle raison elle se rendait chez Lincoln, alors que c'était bien la chose la plus stupide à faire. S'il la désirait autant qu'elle le désirait, il aurait pu arriver à ses fins chez elle. Mais excepté la longue embrassade dont il l'avait gratifiée, il n'avait rien laissé paraître d'un quelconque désir à son encontre.

Il se gara devant le corps de ferme. Elle savait qu'il devait s'occuper de ses bêtes, et elle s'attendait à ce qu'il l'escorte jusqu'à l'intérieur puis qu'il la laisse se mettre à l'aise pendant qu'il prendrait soin de son troupeau. Cela paraissait logique.

Mais à sa grande surprise, dès qu'ils eurent franchi le seuil, il l'enveloppa dans une étreinte si puissante qu'elle crut entendre ses os craquer.

— J'ai eu si peur de te perdre…, murmura-t-il à son oreille.

Profondément émue, elle sentit son cœur se fendre, après avoir été soumis à tant de pression tout au long de la journée.

Mais avant qu'elle ait eu le temps de répondre quoi que ce soit, il avait déjà reculé et la tenait à bout de bras, ses yeux bleus brillant d'un éclat perçant.

— Dis-moi la vérité, Cassie. Sachant que Bell risque de retrouver sa liberté sous peu, que comptes-tu faire ? Vas-tu rester, ou t'en aller ?

Son regard était sans fard, clair et sincère. Elle savait exactement où il voulait en venir, et pour quelle raison il lui posait cette question. Et elle avait conscience du fait qu'il ne lui faisait aucune promesse.

Mais au fond d'elle, il n'avait jamais été si important de savoir clairement ce qu'elle voulait, ce qu'elle avait l'intention de faire. Elle ferma les yeux, pour échapper à son regard déstabilisant, et elle sonda son cœur. L'homme qui l'avait agressée serait bientôt de retour dans le comté. Dans quelques semaines, ou dans un an, mais il reviendrait, peut-être plus fou, et plus furieux contre elle.

En dépit de cela, lorsqu'elle ouvrit les yeux et plongea son regard dans celui de Lincoln, elle n'avait jamais été aussi sûre de ce qu'elle comptait faire de sa vie.

— Je reste… pour de bon.

Le visage de Lincoln se détendit.

— Pour le moment, tu veux dire ?

Elle secoua la tête.

— Non, Lincoln, pour toujours. Cet endroit me plaît. Et aujourd'hui, j'ai vraiment eu le sentiment d'y être à ma place.

— Malgré Stan Bell ?

— Il y a des Stan Bell partout. Mais une communauté qui se mobilise aussi rapidement pour venir en aide à une famille, ça ne se trouve pas facilement.

Un sourire s'esquissa sur le visage de Lincoln.

— Il y a autre chose, Cassie.

— Quoi ?

— Eh bien, je porte plusieurs casquettes, si bien que mes journées sont bien remplies, entre les entraînements, les cours, et la ferme. Mais j'aime ma vie. Je ne suis pas un type ambitieux qui veut mettre le monde à ses pieds. Je ne fréquente pas ces lieux à la mode, non plus. Tout ce que je veux, c'est être un bon enseignant, un bon coach, et gérer mon exploitation correctement.

— Où est le problème ? Ce sont des choses importantes. Regarde-moi. L'enseignement est une discipline exigeante, enfin, c'est mon avis, mais je me donne peut-être trop d'importance...

Avant qu'elle ait fini sa phrase, il lui imposa le silence d'un baiser profond et dévastateur.

— Pas du tout, murmura-t-il d'une voix rauque contre ses lèvres lorsqu'il la laissa enfin reprendre son souffle. Six mois, ajouta-t-il.

— Six mois ?

— Viens t'installer chez moi jusqu'à la fin de l'année scolaire. Ensuite, si tu me supportes encore, j'aimerais que tu deviennes ma femme. Parce que, nom d'un chien, je t'aime. Je sais, c'est rapide, et je compte te donner un peu de temps. Mais je suis tombé amoureux de toi dès l'instant où je t'ai vue. J'ai bien essayé de rester à l'écart, mais il y a des choses contre lesquelles on ne peut lutter. Ta manière de bouger, de parler... Tu ne te rendais pas compte de l'attention que je te portais. Je me croyais malin, mais j'étais stupide, et je n'ai pu empêcher l'inévitable. Je t'aime, Cassie Greaves, et te voir en danger ce soir m'a ouvert les yeux ; je ne peux plus faire semblant.

Son cœur faisait des bonds dans sa poitrine. C'était rapide, certes, mais elle savait que refouler les sentiments qu'elle éprouvait l'anéantirait.

— Moi aussi, je t'aime, Lincoln.

Le voulant le plus près d'elle possible, elle jeta ses bras autour de son cou, certaine d'avoir désormais trouvé sa place dans le monde ; auprès de lui. La joie l'envahit, une félicité plus intense qu'elle l'avait jamais imaginée.

— Je suis désolé d'avoir ainsi précipité les choses, dit-il un peu plus tard alors qu'ils étaient pelotonnés l'un contre l'autre sous la courtepointe. J'aurais dû attendre un moment plus approprié, après tout ce que tu as vécu ce soir. Mais je n'en pouvais plus de patienter, Cassie. J'avais déjà le sentiment d'avoir perdu beaucoup trop de temps. Durant le match, je ne cessais de penser que j'aurais dû te dire un mot avant de partir. Je sentais qu'il y avait un malentendu entre nous.

— C'était effectivement le cas, soupira-t-elle. Je ne croyais pas que quelqu'un puisse m'aimer sincèrement. Et toi, tu étais persuadé que je te quitterais comme Martha l'a fait...

— Nous devons apprendre à mieux communiquer, plus clairement, et aborder les sujets qui nous effraient.

Elle acquiesça, et se délecta de la sensation que produisait le contact de sa peau contre sa joue.

— Comme avoir des enfants ? osa-t-elle.

— Des enfants ?

Un instant, elle se demanda si elle n'avait pas commis un impair, mais le rire de Lincoln fusa puissamment, et sembla l'envelopper avec la douceur du miel.

— J'en veux, bien sûr, mais je préférais attendre avant de te poser ce genre de question. Honnêtement, j'en voudrais deux, au moins. Ça te va ?

— Absolument. J'ai toujours désiré une famille nombreuse.

— Parfait. J'ai toujours rêvé d'entendre des gamins courir et rire dans cette maison.

Il l'embrassa ardemment, puis releva la tête et la regarda droit dans les yeux. La lampe placée sur la table de chevet diffusait une lumière tamisée^, mais ne l'empêcha pas de remarquer son expression on ne peut plus sérieuse.

— Je veux que cela ne s'arrête jamais, Cassie. Toi et moi, c'est pour toujours.

Elle se dit qu'elle aurait pu prononcer les mêmes mots, et que l'éternité semblait une durée raisonnable.

Le 1ᵉʳ septembre

Black Rose n°267

Un précieux allié - Marie Ferrarella

Destiny le *sait* : sa sœur, loin de s'être suicidée, comme tous les indices tendent à le prouver, a été assassinée. Voilà pourquoi elle doit à tout prix convaincre le lieutenant Logan Cavanaugh, qui a été chargé de l'affaire, d'approfondir ses recherches. Car même si elle n'a pas une très haute opinion de lui en tant qu'homme – n'est-il pas un séducteur invétéré, qui collectionne les conquêtes sans lendemain ? –, elle reconnaît son professionnalisme en tant que policier. Alors, pour qu'il l'écoute, elle est prête à tout... Même à jouer de son charme auprès de lui...

L'étau du mensonge - Margaret Watson

Se pourrait-il que Tim, son ex-mari, ait retrouvé sa trace ? Darcy vit dans l'angoisse depuis que Nathan Devereux, son patron, a été renversé par une voiture devant le restaurant où ils travaillent tous deux. Car bien qu'elle ait changé de vie depuis son divorce d'avec Tim, c'est elle qui était visée, elle en a la certitude... Aussi accueille-t-elle avec soulagement l'arrivée de Patrick Devereux, le frère de son patron, venu remplacer ce dernier au restaurant. La présence à ses côtés de ce policier à la carrure d'athlète la rassure. Et puis, bien qu'elle s'en défende, Patrick l'attire. A tel point qu'elle décide de lui révéler qu'elle se cache sous une fausse identité...

Black Rose n°268

Le passé disparu - Rebecca York

Le « hors-la-loi ». Voilà comment Hannah a surnommé le bel inconnu qu'elle observe depuis deux semaines dans le bar où ils se rendent tous les deux chaque soir. Cet homme l'intrigue, avec son regard ténébreux et l'impression qu'il donne d'être sans cesse sur le qui-vive. Et puis, surtout, il ne semble pas l'avoir remarquée, ce qui l'agace au plus haut point... Aussi est-elle stupéfaite quand, alors qu'elle se fait agresser en pleine rue, il intervient et la sauve de justesse. Pourquoi la suivait-il ? Une question qui trouve très vite sa réponse quand il lui révèle qu'il a enquêté sur elle, et veut l'engager comme détective privé. Amnésique, il ignore en effet tout de son identité, et la seule chose qu'il a trouvée à ses côtés en se réveillant dans un lit inconnu, trois semaines plus tôt, est une valise contenant un million de dollars...

Une troublante proximité - Cassie Miles

J'ai besoin de vous, Petra...
Travailler aux côtés du séduisant agent Brady Masters, n'est-ce pas ce dont toute femme rêverait ? Pourtant, Petra le sait : en acceptant la mission qu'il lui propose – feindre d'être son épouse pour infiltrer avec lui une clinique qu'il soupçonne de se livrer à des activités illégales –, elle risque gros. Non seulement sa vie – qu'arrivera-t-il si elle se fait démasquer ? – mais aussi son cœur. Car si elle se laisse prendre au jeu, elle pourrait bien tomber amoureuse de Brady qui, alors qu'il est loin de la laisser indifférente, disparaîtra sans plus se soucier d'elle une fois leur enquête terminée...

Un secret à te révéler - Lisa Childs

Injustement accusé d'un meurtre qu'il n'a pas commis, Jedidiah n'a
plus qu'une idée en tête depuis qu'il s'est évadé de prison : retrouver
Erica Towsley, la seule à pouvoir prouver son innocence. Il était avec
elle, ce soir fatidique où un policier a été tué. En train de lui faire
l'amour. Alors pourquoi n'est-elle pas venue témoigner à son procès
et l'a-t-elle laissé croupir en prison pendant cinq ans, alors qu'il
était follement amoureux d'elle ? C'est ce qu'il est résolu à découvrir.
Pourtant, quand il arrive chez elle, c'est le choc : non seulement Erica
semble convaincue qu'il s'est absenté au cours de cette fameuse nuit
qu'ils ont passée ensemble, mais elle est accompagnée d'une petite
fille qui ressemble à Jedidiah comme deux gouttes d'eau...

Menaces dans l'ombre - Julie Miller

L'inspecteur A.J. Rodriguez en est persuadé : Claire Winthrop ne
ment pas quand elle affirme avoir été témoin d'un meurtre. Certes,
les éléments ne plaident pas en sa faveur – aucun corps n'a été
retrouvé, et pas le moindre indice n'a été relevé sur le lieu supposé
du crime. Mais, sans qu'il puisse s'expliquer pourquoi, la lueur de
détresse qu'il a vue passer dans ses grands yeux bleus a réveillé
en lui un puissant instinct protecteur. Un instinct qui ne l'a jamais
trompé depuis qu'il a débuté sa carrière de flic, et qu'il se promet
d'écouter – quitte à désobéir à sa hiérarchie pour protéger la jolie
Claire du danger qui la guette...

Au nom d'une autre - Sylvie Kurtz

Tu as une sœur jumelle...
Lorsque sa mère, sur son lit d'hôpital, lui souffle ces mots à
l'oreille, Brooke se sent prise de vertige. Voilà d'où lui vient cette
impression constante, douloureuse, d'avoir perdu une partie d'elle-
même... Plus une minute à perdre : elle doit retrouver Alyssa, cette
sœur dont elle a été séparée depuis trop longtemps. Mais quand
elle arrive enfin chez celle-ci, un nouveau choc l'attend : Alyssa
est dans le coma suite à un accident. Ou plutôt une tentative
d'assassinat ? C'est du moins ce que prétend Jack Chessman, un
policier ami de sa jumelle. Jack, qui lui demande de l'aider à faire
la lumière sur cette affaire, en se faisant passer pour Alyssa...

Le risque de t'aimer - Harper Allen

Pour Ainslie, le grand jour est arrivé : devant le tout Boston, elle
va épouser le célèbre magnat des affaires, Pearson McNeil. Mais
alors qu'elle monte les marches de la cathédrale, elle se fige soudain.
Cet homme au regard vert, qu'elle aperçoit au milieu de la foule, se
pourrait-il que ce soit... ? Non. Impossible. Seamus Malone, qu'elle
a passionnément aimé deux ans plus tôt, est mort. Incapable de se
retenir, elle se dirige pourtant vers lui... et sent son sang se glacer
quand Seamus – car il s'agit bien de lui ! – lui apprend qu'il est
poursuivi par de dangereux criminels, et qu'elle est la seule vers qui
il puisse se tourner...

BLACK
ROSE

Best-Sellers n°568 • suspense

La peur sans mémoire - Lori Foster

Intense et bouleversante. La nuit qu'Alani vient de passer avec Jackson Savor résonne en elle comme une révélation. Après son enlèvement à Tijuana, deux ans plus tôt, et les cauchemars qui l'assaillent depuis, jamais elle ne se serait crue capable de s'abandonner ainsi dans les bras d'un homme. Et pourtant, Jackson, ce redoutable mercenaire qui n'a de limites que celles fixées par l'honneur, a su trouver le chemin de son cœur. Hélas, cette parenthèse amoureuse est de courte durée. Au petit matin, à peine sortie de la torpeur du plaisir, Alani comprend qu'il y a un problème : son amant, si empressé un peu plus tôt, a tout oublié de leurs ébats torrides. Pas de doute possible : il a été drogué. Mais par qui ? Et comment ? Le coupable est-il lié aux odieux trafiquants sur lesquels Jackson enquête ? Ces questions sans réponse, ce sentiment d'impuissance, Alani les supporte d'autant plus mal qu'elle y a déjà été confrontée. Mais au côté de Jackson, et pour donner une chance à leur histoire, elle est prête à affronter le danger, et ses peurs…

Best-Sellers n°569 • suspense

Le mystère de Home Valley - Karen Harper

Mille fois, Hannah a imaginé son retour à Home Valley, la communauté amish où elle a grandi et avec laquelle elle a rompu trois ans plus tôt. Mille fois, elle a imaginé ses retrouvailles avec Seth, l'homme qu'elle aurait épousé s'il ne l'avait cruellement trahie. Mais pas un seul instant elle n'aurait pensé que cela se ferait dans des circonstances aussi dramatiques. Car dès son retour, alors qu'elle a décidé sur un coup de tête de se rendre de nuit dans le cimetière de la Home Valley, elle est prise pour cible par un homme armé, qui heureusement ne parvient qu'à la blesser. Pourquoi cet homme a-t-il voulu la tuer ? Va-t-il s'arrêter là ? Pour répondre à ces angoissantes questions, Hannah décide d'apporter toute son aide au ténébreux Linc Armstrong, l'agent du FBI chargé de l'enquête, et qui suscite la méfiance chez les autres membres de la communauté amish — et surtout chez Seth. Ecartelée entre deux mondes, entre deux hommes, Hannah va bientôt être submergée par ses sentiments – des sentiments aussi angoissants que les allées du cimetière plongées dans l'obscurité…

Best-Sellers n°570 • thriller

Piège de neige - Lisa Jackson

Prisonnière du criminel pervers qu'elle traque depuis des semaines dans l'hiver glacial du Montana, l'inspecteur Regan Pescoli n'a plus qu'une obsession : s'échapper coûte que coûte. Aussi essaie-t-elle, dans le cachot obscur et froid où elle est enfermée, de dominer la terreur grandissante qui menace de la paralyser. Car ce n'est pas seulement sa vie qui est en jeu, mais également celle d'autres captives, piégées comme elles et promises à la mort. Pour les sauver, autant que pour retrouver ses enfants et Nate Santana, l'homme qu'elle aime, Regan est déterminée à découvrir le point faible du tueur. Pour cela, il lui faudra aller au bout de son courage, de sa résistance physique… Et vaincre définitivement ce maniaque, avant qu'il ne soit trop tard.

Best-Sellers n°571 • suspense
Les disparues du bayou - Brenda Novak

Depuis l'enlèvement de sa petite sœur Kimberly, seize ans plus tôt, Jasmine Stratford a enfoui ses souffrances au plus profond d'elle-même et s'est dévouée corps et âme à son métier de profileur. Mais son passé ressurgit brutalement lorsqu'elle reçoit un colis anonyme contenant le bracelet qu'elle avait offert à Kimberly pour ses huit ans. Bouleversée, elle se lance alors dans une enquête qui la conduit à La Nouvelle-Orléans. Là, elle ne tarde pas à découvrir un lien effrayant entre le meurtre récent de la fille d'un certain Romain Fornier et le kidnapping de sa petite sœur. Prête à tout pour découvrir la vérité, Jasmine prend contact avec Romain Fornier, seul capable de l'aider à démasquer le criminel. Elle se heurte alors à un homme mystérieux, muré dans le chagrin et vivant dans le bayou comme un ermite. Un homme qu'elle va devoir convaincre de l'aider à affronter le défi que leur a lancé le tueur : *« Arrêtez-moi ».*

Best-Sellers n°572 • roman
L'écho des silences - Heather Gudenkauf

Allison. Brynn. Charm. Claire. Quatre femmes prisonnières d'un secret qui pourrait les détruire… et dont un petit garçon est la clé. Allison garde depuis cinq ans le silence sur le triste drame qu'elle a vécu adolescente et qui l'a conduite en prison pour infanticide. Brynn sait tout ce qui s'est passé cette nuit-là, mais elle s'est murée dans l'oubli pour ne pas sombrer dans la folie. Charm a fait ce qu'elle a pu, bien sûr, pourtant elle a dû renoncer à son rêve et se taire. Alors elle veille en secret sur son petit ange. Claire vit loin du passé pour tenter de bâtir son avenir avec ceux qui comptent pour elle. Et elle gardera tous les secrets pour protéger le petit être qu'elle aime plus que tout au monde. Quatre femmes réfugiées dans le silence, détenant chacune la pièce d'un sombre puzzle.

Best-Sellers n°573 • roman
Un jardin pour l'été - Sherryl Woods

Son cœur qui bat plus vite lorsqu'elle consulte sa messagerie, son imagination qui s'emballe lorsqu'elle revoit en pensée le visage aux traits virils de celui dont elle est tombée amoureuse… Moira doit se rendre à l'évidence : elle ne peut oublier Luke O'Brien. Il faut dire qu'avec ses cheveux bruns en bataille, son regard parfois grave mais pétillant de vie, son sourire irrésistible, cet Américain venu passer ses vacances en Irlande n'a guère eu de mal à la séduire. Sauf qu'après le mois idyllique qu'ils ont passé ensemble, Luke est reparti aux Etats-Unis reprendre le cours de sa vie, et peut-être même retrouver une autre femme. Alors que Moira tente de se persuader que tout est ainsi pour le mieux, son grand-père lui demande de l'accompagner à Chasepeake Shores, la petite ville de la côte Est des Etats-Unis où vit Luke. Moira n'hésite que quelques secondes avant d'accepter. Même si, dès lors, une question l'obsède : saura-t-elle convaincre Luke qu'il y a une place pour elle dans sa vie ?

BestSellers

Best-Sellers n°574 • historique
La maîtresse de l'Irlandais - Nicola Cornick

Londres, 1813.

Autrefois reine de la haute société londonienne, Charlotte Cummings a vu son existence voler en éclats lorsque son époux – las de ses frasques – a mis fin à leur mariage du jour au lendemain. Brusquement exclue des soirées mondaines, ruinée et endettée, Charlotte n'a eu d'autre choix que de renoncer à son honneur en vendant ses charmes chez la cruelle Mme Tong. Jusqu'à ce qu'un jour un troublant gentleman ne lui redonne espoir en lui proposant un pacte aussi tentant que surprenant. Si elle accepte de devenir sa maîtresse, elle retrouvera son statut de lady et les privilèges qui vont avec. D'abord hésitante, Charlotte finit par se soumettre à ce scandaleux marché, même si elle pressent que cet homme mystérieux lui cache quelque chose…

Best-Sellers n°575 • historique
Un secret aux Caraïbes - Shannon Drake

Mer des Caraïbes, 1716.

Roberta Cuthbert ne vit que pour se venger du cruel pirate qui a tué ses parents et anéanti le village de ses ancêtres, en Irlande. Pour cela, elle a tout abandonné, allant jusqu'à se faire passer pour un homme et entrer dans la piraterie, afin de parcourir les mers à la recherche de son ennemi. Pourtant, le jour où elle fait prisonnier le capitaine Logan Haggerty, elle comprend que son déguisement ne sera d'aucune protection contre les sentiments troublants que cet homme éveille en elle. Comment pourrait-elle maintenir son image de pirate impitoyable quand elle ne s'est jamais sentie aussi féminine que sous son regard doré ? Bouleversée, Roberta n'en est pas moins déterminée à ignorer la tentation, coûte que coûte. Jusqu'à ce que le capitaine la sauve de la noyade lors d'une violente tempête, et qu'ils ne s'échouent tous deux sur une île déserte…

Best-Sellers n°576 • érotique
L'éducation de Jane - Charlotte Featherstone

Jane le sait : lord Matthew peut être dur. Cassant. Impitoyable avec ceux qu'il pense faibles. Pourtant, lorsqu'elle l'a trouvé, affreusement blessé, dans l'hôpital où elle travaille, et qu'elle l'a veillé jour et nuit, c'est lui qui, les yeux protégés par un bandage, se trouvait à sa merci. Lui, l'homme à la réputation sulfureuse, qui la suppliait de le laisser toucher son visage, sa peau, ses lèvres, son corps tout entier, comme si ces gestes troublants avaient le pouvoir de le ramener à la vie. Alors aujourd'hui, même s'il a recouvré la vue et risque de la trouver laide, comparée à ses nombreuses maîtresses, même s'il est redevenu l'aristocrate arrogant dont les frasques libertines défraient la chronique mondaine, Jane est décidée à se livrer à lui, corps et âme. Un choix insensé qui pourrait la détruire, mais devant lequel elle ne reculera pas. Car à l'instant où Matthew a posé les mains sur elle, elle a su qu'elle avait trouvé son maître…

www.harlequin.fr

OFFRE DE BIENVENUE

2 romans Black Rose gratuits et 2 cadeaux surprise !

Vous êtes fan de la collection Black Rose ? Pour prolonger le plaisir, recevez gratuiteme**
2 romans Black Rose** (réunis en 1 volume) **et 2 cadeaux surprise !**

Une fois votre colis de bienvenue reçu, si vous souhaitez continuer à recevoir nos roma**
Black Rose, cela se fera automatiquement. Vous recevrez alors chaque mois 3 volum**
doubles inédits de cette collection au prix avantageux de 6,84€ le volume (au lieu de 7,20**
auxquels viendront s'ajouter 2,95€* de participation aux frais d'envoi.

*5,00€ pour la Belgique

▶ **Vous n'avez aucune obligation d'achat et cette offre est sans engagement de durée !**

Les bonnes raisons de s'abonner :

* Aucun engagement de durée ni de minimum d'achat.
* Vos romans en avant-première.
* - 5% de réduction systématique sur vos romans.
* La livraison à domicile.

Et aussi des avantages exclusifs :

* Des cadeaux tout au long de l'année qui récompensent votre fidélité.
* Des réductions sur vos romans par le biais de nombreuses promotions.
* Des romans exclusivement réédités pour nos abonné(e)s notamment des sagas à succè**
* L'abonnement systématique à notre magazine d'actu ROMANCE.
* Des points cadeaux pouvant être échangés contre des livres ou des cadeaux.

Rejoignez-nous vite en complétant et en nous renvoyant le bulletin !

N° d'abonnée (si vous en avez un) ⎵⎵⎵⎵⎵⎵⎵⎵⎵   IZ3F09
                                                 IZ3FB1

Nom : .... Prénom : ....

Adresse : ....

CP : ⎵⎵⎵⎵⎵   Ville : ....

Pays : .... Téléphone : ⎵⎵⎵⎵⎵⎵⎵⎵⎵⎵

E-mail : ....

☐ Oui, je souhaite être tenue informée par e-mail de l'actualité des éditions Harlequin.

☐ Oui, je souhaite bénéficier par e-mail des offres promotionnelles des partenaires des éditions Harlequin.

Renvoyez cette page à : Service Lectrices Harlequin – BP 20008 – 59718 Lille Cedex 9 - France

Composé et édité par les

éditions HARLEQUIN

Achevé d'imprimer en Italie (Milan)
par Rotolito Lombarda
en juillet 2013

Dépôt légal en août 2013